DE TOEVALLIGE

ALI SMITH

DE TOEVALLIGE

Vertaald door Irving Pardoen

MOURIA

Voor de vertaling werd een werkbeurs verstrekt door de Stichting Fonds voor de Letteren

Het citaat uit Antal Szerb, *Journey by Moonlight* is overgenomen met toestemming van Pushkin Press.
Het citaat uit Nick Cohen, *Cruel Britannia* is overgenomen met toestemming van Verso, Londen.
'What will survive of us is love' door Philip Larkin is overgenomen met toestemming van Faber & Faber Ltd.
Het citaat uit John Berger, *The Shape of a Pocket* is overgenomen met toestemming van Bloomsbury Ltd.
De uitgever heeft getracht de rechthebbenden van het auteursrecht op te sporen.
© 2005 Nederlandse vertaling Irving Pardoen en
Uitgeverij Mouria, Amsterdam
De gedichten werden vertaald door Meindert Burger
Alle rechten voorbehouden
Oorspronkelijke titel: *The accidental*
Omslagontwerp: Nanja Toebak
Omslagfotografie: Hollandse Hoogte

ISBN 90 458 5112 1
NUR 302

www.mouria.nl

voor
Philippa Reed
hoge verwachtingen

Inuk Hoff Hansen
ver weg zo dichtbij

Sarah Wood
the wizard of us

Op dit moment bestaat er tussen het normale leven van
de mensen op deze planeet en de verhalen die
de ronde doen om dat leven zin te geven
een grote kloof, een enorme leegte.

JOHN BERGER

Oppervlakkig conformisme is geen toeval
maar een gevolg van wat marxisten
optimistisch het laatkapitalisme noemen.

NICK COHEN

De hele geschiedenis werd al snel een zaak van
gering belang, behalve voor Emma en haar neven:
in haar voorstelling hield die stand,
en Henry en John vroegen nog elke dag
naar het verhaal van Harriet en de zigeuners
en bleven haar hardnekkig corrigeren als ze
ook maar even afweek van het oorspronkelijke relaas.

JANE AUSTEN

Veelvuldig zijn de dingen die de mens
al ziende moet begrijpen.
Hoe zal hij anders, niet ziende, weten
wat verborgen ligt in
de tijd die komen gaat?

SOPHOCLES

Mijn kunstenaarschap is wat ascetisch.

CHARLES CHAPLIN

Op een avond in 1968 begon mijn moeder mij op een tafel in de foyer van de enige bioscoop die het plaatsje rijk was. Slechts een trapje hoger, achter het kalende rode fluweel van het balkongordijn, zat de ouvreuse te geeuwen, met haar gedoofde zaklantaarn te spelen en boven het geritsel en getong op de achterste rij op haar elleboog geleund aan het houten tussenschot te pulken en stukjes ervan weg te schieten in de richting van de hoofden van het kleinsteedse publiek in het donker. De film die op het scherm vóór hen werd vertoond was *Poor Cow* met Terence Stamp, een acteur met zo'n magische uitstraling dat mijn moeder, jong, chic, slank en hooghartig, die de film die week al voor de derde keer zag, opstond, de zitting van haar stoel met een klap omhoog liet komen, voor de mensen in haar rij langs schuifelde en door het groezelige middenpad naar de uitgang liep, door het gordijn heen naar het licht.

In de foyer was niemand, behalve de jongen die bezig was de stoelen op de tafels te zetten. We gaan zo sluiten, zei hij. Mijn moeder, nog met haar ogen knipperend van het donker, liep voorzichtig de versleten rode trap af. Ze pakte de stoel uit zijn handen en zette die, nog ondersteboven, op de vloer. Ze stapte uit haar schoenen. Ze knoopte haar jas los.

Achter de kassa wentelden de half ondergedompelde sinaasappels om en om aan de pinnen waarop ze vastzaten; het bezinksel op de bodem van het reservoir steeg op en daalde neer, steeg op en daalde neer. De stoelen op de tafels staken hun poten omhoog; de over de vloer verspreid liggende cakekruimels wachtten geduldig op de zuigmond van de stofzuigerslang. Langs de brede hoofdtrap naar buiten, waar mijn moeder na enkele minuten naartoe zou gaan, haar nylons tot een warme bal opgerold in haar jaszak, haar schoenen heen en weer zwaaiend aan de riempjes in haar hand, glimlachten Julie Andrews en Christopher Plummer vanaf hun toen al gedateerde vijf jaar oude ingelijste foto's precies zoals ze nog steeds enigszins verbleekt maar met stijl glimlachten in de vlammenzee die de trap zwart blakerde toen vijf jaar later de assistent-operateur (die gepasseerd was voor de baan van operateur die hij zeker dacht te krijgen; de directie had na de dood van de oude een andere operateur uit de stad aangenomen) het gebouw met een blik creosoot en zijn sigarettenpeuk in lichterlaaie had gezet.

De dure stoelen op het balkon, waar je niet mocht roken? In rook opgegaan. De stallesplaatsen met de eeuwige geur van leer? Voor altijd verdwenen. De fluwelen gordijnen, de kroonluchter met de glazen bollen? Asresten die je zo kon wegblazen, wat scherfjes licht uitgestrooid over het oppervlak van de plaatselijke geschiedenis. De kranten wisten het de volgende dag zeker: een ongeluk. De man die eigenaar was van de bioscoop claimde de schade bij de verzekering en verkocht de grond met het afgebroken pand aan een cash-and-carrywarenhuis met de nogal fantasieloze naam Mackay's Cash and Carry.

Maar op die avond in 1968 getuigden de stemmen in de bijna gesloten foyer achter de muren nog dreunend van moderne liefde. De muziek rees nog op uit het niets. Vlak voordat de politie Terence Stamp te pakken krijgt en hij zijn verdiende loon ontvangt, klemde ze haar voeten op zijn rug en gleed mijn verbaasde vader met een licht gekreun in haar en bood haar letterlijk miljoenen mogelijkheden, waarvan zij er slechts één koos.

Hallo.

Ik ben Alhambra, genoemd naar de plek waar ik werd verwekt. Geloof me. Alles is zo bedoeld.

Van mijn moeder: gracieus onder druk, wat je met geheimzinnigheid kunt doen, hoe krijg ik wat ik wil. Van mijn vader: hoe te verdwijnen, hoe niet te bestaan.

HET
BEGIN

wanneer is dat? – wanneer beginnen
de dingen precies? Dat wil Astrid Smart weten. (Astrid Smart.
Astrid Berenski. Astrid Smart. Astrid Berenski.) 5:04 op de
klokradio van inferieure kwaliteit. Want waarom zeggen de
mensen altijd dat de dag dan begint? Eigenlijk begint hij
midden in de nacht, een fractie van een seconde na
middernacht. Maar hij wordt geacht pas te beginnen als het
gaat schemeren, eigenlijk is het donker nog de vorige avond
en is het pas ochtend bij licht, hoewel het eigenlijk al ochtend
was een fractie van een seconde na twaalf uur, vgl. dat
experiment waarbij je iets steeds verder in tweeën deelt zoals
de afstand van de grond tot een bal die daarop is gestuiterd,
zodat je kunt bewijzen, zegt Magnus, dat de bal de grond
feitelijk nooit raakt. Wat onzin is, want natuurlijk raakt hij de
grond, hoe zou hij anders kunnen stuiteren, dan zou hij
nergens óp kunnen stuiteren, maar in de wetenschap kun je
echt bewijzen dat dit niet gebeurt.

Astrid neemt de ochtendschemering op. Veel meer is hier
niet te doen. Het is een puinhoop, dit dorp. Postkantoor, een
bouwval van een Indiaas restaurant, een snackbar, een
winkeltje dat nooit open is, een oversteekplaats voor eenden.
De eenden hebben zelfs een eigen verkeersbord! Er is een
bankstellenzaak met de slagzin 'Dat zit wel goed'. Het is
troosteloos. Er is een kerk. Ook de kerk heeft een eigen
verkeersbord. Er is hier niets anders te beleven dan een kerk
en een paar eenden, en dit huis is helemaal een puinhoop.

Van inferieure kwaliteit, dat is het. Er valt hier deze hele zomer van inferieure kwaliteit niets te beleven.

Ze heeft inmiddels negen ochtendschemeringen achter elkaar op de disk van haar digitale Sony-recorder staan. Donderdag 10 juli 2003, vrijdag 11 juli 2003, zaterdag 12, zondag 13, maandag 14, dinsdag 15, woensdag 16, donderdag 17 en vandaag, vrijdag 18. Het is alleen moeilijk te zeggen op welk moment het echt begint te schemeren. Het enige wat je op het camerascherm ziet, is dat het beeld van buiten steeds beter zichtbaar wordt. Betekent dit dan dat het begin te maken heeft met in staat zijn iets te zien? Dat de dag begint zodra je wakker wordt en je ogen opendoet? Dus betekent dit dan dat de dag nog steeds bezig is te beginnen als Magnus pas in de loop van de middag wakker wordt en ze hem boven horen rondscharrelen in zijn kamer in deze puinhoop, dit huis van inferieure kwaliteit? Is het begin voor iedereen anders? Of strekt het begin zich de hele dag lang steeds verder naar voren uit? Of is het steeds naar achteren dat het zich uitstrekt? Want elke keer dat je je ogen opendoet, is er een keer daarvoor geweest dat je ze dichtdeed en weer een andere keer daarvoor dat je ze opendeed, en zo terug, alle keren dat je bent gaan slapen en wakker bent geworden en al die keren dat je gewoon even met je ogen knipperde, tot aan de eerste keer dat je je ogen opendeed, wat waarschijnlijk rond het tijdstip was waarop je geboren bent.

Astrid schopt haar sportschoenen uit en laat ze op de grond vallen. Ze leunt achterover op het afschuwelijke bed. Of misschien is het begin nog verder terug, als je in de baarmoeder zit of hoe het ook heten mag. Misschien is het echte begin als je net een mens begint te worden en het zachte spul waar je ogen uit bestaan net gemaakt wordt, gevormd wordt, in het harde spul dat je hoofd zal worden, d.w.z. je schedel.

Ze strijkt met haar vinger over het bot boven haar linkeroog. Ogen passen precies in de ruimte waarin ze zich bevinden, net alsof ze voor elkaar gemaakt zijn, de ruimte en het oog. Ze heeft een keer een toneelstuk gezien waar een man in voorkwam wiens ogen uitgestoken werden, de mensen op het toneel draaiden hem om zodat het publiek het niet kon zien, en toen staken ze zijn ogen uit, waarna ze zijn stoel omdraaiden en je hem zag zitten met zijn handen voor zijn ogen, en toen hij zijn handen weghaalde, waren zijn handen vol rood spul, en het zat ook helemaal om zijn oogkassen. Het was krankzinnig. Het was gelei of iets dergelijks. Het waren zijn dochters die het gedaan hadden, of zijn zonen. Een van die tragediestukken van Michael was het. Wel heel goed, trouwens. Ja, precies, want bij een theater gaat het gordijn omhoog, en dan weet je dat het het begin is, dat is zonneklaar, want het gordijn is omhooggegaan. En als de lichten doven en het publiek stil wordt, vlak nadat het gordijn omhoog is gegaan, dan kun je, als je tenminste vlak bij het toneel zit, ruiken dat er een ander soort lucht is, met stofjes en andere dingetjes die erin zweven. Zoals toen ze van Michael en haar moeder naar dat andere toneelstuk moest dat helemaal krankzinnig was, over een vrouw die er niet meer tegen kan en haar kinderen vermoordt, maar voordat ze dat doet stuurt ze hen, twee jongens, echt kleine jongens, van het toneel af, en die komen dan naar beneden het publiek in en lopen erdoorheen, de moeder heeft hun vergiftigde kleren gegeven en zo, die ze aan de prinses moeten geven met wie hun vader gaat trouwen nu hij haar aan de kant heeft gezet, en zij gaan dan naar een huis of een paleis ergens achter het publiek, het gebeurt niet op het toneel, het gebeurt nergens behalve in het verhaal, d.w.z. in je hoofd, maar ook al weet je dat het niet zo is, dat het maar een toneelstuk is, toch is daar ergens achter je de prinses bezig die vergiftigde spullen aan te trekken en sterft ze een afschuwelijke dood. Haar ogen smelten in hun kassen en ze krijgt huiduitslag, het doet denken aan die terroristen die giftige stof hebben verspreid in de ondergrondse. Haar longen smelten en

Astrid geeuwt. Ze heeft honger.

Eigenlijk heeft ze een reuzehonger.

Het duurt letterlijk nog uren voordat er iets te eten is, een ontbijt, zelfs als ze iets zou willen eten in deze onhygiënische puinhoop.

Ze zou weer kunnen gaan slapen. Maar het is typisch en ironisch: ze is klaarwakker. Het is buiten inmiddels helemaal licht; je kunt kilometers ver zien. Alleen is er hier niets te zien, alleen bomen en landerijen en dat soort dingen.

5:16 is het op de klokradio van inferieure kwaliteit.

Ze is echt wakker.

Ze zou op kunnen staan en het resultaat van het vandalisme filmen. Dat gaat ze vandaag zeker doen. Ze zal straks naar het restaurant gaan en aan de Indiër vragen of hij het goedvindt. Of misschien zal ze het gewoon opnemen zonder dat hij ervan weet, voor het geval hij nee zou zeggen. Als ze er nu heen zou gaan, zou er niemand zijn en zou ze het gewoon kunnen doen. En mocht er toevallig zo vroeg in de ochtend al iemand aanwezig zijn (er is vast niemand, kilometers in de omtrek is nog niemand wakker behalve zij, maar mocht het zo zijn, stel dat het zo is) dan zal die persoon gewoon denken: o kijk, daar staat een meisje van twaalf met een digitale camera te spelen. Zo iemand zou dan waarschijnlijk opmerken wat een mooi type camera het is, als hij of zij tenminste iets van camera's weet. Als men haar ernaar zou vragen, zou ze zeggen dat ze hier voor de zomer op bezoek is (waar) en dat ze de omgeving filmt (waar) of dat het voor een project voor school is (zou waar kunnen zijn) over verschillende soorten gebouwen en de manier waarop die gebruikt worden (heel goed). En misschien zal er dan als ze thuiskomt belangrijk bewijsmateriaal op haar dv-tape blijken te staan en zal tijdens het onderzoek naar het vandalisme iemand met een leidinggevende positie zich op een gegeven moment iets herinneren en zeggen: o, dat meisje van twaalf was er met haar camera, misschien heeft zij iets opgenomen wat hoe heet het ook weer cruciaal is voor ons onderzoek, en dan zullen ze langskomen, maar stel dat ze dan hier niet meer op zomervakantie zijn, stel dat ze dan al naar huis zijn, soms duren die onderzoeken heel lang, nou dan zullen de autoriteiten haar thuis wel weten te vinden door op hun computers te zoeken naar Michaels naam of door te informeren bij de mensen van wie dit huis van inferieure kwaliteit is, en dan zal dankzij haar alles uiteindelijk op zijn pootjes terechtkomen en zal het raadsel wie er verantwoordelijk is voor de vernielingen aan het Curry Palace daadwerkelijk worden opgelost.

Dit is een typisch plaatsje. Haar moeder zegt het steeds, ze zegt het elke avond. Kennelijk zijn er niet veel andere mensen hier op vakantie, hoe typisch het ook is, misschien omdat het nog niet echt vakantietijd is, officieel. De mensen in het dorp staren Astrid vaak aan, zelfs wanneer ze niets doet of gewoon buiten loopt. Zelfs wanneer ze haar camera niet gebruikt. Maar het is mooi weer. Ze heeft geluk dat ze niet op school zit. Bij de meeste ochtendschemeringen die ze heeft opgenomen was er meteen zon. Zo hoort het in een goede zomer. Vroeger, voordat ze geboren was, waren de zomers beter, toen had je in de zomer blijkbaar voortdurend mooi weer van mei tot oktober, vroeger. Vroeger is een andere eeuw. Zijzelf zal van alle mensen die nu op dit moment in het huis zijn – haar moeder, Magnus, zijzelf en Michael – waarschijnlijk degene zijn die het langst in de nieuwe eeuw zal leven. Zij horen allemaal meer thuis in de vorige eeuw dan zij. Maar ook voor haar geldt dat van haar leven het grootste deel in de vorige eeuw werd doorgebracht. Aan de andere kant geldt dat ook voor hun hele leven, en als je naar de percentages kijkt, heeft zij al 25% van haar leven in de nieuwe eeuw geleefd (als je begint met 2001 en even aanneemt dat de resterende zes maanden van dit jaar nu al verstreken zijn). Zijzelf is voor 25% nieuw, 75% oud. Magnus heeft drie van zijn zeventien jaren in de nieuwe eeuw geleefd, dus hij komt op. Astrid rekent het uit. Magnus is iets van 17% nieuw en iets van 83% oud. Zij zit 8% meer in de nieuwe dan Magnus. Haar moeder en Michael zitten veel en veel lager, op een duidelijk geringer percentage in de nieuwe eeuw, en op een veel, veel hoger percentage in de oude. Ze zal het later wel eens uitrekenen. Dat is haar nu te veel moeite.

Ze gaat anders liggen op het bed van inferieure kwaliteit. Het bed van inferieure kwaliteit laat een luid krakend geluid horen. Na het kraken hoort ze de stilte in de rest van het huis. Ze slapen allemaal. Niemand weet dat ze wakker is. Ze weten van toeten noch blazen. Vast een uitdrukking van heel lang geleden. Astrid gaat in het jaar 1003 v.C. naar het bos waar de eerste man woonde die van toeten noch blazen wist, die eigenlijk van koninklijken bloede en een koning is maar die er onverwachts voor gekozen heeft om Niemand te zijn en een eenvoudig leven te leiden, woont in een hut, nee, een hol, en geeft antwoord op de vragen die mensen kilometers uit de omtrek hem komen stellen (hoogstwaarschijnlijk een man, inderdaad, want als het een vrouw was geweest, zou ze in een klooster hebben moeten zitten of op de brandstapel zijn geëindigd). Mensen die antwoord willen hebben, moeten op de deur van het hol kloppen, nou ja, op het rotsblok dat ervoor ligt, ze raapt een steen op en tikt ermee tegen een andere steen, waardoor de man die van toeten noch blazen wist weet dat er iemand staat te wachten. Ik heb een offerande meegebracht, roept Astrid in het donkere hol. Ze heeft een offerande van croissants meegebracht. Je kunt in het bos waarschijnlijk geen goede croissants krijgen, zoals ze ook hier niet te krijgen zijn. Zowel Michael als haar moeder hebben sinds ze in dit dorp van inferieure kwaliteit zijn geklaagd dat er geen croissants zijn, wat typisch en ironisch is, aangezien zij degenen waren die hier per se naartoe wilden en die vonden dat zij en Magnus mee moesten en die ervoor hebben gezorgd dat zij nog raarder en afwijkend in de ogen van anderen is dan ze toch al was, hoewel ze dat met een beetje geluk vergeten zullen zijn als de school in september weer begint en Lorna

Rose, Zelda Howe en Rebecca Callow dan vergeten zullen zijn dat ze twee maanden daarvoor eerder van school verdwenen was.

Astrid concentreert ze uit haar gedachten. Ze staat voor de deur van een hol. Ze heeft croissants bij zich. De man die van toeten noch blazen weet is opgetogen. Hij knikt naar Astrid dat ze verder kan komen.

Met een fonkelende blik kijkt hij in het donkere hol naar haar. Hij is oud en wijs, hij heeft een vaderlijke blik in zijn ogen. Geeft u antwoord op mijn vraag, hooggeachte wijze en profeet, begint Astrid.

Dat is echter alles wat ze te zeggen heeft, want ze heeft geen vraag. Ze weet niet wat ze hem moet vragen of waarnaar ze moet vragen. Ze kan geen enkele vraag bedenken, geen vraag die ze voor zichzelf stilzwijgend echt kan verwoorden, laat staan dat ze die hardop zou kunnen stellen aan iemand die haar volstrekt onbekend is, ook al is die onbekende maar een bedenksel.

(Astrid Smart. Astrid Berenski.)

Ze gaat rechtop zitten. Ze pakt haar camera, draait die om in haar hand. Ze klapt het scherm weg, laat de dv-tape met de beginnende dagen eruit springen, stopt die in de daarvoor bestemde houder en legt die op tafel. Daarvoor in de plaats stopt ze de tape met de opnamen die niet te maken hebben met het begin in de camera. Ze gaat op haar rug liggen en draait zich dan op haar buik. Als hun verblijf daar is afgelopen, zal ze eenenzestig beginnen hebben, afhankelijk van of ze vrijdag, zaterdag of zondag naar huis zullen gaan. Eenenzestig minus negen, d.w.z. nu nog minstens vijftig. Astrid zucht. Haar zuchten klinken te hard. Er is hier geen geluid van het verkeer. Waarschijnlijk komt het door het feit dat er geen geluid is dat ze zo wakker blijft. Ze is klaarwakker. Zo meteen zal ze op pad gaan en het resultaat van het vandalisme filmen. Ze sluit haar ogen. Ze zit aan de binnenkant van een hazelnoot. Ze past precies in de dop, alsof ze erin geboren is. Hij sluit om haar hoofd als een helm. De ronding van haar knieën past erin. Hij sluit alles in. Het is een soort kamer. Het is er volkomen veilig. Niemand anders kan erin. Dan begint ze zich zorgen te maken hoe ze moet ademen, want de dop sluit helemaal af. Ze is bezorgd hoe ze nu op dit moment überhaupt kan ademen. Als er al lucht in een hazelnoot zit, kan die niet anders dan beperkt zijn. Dan maakt ze zich zorgen dat Lorna Rose en Zelda Howe en Rebecca haar nog belachelijker zouden vinden en van haar zouden denken dat ze gestoord was als ze erachter kwamen dat ze wel eens had gedacht dat ze in een hazelnoot zat. Lorna Rose en Zelda Howe zijn aan het tennissen op een openbare baan in een park. Astrid loopt er met Rebecca langs. Rebecca en Astrid zijn nog vriendinnen. Lorna Rose rent de baan over naar het hek en zegt tegen Astrid en Rebecca dat ze ook moeten komen spelen, op de baan naast die waar zij en Zelda Howe op spelen, en dat de winnaars tegen elkaar moeten spelen om te bepalen wie van hen het beste is. Astrid bekijkt de baan waar zij en Rebecca dan op geacht worden te gaan spelen. De baan ligt bezaaid met stukken gebroken glas. Ze staat op het punt om te weigeren, maar Rebecca stemt toe. Maar kijk eens naar al dat glas, zegt Astrid, dat is gekkenwerk. Lafaard, zegt Zelda Howe. We wisten wel dat je het niet zou doen. Ze hebben die glasscherven daar expres neergelegd om te kijken wat er gebeurt. Als je op glasscherven wilt spelen, ben je niet goed bij je hoofd, zegt Astrid tegen Rebecca. Rebecca gaat de baan op en loopt knerpend over de glasscherven. Er komt een man aangelopen. Het is een van hun vaders. Ze wil hem vertellen van het glas, maar voordat ze dat kan doen, roept hij iedereen behalve haar naar het hek en breekt een reep Cadbury met rozijnen en noten in vier gelijke stukken. Hij geeft elk van hen een stuk. Ze kijkt of hij zelf het vierde stuk opeet, maar ze kan zijn gezicht niet onderscheiden, daarvoor is hij te ver weg. Ze heeft iets in haar hand. Het is haar camera. Als ze hiervan een opname kan maken, kan ze iemand laten zien wat er allemaal gebeurt. Maar ze kan de camera niet omhoogkrijgen. Hij is te zwaar. Ze krijgt haar arm niet omhoog. Er klinkt een deurbel, kilometers ver weg. Het is thuis. Er is niemand thuis behalve zij. De gang is zo groot en leeg als een woestijn. Astrid rent erdoorheen om open te doen. Er lijkt geen einde te komen aan de gang. Als ze ten slotte bij de deur aankomt, zakt ze wat in, ze is buiten adem van het rennen en ze is bang dat degene die erachter staat inmiddels zal zijn vertrokken omdat ze er zo lang over deed. Ze doet open. Er staat een man. Hij heeft geen gezicht. Hij heeft geen neus, geen ogen, niets, alleen gladde huid. Astrid is doodsbang. Haar moeder zal woedend op haar zijn. Het is haar schuld dat hij hier is. U kunt niet binnenkomen, probeert ze tegen hem te zeggen, maar ze is buiten adem. We zijn er niet, hijgt ze. We zijn op vakantie. Gaat u weg. Ze probeert de deur dicht te doen. In de huid verschijnt een mond, en daaruit klinkt een loeiend gebulder; het is alsof ze te dicht bij een vliegtuig staat. Het gebulder duwt de deur open. Ze doet haar ogen open en rolt het bed uit, en meteen staat ze overeind.

Ze is op vakantie in Norfolk. De klokradio van inferieure kwaliteit toont dat het 10:27 is. Het lawaai is afkomstig van Katrina de Werkster, die met de stofzuiger tegen de plinten en de slaapkamerdeuren stoot.

Haar hand slaapt. Hij steekt nog door het polsbandje van de camera. Ze haalt hem eruit en schudt hem heen en weer om het bloed er weer doorheen te laten stromen.

Ze zet haar voeten boven op haar sportschoenen en laat die over het tapijt van inferieure kwaliteit glijden. Er zijn de blote, naakte voeten van wie weet hoeveel honderden oude of dode mensen overheen gegaan.

Als ze in de spiegel boven de wasbak kijkt, ziet ze de afdruk van een duim onder een van haar jukbeenderen, waar ze mee op haar hand heeft geslapen! Ze doet zichzelf denken aan de pottenbakkersproducten die haar moeder koopt en die door echte mensen zijn gemaakt (niet door fabrieken), door echte ambachtslieden in warme landen die bij wijze van handtekening de afdruk van hun hand erin achterlaten, d.w.z. ze heeft terwijl ze sliep zichzelf gesigneerd!

Ze stopt haar duim in de indruk die is achtergebleven. Hij past precies.

Ze dept haar gezicht met water en droogt zich dan liever af met de mouw van haar t-shirt dan met die afschuwelijke handdoek. Ze trekt de sportschoenen nu goed aan. Ze pakt de camera weer en tilt de klink van de deur op.

Je kunt op twee manieren kijken naar wat je filmt: 1. op het schermpje, en 2. door de zoeker. Echte cineasten gebruiken altijd de zoeker, hoewel je daar minder makkelijk door kijkt. Ze zet de zoeker voor haar oog en neemt op hoe ze met haar hand de klink naar boven en dan naar beneden beweegt. Over honderd jaar bestaan deze klinken misschien niet meer en zal deze film het bewijs zijn dat ze wel hebben bestaan en zal hij voor de mensen die het in de toekomst willen weten dienen als bewijsmateriaal hoe dit soort klinken werkte.

Het acculampje knippert. De accu is bijna leeg. Hij zal het nog lang genoeg doen om op te nemen hoe Katrina de Werkster bij elke traptrede de stofzuigerslang in de hoeken steekt. Katrina hoort min of meer bij het huis. Je krijgt haar er gewoon bij. Haar moeder en Michael maken steeds hetzelfde grapje over haar, en dat fluisteren ze naar elkaar als ze om de hoek buiten gehoorsafstand is of zelfs wanneer ze niet in huis is en het niet eens zou horen als ze het tegen elkaar zouden schreeuwen: Katrina met haar Cortina. Een Cortina is een auto uit de jaren zeventig, waarschijnlijk zo'n verkeerde auto, hoewel Astrid de grap niet begrijpt. Katrina lijkt zelfs helemaal geen auto te hebben; ze loopt met de schoonmaakspullen gewoon van haar eigen huis in het dorp over straat naar hun huis, en als ze klaar is loopt ze ermee terug. Ze doen altijd vreselijk kinderachtig, alsof het iets heel ergs is wat ze zeggen, alsof het wel erg op het randje is.

Persoonlijk staat Astrid boven dit soort dingen. Sommige mensen zijn gewoon anders dan andere mensen, vindt ze. Dat is duidelijk. Sommige mensen zijn gewoon niet zo geschikt om precies zoals andere mensen te leven, en daarom verdienen ze minder geld en leiden ze een ander, een minder goed soort leven.

Er is niet veel licht op de trap. Ze is benieuwd hoe het eruit zal zien. Ze kijkt door de zoeker naar de bovenkant van Katrina's hoofd. Ze filmt hoe ze de traptrede stofzuigt. Dan filmt ze hoe ze naar beneden stapt en de volgende zuigt.

Katrina de Werkster gaat zonder op te kijken een stukje opzij om Astrid te laten passeren.

Neem me niet kwalijk, Katrina, roept Astrid beleefd. Mag ik je iets vragen?

Katrina de Werkster buigt zich van Astrid af en schakelt de stofzuiger uit. Ze kijkt niet op.

Ik wou je alleen maar vragen hoe oud je bent, zegt Astrid. Het is voor mijn plaatselijk onderzoek en archief. (Dit klinkt goed. Astrid probeert het te onthouden zodat ze het kan gebruiken bij de Indiër van het Curry Palace.)

Katrina de Werkster roept iets naar beneden. Het klinkt als eenendertig. Dat zou je haar zeker geven. Ze zet de stofzuiger weer aan. Eenendertig is lastig. Astrid rondt het naar beneden af. 10% nieuw, 90% oud. Ze filmt helemaal om Katrina heen en vervolgens maakt ze een opname hoe haar eigen voeten de rest van de trap af gaan.

Dit fragment komt meteen na dat van het dode beest dat ze op de weg had gefilmd toen ze de vorige avond terugliep van het dorp. Het leek een beetje op een konijn maar het was geen konijn. Het was groter dan een konijn. Het had kleine oren en de achterpoten waren kleiner; het was verminkt door auto's; aan de vacht zat modder en bloed vastgekoekt. Vier of vijf kraaien vlogen op toen ze ernaartoe liep; ze waren bezig geweest er stukjes van af te trekken. Ze had in de berm een tak gevonden waarmee ze erin had gepulkt. Toen had ze het gefilmd. Op een gegeven moment zal ze de camera met de disk precies op het goede punt ingesteld op tafel in de zitkamer van inferieure kwaliteit achterlaten, en dan zal Michael hem beslist oppakken om te kijken wat erop staat, dat kan niet anders, en hij is zo'n eikel dat hij heel teergevoelig is bij dit soort dingen als ze in het echte leven gebeuren en niet op een toneel of zo.

Ze houdt stil en blijft in de gang staan. Dat dode beest. Stel dat het nog in leven was, maar bewusteloos, dat ze er hard in had geprikt maar dat het helemaal niet dood was, dat het nog had gevoeld dat ze erin prikte en dat het alleen maar dood had geleken maar in werkelijkheid in coma was geweest.

Nou ja, misschien zou het toch niet zo erg zijn omdat het, als het toch in coma was, het niet zo erg gevoeld zou hebben als wanneer het gewoon wakker was geweest. In de 4wd op weg hiernaartoe hadden haar moeder en Michael het gebruikelijke blaat-bij-schaapspel gedaan, waarbij Michael elke keer als ze een schaap passeren toetert, en zij hadden steeds een gebalde vuist omhooggestoken zoals ze altijd doen als ze een doodgereden dier passeren. Het is de bedoeling om de geest van het dode beest eer te bewijzen. Het is kinderachtig. Astrid vond het prettig toen ze nog van streek was als ze een dood dier zagen. Maar nu is ze twaalf en zijn dode dieren gewoon dode dieren, meer niet, verdomme.

Het is heel onwaarschijnlijk dat het iets heeft gevoeld toen ze erin prikte.

Dat ze erin prikte, was voor haar onderzoek en haar archief.

Astrid zet haar oog weer aan de camera. Ook belangrijk is om de dingen goed te bekijken, vooral moeilijke dingen. Dat zegt Astrids moeder altijd. Astrid loopt door de donkere gang en gaat de voorkamer in. Maar het licht stroomt zo fel de zoeker in dat ze niets meer ziet. Ze moet snel wegkijken.

Ze knippert met haar ogen. Het was zo fel dat het bijna pijn deed.

Op de bank bij het raam ziet ze de omtrekken van iemand

die daar zit. Door het licht van het raam achter die persoon en door het plotselinge licht dat in haar ene oog nog rode en zwarte vlekken veroorzaakt is het gezicht een wirwar van licht en donker. Astrid kijkt naar beneden, naar het tapijt, totdat ze weer kan zien. Ze ziet blote voeten.

Het zal wel iemand zijn die iets met het huis te maken heeft, een of andere eigenheimer uit het dorp. Of het is een van Michaels studenten. Astrid knippert nog eens met haar ogen en draait zich om. Ze negeert die kant van de kamer. Ze zet de camera aandachtig uit en pakt de lader en de andere accu van achter die afschuwelijke oude pockets in dat ding dat moet doorgaan voor een boekenkast. Ze loopt ermee naar de keuken.

Michael staat een peer te schillen en legt de stukken op een bord. Het bord is honderden keren eerder gebruikt door wie weet hoeveel mensen die in dit huis hebben gezeten. Hij schilt de peer met een mesje met een houten heft. Dat houten heft heeft liggen weken in al het vuile afwaswater waar het al die keren in is gewassen door de honderden dode oude mensen die hier gewoond of hun vakantie doorgebracht hebben.

In de broodrooster liggen kruimels van weer andere oude mensen. Astrid zet de filmspullen bij de stoel neer, rolt wat keukenfolie open en breekt een stukje brood af van het uiteinde van het brood waarvan geen boterhammen zijn afgesneden. Ze bedekt de grillpan van inferieure kwaliteit met het folie en legt het brood onder de grill, waarna ze die aanzet. Dan gaat ze op de stoel bij de deur zitten en zwaait met haar benen heen en weer.

Wie is dat in de voorkamer? vraagt ze aan Michael, die bezig is de peer in keurige witte partjes te snijden.

Vraag dat maar aan je moeder. Ze had pech met haar auto.

Hij pakt het bord met de peer erop en loopt een deuntje neuriënd naar de voorkamer. Hij neuriet een song van Beyoncé. Hij denkt dat hij helemaal van deze tijd is, d.w.z. hij maakt zich volkomen belachelijk.

Astrid slaat haar hand tegen de zijkant van de stoel om te kijken of het pijn doet. Dat doet het, maar niet erg. Ze doet het nog eens, maar nu harder. Het doet iets meer pijn. Natuurlijk is het wetenschappelijk te bewijzen – het is typisch en ironisch – door de afstand op te delen in steeds kleinere stukken, dat haar hand de stoel helemaal niet raakt. Ze slaat er nog een keer met haar hand tegenaan. Au.

Ze wacht tot het brood een beetje aanbrandt.

Ze hoort Michael hard praten in de voorkamer. Ze opent de afvalemmer. De schil van de peer ligt in een spiraal boven op de restjes van het avondeten van gisteren. De binnenkant is helder wit. Ze haalt hem eruit. Hij heeft hem in één stuk geschild. Ze legt hem zo in haar hand dat hij weer de vorm heeft die hij had voordat Michael hem schilde. Het stukje met het takje eraan ligt erbovenop als een muts. Een lege peer!

Ze laat de schil weer in de afvalemmer vallen, laat het deksel dichtvallen. Ze wast haar handen in de gootsteen. Michael komt terug. Terwijl hij aan komt lopen, ziet ze de glimlach wegsterven die hij op zijn gezicht had voor degene die in de voorkamer is.

Die brandt aan, Astrid, zegt hij.

Weet ik, zegt ze.

Hij pakt de grillpan, opent de afvalemmer en gooit de toast met de zwarte kant naar boven op de perenschil.

Als je hem nou netjes had afgesneden, zou hij niet zo aangebrand zijn, zegt hij.

Ik vind aangebrand juist lekker, fluistert ze.

Hij snijdt nog een paar sneden van het brood en zet die in de broodrooster.

Nee dank je, zegt Astrid.

Michael hoort het niet. Ouwe rukker. Hij doet iets met het koffiezetapparaat. Achter haar voornaam komt zijn achternaam, zonder dat ze daarover iets te zeggen heeft. Ze pakt haar cameraspullen en loopt naar de gang. Maar ze heeft geen idee waar in de gang van dit huis van inferieure kwaliteit de stopcontacten zitten. Ze ziet er geen enkele. Ze weet waar de stopcontacten in de voorkamer en in het zitgedeelte van de voorkamer zitten. Ze zou ook weer naar boven kunnen gaan, maar het is typisch en ironisch: zo te horen is Katrina nu in haar slaapkamer bezig. Eigenlijk maakt het hygiënisch gezien niet zo veel uit, een beetje stofzuigen hier en daar. Oude mensen hebben met hun dode tongen aan de meubels gelikt en de trapleuning helemaal tot bovenaan ingesmeerd met schilfers van hun oude handen.

Ze gaat weer de zitkamer in. De stopcontacten bij de tv zijn allemaal in gebruik. Als ze er een stekker uithaalt, zal ze wel op het een of ander worden aangesproken.

Het geluid van het stofzuigen houdt ineens op. De tuindeuren staan open. De kamer is vol geluiden uit de tuin, d.w.z. de geluiden van vogels etc. Ze loopt weer naar het voorste deel van de kamer en haalt de stekker van een gewone lamp uit het stopcontact. Ze steekt de stekker van de acculader erin en staat op.

Degene die in de voorkamer is, ligt op de bank in de gele rechthoek van het door het hoge vooraam naar binnen schijnende zonlicht. Met blote voeten ligt ze daar alsof ze hier woont. Ze heeft haar ogen dicht. Ze slaapt zelfs.

Astrid loopt op de bank toe.

Ze is een vrouw, zou je kunnen zeggen, maar eigenlijk meer een meisje. Ze kan voor blond doorgaan, maar Astrid ziet aan de haarwortels bij de scheiding dat het veel donkerder is. Ze ligt met haar voeten op de kussens. De voetzolen zijn erg vies.

Van zo dichtbij gezien blijkt ze jonger te zijn dan Astrids moeder, misschien zelfs jonger dan Katrina, maar beslist te oud om nog een meisje genoemd te worden. Ze heeft geen make-up. Het is raar. Haar onderarmen zijn niet geschoren. Er groeit haar op, heel veel zelfs. Haar schenen en dijen zijn ook niet geschoren, ook van achteren niet. Het is niet te geloven. Ze glanzen echt van de haartjes. Het lijken net honderden draadjes die rechtstreeks uit de huid steken.

De vrouw, of hoe je haar ook wil noemen, op nog geen halve meter van Astrids gezicht, heeft één oog geopend en kijkt haar ermee in het gezicht.

Astrid deinst achteruit. Naast de bank ligt een bord op de vloer. Ze raapt het op alsof Michael haar daarvoor naar binnen heeft gestuurd. Met het bord voor zich uit loopt ze de kamer door en door de tuindeuren naar buiten de tuin in en de hoek om.

Als ze stil blijft staan is ze vanuit het huis niet meer te zien. Ze ademt oppervlakkig en raar. Het is vreemd om naar iemand te kijken. Het is vreemd als die persoon naar je terugkijkt. Het is heel vreemd om gesnapt te worden als je kijkt.

Er zit iets kleverigs op het bord. Astrid sabbelt aan een van haar vingers. Het smaakt zoet. Ze zet het bord op het gras bij de rotspartij. Ze steekt haar hand in de gieter om de kleverigheid weg te krijgen. Dan vraagt ze zich af of het wel water was in de gieter. Het zou insecticide of onkruidverdelger kunnen zijn. Ze houdt haar hand voor haar neus, maar het ruikt niet chemisch. Ze steekt haar tong uit en proeft. Het smaakt naar niets.

Ze loopt verder de tuin door naar het tuinhuis. Het tuinhuis is niet meer dan een flinke schuur, maar werd wel aangeprezen als tuinhuis; haar moeder en Michael hebben er nadat ze hier waren aangekomen al over geklaagd, aangezien een van de belangrijkste redenen om naar dit saaie, nietszeggende oord te komen juist was dat haar moeder de hele zomer in het tuinhuis kon werken zoals een of andere schrijver uit het verleden altijd deed. Helemaal hiervandaan hoort ze haar moeder daarbinnen. Ze is luidruchtig, zelfs als ze met een laptop in de weer is. Ze is weer aan het schrijven en onderzoek aan het doen naar mensen die in de vorige eeuw zijn overleden. Ze typt met twee vingers en doet dat ongelooflijk hard, alsof ze boos is, hoewel ze dat in het algemeen niet is en het alleen maar zo klinkt.

Astrid blijft buiten bij de deur staan waarop niet geklopt mag worden, behalve in noodgevallen. Daar staat ze dan in deze tuin met al die oude bomen en struiken en met het grasveld en het bos die achter het huis gewoon doorlopen. Ze stoort op geen enkele wijze. Eigenlijk is ze te vergelijken met die bomen om het tuinhuis, ze is een soort betekenisloze boom zoals die geplant worden in de grasperken bij parkeerplaatsen van grote supermarkten.

Het geluid van typen is opgehouden.

Wat is er? roept haar moeder in het tuinhuis.

Astrid doet een paar stappen achteruit.

Ik hoor je wel, roept haar moeder. Wat is er?

Niets, zegt Astrid. Ik stond hier gewoon.

Haar moeder zucht. Astrid hoort de stoel achteruitschuiven. De deur gaat open. Haar moeder komt naar buiten, het zonlicht in. Ze knippert met haar ogen, doet een stap achteruit in de deuropening en steekt een sigaret op.

Zo, zegt ze, en ze ademt uit. En wat is er nou?

Ik wilde helemaal niks, zegt Astrid. Ik stond hier maar gewoon.

Haar moeder zucht weer. Ergens boven hen zingt een vogel.

Heb jij al gezien wat er met dat Indiase restaurant is gebeurd? vraagt Astrid.

Haar moeder schudt haar hoofd. Astrid, ik kan nu nergens anders aan denken, zegt ze.

Altijd moet ze denken aan dode mensen van zestig jaar geleden. Die nemen haar helemaal in beslag als ze over hen schrijft. Astrid vindt zelf dat het veel nuttiger zou zijn om onderzoek te doen naar dingen die nu gebeuren dan naar mensen die al gestorven zijn, d.w.z. al meer dan een halve eeuw geleden.

Toen ik wakker werd had ik hier een afdruk van mijn duim omdat ik erop had liggen slapen, zegt Astrid. Heel wonderlijk.

Hm, zegt haar moeder zonder naar Astrid te kijken, die

haar duim tegen haar gezicht houdt op de plek waar de afdruk was.

Net als bij dat blauwe aardewerk thuis, zegt Astrid. Je weet wel, met die duimafdruk van de pottenbakker die het gemaakt heeft.

Haar moeder zegt niets. De vogel is nog aan het zingen, steeds weer dezelfde drie tonen.

Het is eigenlijk wel lekker weer, vind je niet? zegt Astrid.

Hm, zegt haar moeder.

Zo waren de zomers vroeger altijd, hè, voordat ik geboren werd? zegt Astrid.

Hm, zegt haar moeder.

Met maanden achter elkaar dit soort dagen, sommige zomers zeg maar helemaal van mei tot aan oktober, d.w.z. alsof de zomers vroeger eeuwig duurden? zegt Astrid.

Haar moeder merkt het niet. Ze reageert helemaal niet. Ze zegt niet eens Astrid hou eens op, d.w.z. zoals ze doorgaans doet. Ze leunt tegen de deurpost en gaat door met roken. Astrid voelt dat ze zelf een kleur krijgt. Sigaretten roken is absolute waanzin. Ze zijn schadelijk. Ze stinken vreselijk. Ze veroorzaken typisch allerlei ziekten, en niet alleen bij degene die rookt.

Ze schopt tegen het hoge gras langs de muur van het tuinhuis. Ze weet dat ze niet hardop moet praten over ophouden met roken. Zoiets kun je alleen op bepaalde momenten zeggen.

Wie is die persoon? vraagt ze dan maar.

Welke persoon? zegt haar moeder.

Binnen, zegt Astrid.

Geen idee, zegt haar moeder. Is Michael er nog?

Mm-hmm, zegt Astrid.

Is Magnus al op? zegt haar moeder.

Ik geloof het niet, zegt Astrid.

Denk eraan dat je je mobieltje meeneemt als je vanmiddag ergens heen gaat, zegt haar moeder.

Mm-hmm, zegt Astrid. Haar mobieltje ligt uitgeschakeld onder in een van de afvalemmers op school, daar heeft ze het tenminste drie weken geleden achtergelaten. Als haar moeder en Michael dit zouden weten, zouden ze daar letterlijk een kind van krijgen, want ze betalen er nog het abonnementsgeld voor. Haar moeder denkt dat het een hele geruststelling is dat ze het altijd bij zich heeft, niet alleen om de voor de hand liggende reden dat ze altijd bereikbaar is. Maar ook omdat mensen door middel van hun mobiele telefoon door de politie opgespoord kunnen worden als ze vermist zijn. DNKT DAT JE SLIM BENT ASTRID SMART. JE BENT N LOSER. JE NWE NAAM = KUT-TIET. STOMME KOE KUT 3 HA HA MAFFE POT. Pesten kan gevaarlijk zijn. Afgelopen jaar is er bij Magnus op school een meisje doodgegaan als gevolg van pesten via internet. Ze hadden er een brief over gekregen van de school van Magnus. Je moet het anderen vertellen als het jou overkomt. Maar dat was op de school van Magnus. Op een gegeven moment zal Astrid haar moeder vertellen dat ze haar mobiele telefoon afgepakt hebben.

Heb je wat gegeten? vraagt haar moeder dan.

Een geroosterde boterham, zegt Astrid.

Niet doen, Astrid, zegt haar moeder.

Astrid weet niet wat ze niet zou moeten doen.

Wat niet doen? zegt ze.

Zo schoppen, zegt haar moeder.

Ze houdt op met schoppen. Ze staat met haar armen iets van zich af. Ze kijkt naar haar moeder. Astrid zal zelf nooit maat 42 hebben. Veel te dik, vindt ze. Haar moeder tikt haar halfopgerookte sigaret voorzichtig tegen de deurpost uit. Als de sigaret uit is, schraapt ze met haar voet over de op de grond gevallen as, stopt de halve sigaret terug in het pakje, gaat het tuinhuis weer in en sluit de deur.

Astrid wacht tot ze het geluid van het typen weer hoort. Dat duurt even. Dan hoort ze het.

Ze kijkt hoe de zon door de bladeren boven haar hoofd

heen schijnt, d.w.z. ze denkt aan het verhaal van Icarus wiens vader vleugels voor hem had gemaakt die door de zon smolten toen hij er te dichtbij kwam. Ze vraagt zich af of het wat uitgemaakt zou hebben als de vader de vleugels voor een meisje zou hebben gemaakt, omdat zij misschien wel zou hebben geweten hoe ze ze moest gebruiken. Maar dat zou waarschijnlijk afhangen van de leeftijd van het meisje, want als ze van Astrids leeftijd was, dan was het wel in orde, maar als ze jonger was, dan kon het wel gevaarlijk zijn, dan was ze te jong, en als ze ouder was, dan zou ze zich zorgen maken dat de mensen onder haar rok konden kijken en dat haar oogmake-up in de zon zou uitlopen.

Astrid weet ook op een of andere manier, van Magnus waarschijnlijk, dat het achtentwintig seconden duurt voordat iemand die in de zon kijkt blind wordt. Hoe zou het zijn om blind te zijn? Dan kon je niet naar een toneelstuk of naar een film, dat zou zinloos zijn. Een tv kon dan net zo goed een radio zijn. Ze sluit haar ogen. Hoe moeten blinde mensen bepalen wanneer de dag begint als ze niet kunnen zien of het al licht is of niet? Als ze het verschil niet kunnen zien tussen het licht en het donker dat je iedere dag hebt?

Ze vraagt zich af wat er zou gebeuren als ze hier achtentwintig seconden in de zon zou gaan kijken.

Haar ogen zouden smelten.

Er zouden dokters en ambulances en zo aan te pas komen.

Ze loopt het felle zonlicht in tussen de twee oude bomen. Ze spert haar ogen wijd open en kijkt recht omhoog. Eén, telt ze. Eén seconde is te veel. Haar ogen slaan dicht. Daarbinnen is het een en al lichtflitsen. Als ze ze opent, ziet ze niets behalve de schijf van de zon waar ze naar gekeken heeft, feloranje. Ze sluit ze weer. De buitenwereld schuift aan de binnenkant als een foto over haar ogen. Als ze ze dan weer opent, valt de foto aan de binnenkant weer samen met de buitenwereld. Wat zou het fantastisch zijn als ze met haar ogen foto's kon maken. Als ze dat kon en ze had vleugels, d.w.z. zoals in de mythe met de vleugels, dan zou ze luchtfoto's kunnen maken. Dan zou ze over alles heen kunnen vliegen als een helikopter. Dan zou het duidelijk zijn hoe onbenullig en van inferieure kwaliteit het dorp is. Dan zou je ook dingen zien zoals dat die forse bomen waar ze onder staat maar klein zijn. Dan zou ze over thuis heen kunnen vliegen. Ze zou het hele huis in de palm van haar hand kunnen houden. In een fractie van een seconde zou ze over de hele school kunnen vliegen. Alle kinderen die op dit moment in de klas bezig zijn met Frans, de sportvelden, het schoolplein, de straten om de school heen, alles zou er heel petieterig uitzien, kleiner dan de palm van haar hand, en het zou nog kleiner worden als ze nog hoger de lucht in zou gaan.

Het is te warm in de tuin. Ze loopt in de richting van het huis. Dat is haar slaapkamer, daar. Ze zou zo naar boven vliegen en door het raam naar binnen gaan. Ze zou de vloerbedekking nooit meer met haar voeten hoeven aan te raken. Ze zou de hele tijd centimeters boven de grond zweven. Ze zou nu naar de kamer van Magnus vliegen en tussen de jaloezieën door gluren. (Magnus Smart. Magnus Berenski. Het kan Magnus niets eens wat schelen. Waarom zou ik me iets van hem aantrekken als hij zich geen moer van mij aantrekt? zei hij een keer. Maar Magnus heeft wel zijn herinneringen aan hem. Hij zette me op zijn schouders, en toen hebben we langs het strand gelopen, heeft hij op een avond in de boomhut tegen Astrid gezegd. Ik mocht van hem suiker in zijn thee scheppen.) De jaloezieën voor Magnus' raam zijn altijd naar beneden. Hij neemt nooit een bad of een douche. Meestal staat hij niet voor twee uur 's middags op, en hij komt alleen beneden om zijn vuile serviesgoed te brengen en om 's avonds zijn warme maaltijd te halen en mee naar boven te nemen, waarna hij zijn deur weer op slot doet. Hun moeder en Michael beginnen hun geduld te verliezen. Maar ook al ergeren ze zich aan hem, hij gaat er toch mee door. Want het is wel typisch en ironisch dat toen Astrid ook een keer met haar eten naar boven wilde gaan de poppen aan het dansen waren.

De 4wd staat niet meer voor de deur. Er staat een oude witte auto op de oprit. Er is niemand in de keuken. De tv in de zitkamer staat aan hoewel er niemand is. Er wordt een man vermist, wordt er op het nieuws gezegd, en de politie heeft een lijk gevonden. Astrid legt de krant van vandaag op de leunstoel en gaat erop zitten, waarbij ze haar armen en handen om zich heen slaat, zodat ze de armleuningen van de stoel niet raken. De nieuwslezers en de mensen aan wie ze vragen stellen zeggen steeds maar dat er een man vermist wordt en dat ze een lijk gevonden hebben, maar niemand zegt dat het lijk iets te maken heeft met de man die vermist wordt of andersom, hoewel het duidelijk is dat ze dat eigenlijk bedoelen. Het heeft iets te maken met de oorlog. De premier verschijnt in beeld, hij wordt omringd door juichende Amerikanen en mannen in pakken schudden hem de hand. Na het nieuws is er in de tv-studio een vrouw met ellenlange verhalen over wat er met haar spijsvertering gebeurde toen ze de dingen die ze at op een bepaalde manier ging combineren. Niet alleen kreeg ze mooie drollen, zegt de presentatrice. Iedereen in de studio lacht. Het is te kinderachtig voor woorden. Een man belt op naar het programma en zegt dat hij zijn urine drinkt. De mensen in de studio praten erover of je je beter zou voelen als je je eigen urine drinkt. Astrid is blij dat Michael er niet is, want hij zou waarschijnlijk vinden dat dat van die urine een goed idee was en hen er allemaal toe proberen te dwingen.

Op deze tv zitten maar een stuk of dertig kanalen, en de meeste daarvan zenden rotzooi uit. Typisch van inferieure kwaliteit. Op een ander kanaal worden video's met muziek uit de jaren tachtig uitgezonden. Het is wel prettig om naar te kijken nu zij er allebei niet zijn en ze zich niet kunnen aanstellen en steeds maar blijven zeuren over de tijd dat popmuziek politiek was en stomme, schokkerige dansjes doen.

Ze laten die video zien over een meisje dat in een café een kop koffie drinkt en in de krant een strip zit te lezen die dan ineens werkelijkheid wordt en deel gaat uitmaken van het verhaal. De jongen uit de strip knipoogt naar haar en steekt dan zijn hand uit het plaatje omhoog, haar wereld in. Zij pakt hem met haar echte hand en gaat de wereld van de strip in en wordt een getekende figuur net als hij. Maar in de werkelijkheid kan de vrouw van het café maar niet begrijpen waar het meisje gebleven is. Ze is boos dat ze is weggegaan zonder haar koffie te betalen, en daarom verfrommelt ze de strip en gooit die in de afvalbak, wat in de wereld van de strip een absolute ramp tot gevolg heeft en ervoor zorgt dat er mannen met koevoeten inbreken en gewelddadig worden. De jongen scheurt dan zijn wereld open voor het meisje (zijn wereld is van papier), zodat ze uit het verscheurde papier van de strip kan ontsnappen naar haar eigen wereld. De vrouw van het café in de echte wereld vindt het weer echt geworden meisje terug boven op de afvalemmer achter de bar. Het meisje pakt dan de helemaal verfrommelde strip uit de afvalemmer, rent het café uit en rent helemaal door naar huis, waar ze hem in haar slaapkamer probeert glad te strijken. De video eindigt ermee dat de jongen (die ook de leadzanger van de popgroep is) probeert in te breken in de echte wereld van het meisje zodat hij ook echt wordt, en niet meer alleen maar een tekening is.

Astrid loopt naar de keuken en breekt een brood in tweeën zonder ook maar één plekje aan te raken waar een mes langs kan zijn gegaan. Ze pulkt het brood vanbinnen uit. Ze eet het op. Op de terugweg trekt ze haar t-shirt over haar hoofd en ademt door het katoen heen, waarna ze op die plek aan het katoen ruikt. Het ruikt best lekker. Ze vraagt zich af of ze zo'n smaak zou hebben, zo'n zoete, naar adem geurende smaak, als ze zelf kon proeven hoe ze smaakte, of als iemand anders dat misschien zou doen. Maar stel dat ze walgelijk zou smaken! Nog twee video-opnamen lang maakt ze zich zorgen dat ze misschien walgelijk smaakt. Dan zet ze de tv uit.

Ze doet de accu in de camera en controleert of die het doet. Ze stopt de acculader, die de andere accu nog aan het laden is, achter de afschuwelijke detectivepockets op de onderste plank van de boekenkast. Ze luistert in de gang, maar van Magnus is niets te horen. Ze verlaat het huis via de voordeur. Haar moeder en Michael zeggen steeds maar hoe heerlijk het is om op het platteland te zijn waar je de mensen kunt vertrouwen en je auto niet af hoeft te sluiten, waar je de deuren van je huis niet op slot hoeft te doen en zelfs wijd open kan laten staan. Astrid controleert of de voordeur achter haar in het slot is gevallen. Als er mensen zijn die hen willen beroven, moeten ze maar door de tuindeuren naar binnen gaan, en dan is het misschien de schuld van haar moeder. De acculader zullen ze niet vinden, tenzij ze eropuit zijn om oude Agatha Christie-boeken te stelen, wat wel een heel mooie ironische misdaad zou zijn.

Ze loopt over het pad dat uitkomt op de weg die naar het dorp leidt. Het is heel warm. Ze denkt aan het huis achter zich, met al die afschuwelijke dingen erin, ook hun vakantiespullen, die er alles bij elkaar anders uitzien, als dingen die op een te warm oppervlak drijven. Het is het moment voordat inbrekers via de tuin naar binnen gaan en gewoon pakken wat van hun gading is. Maar aangezien dit het moment is voordat dit gebeurt, is er niemand aanwezig in de kamers beneden, er zijn daar alleen maar dingen aanwezig, alsof de kamers hun adem inhouden in deze warme zomerlucht. Magnus heeft haar verteld over de opvatting dat iets wat op een film staat iets anders is dan iets in de werkelijkheid. In een film is er altijd een reden voor iets. Als er in een film een kamer te zien is waar niemand is, dan is er een reden waarom ze je die lege kamer laten zien. Magnus had een pen in zijn hand gehouden en die op de grond laten vallen. Hij zei dat als je in het echte leven een pen uit je hand laat vallen er verder niets aan de hand is, er is een pen uit je hand op de grond gevallen, verder niets. Maar als iemand in een film een pen laat vallen en de camera toont die pen, dan is het vallen van die pen belangrijker dan als er in het echte leven een pen valt. Astrid snapt dat dit waar is, maar ze weet niet precies op welke manier. Als Magnus weer eens met mensen praat, zal ze het hem vragen. Als ze eraan denkt, zal ze hem ook vragen waarom ze zonder erover na te denken met die tak in dat dode dier heeft geprikt. Magnus zal wel weten waarom ze dat wilde en er een verklaring voor geven. Het zou wel wonderbaarlijk zijn als ze een film zou hebben van dat dode dier, en dan niet dood maar vlak voordat het werd overreden. Dan zou je het gewoon langs de kant van de weg kunnen zien zitten, wat het ook was, een konijn of een kat, die zou daar dan gewoon zitten met zijn ogen en zijn poten en alles.

Maar het zou pas echt wonderbaarlijk zijn als je ernaar zou kijken terwijl je wist wat er daarna gebeurd was. Jij zou het dan wel weten, maar het dier niet. Als jij dít wist en een film had van dát, dan zou het net zoiets zijn als naar een kamer kijken voordat erin ingebroken werd. Jij zou het wel weten, maar de kamer niet. Niet dat een kamer dingen kan weten, want een kamer kan natuurlijk niet leven, zoals een mens. Stel je eens een levende kamer voor, met meubels die er uit zichzelf in rondgaan, met muren die door de kamer heen dingen tegen elkaar zeggen. Een levende kamer, haha. Stel dat je in die kamer was, in die levende kamer, hahaha, dat je niet wist dat hij leefde en dat je op een stoel ging zitten en dat die stoel dan zou zeggen ga eraf! niet op me zitten! of dat hij ging bewegen zodat je er niet op kon gaan zitten. Of dat de muren ogen hadden en konden praten, d.w.z. dat je een kamer kon binnenkomen en eraan kon vragen wat er gebeurd was terwijl jij in een andere kamer was, en dat die kamer je precies zou vertellen wat

Hallo, zegt iemand.

Hallo, zegt Astrid terug.

Het is die persoon van vanmorgen, die op de bank in de voorkamer lag.

Ze loopt naast Astrid. Ze heeft twee appels in één hand. Ze weegt ze allebei, bekijkt ze, en kiest dan welke ze voor zichzelf zal houden.

Hier, zegt ze.

De appel komt door de lucht op Astrid af en raakt haar behoorlijk hard op de borst. Ze vangt hem in de holte van haar arm, tussen haarzelf en de camera in.

Astrid, zegt die persoon. Astrum, astralis. Hoe voelt het om een naam te hebben die zo aan sterren doet denken?

Dan begint ze te praten over sterren. Ze zegt dat door strooilicht van steden en straatlantaarns de nachthemel niet goed meer te zien is en dat in de hele westerse wereld de hemel nooit meer echt donker wordt. In meer dan de helft van Europa, in Amerika en op allerlei andere plaatsen overal ter wereld kunnen de mensen de sterren niet meer zo zien zoals ze dat in het verleden konden.

Ze praat op een bepaalde manier, d.w.z. ze klinkt Iers, of een soort Amerikaans. Hoewel Astrid helemaal niet gezegd heeft dat ze op weg is naar Curry Palace, begint ze erover te praten. Ze vraagt of Astrid het gezien heeft en of ze ook niet vindt dat het schaamteloze kleine criminaliteit is. Wat zou iemand anders voor reden kunnen hebben om de deur en de ramen van het enige allochtone restaurant in het dorp met zwarte verf te besmeuren? Het enige allochtone restaurant in de wijde omtrek zelfs?

Astrid houdt haar camera iets hoger en dan op ooghoogte, hoewel hij uit staat en het lenskapje erop zit. Ze hoopt dat die persoon het zal zien en haar er een vraag over zal stellen. Maar die persoon is inmiddels opgehouden met praten en sneller gaan lopen, ze loopt nu iets voor Astrid uit. Astrid laat de camera zakken. Ze begint van de appel te eten. Ze had zich niet gerealiseerd wat een honger ze had.

Hoe wist je het? roept ze. Van het restaurant, bedoel ik.

Ze haast zich om bij te blijven.

Hoe ik het wist? vraagt de persoon. Hoe zou ik het niet hebben kunnen weten? Hoe zou ik er onwetend van hebben kunnen blijven?

Heb je soms iets te maken met het huis? vraagt Astrid.

De persoon is op de weg stil blijven staan. Ze kijkt strak naar de grond. Plotseling knielt ze neer. Astrid ziet er een bij, die over het ruwe asfalt kruipt, een bij van het grote soort, een harig soort bij. De persoon haalt iets uit de achterzak van haar afgeknipte spijkerbroek. Het is een klein pakje, ze scheurt er een hoekje af en strooit er iets uit op haar handpalm. Ze vouwt het hoekje van het pakje dicht en laat het weer in haar zak glijden. Ze spuugt in haar hand. Het is stuitend. Ze wrijft met haar duim spuug in haar handpalm. Ze smeert haar spuug op de weg, vlak voor de bij, die inmiddels stil is blijven staan omdat er in zijn buurt iets is opgedoken dat groter is dan hij.

De persoon komt overeind en loopt door. Onderwijl likt ze aan haar handpalm en wrijft ze daarmee over het denim van haar afgeknipte broek.

Astrid denkt erover haar te vragen hoe oud ze is. Ze kijkt naar de benen met haar erop van de persoon. Het is obsceen. Ze heeft nog nooit zoiets gezien. Ze kijkt naar de blote voeten die op het wegdek lopen.

Doet het pijn om zo op je blote voeten te lopen? vraagt ze.

Niks hoor, zegt de persoon.

Heb je pech met je auto? vraagt Astrid.

Ze lopen nu op een weg die Astrid niet kent.

Auto's zijn heel slecht in een wereld met zo veel milieuvervuiling, zegt de persoon.

Heb jij het huis aan ons verhuurd? vraagt Astrid.

Welk huis? vraagt de persoon.

Het huis dat we huren, zegt Astrid.

De persoon eet het laatste stukje van haar appel op en gooit het klokhuis omhoog, over een heg.

Biologisch afbreekbaar, zegt ze.

Waarom deed je dat daarnet, bij die bij? vraagt Astrid.

Reanimatie, zegt de persoon.

Ze haalt het zakje met het omgevouwen hoekje uit haar zak, vergewist zich ervan dat het goed dichtgevouwen is en gooit het dan naar Astrid. Het is zo'n vierkant zakje zoals ze in cafés in een suikerpot hebben, van die zakjes met willekeurige informatie erop zoals de geboortedata van beroemde componisten of schrijvers, of de namen van bekende automerken en paarden die gewonnen hebben bij paardenrennen. Aan één kant staat KRISTALSUIKER, aan de andere kant een half afgescheurd plaatje van een oorlogsvliegtuig en de tekst 'ELDOORLOG 1940 – 1945 vonden naar schatting 55 miljoen mensen de dood'.

Hou maar, zegt ze.

Astrid houdt de appel en de camera met één hand vast en stopt de suiker in haar achterzak. Terwijl ze langs de nieuwe, onbekende weg lopen, vertelt de persoon aan één stuk door hoe de darren aan het einde van de zomer door de werkbijen uit de bijenkorf worden gegooid omdat er anders niet genoeg voedsel is om alle bijen de hele winter lang in leven te houden en omdat de darren toch al niet nuttig meer zijn in de korf nu de koningin bevrucht is en het leven in de korf veranderd is omdat de zomer voorbij is, en dat de werkbijen dan de vleugels van de darren afbijten en ze vervolgens uit de korf op de grond gooien.

Wat gebeurt er dan met ze? vraagt Astrid.

De vogels eten ze waarschijnlijk op, zegt de persoon.

De darren proberen zich nog uit alle macht vast te houden aan de bijen die hen eruit gooien, zegt ze. Ze haken zich vast met hun poten terwijl hun vleugels eraf worden gebeten. Maar voorlopig hoeven de darren niet bang te zijn, zegt ze. Het is nog maar het begin van de zomer.

Ze is een soort bijendeskundige. Ze begint te fluiten. Ze steekt haar handen in haar zakken en loopt voor Astrid uit langs de weg, waarbij ze als een jongen een deuntje fluit. Astrid loopt met iemand die ze niet kent langs een weg die ze niet kent, en haar mobiele telefoon ligt onder in een hoop afval, zodat ze nu officieel niet op te sporen is.

Hoe weet je dat ik Astrid heet? roept ze naar het achterhoofd van de persoon.

Nou, dat is makkelijk, zegt ze. Dat zei die man.

Welke man? vraagt Astrid.

De man. De man in jouw huis, zegt de persoon. De man die niet jouw vader is. Ik heb ook geen vader. Ik heb de mijne zelfs nooit gekend.

Astrid gooit de half opgegeten appel weg. Hij rolt van de weg af de berm in. Bijna laat ze de camera vallen, maar ze vangt hem nog net op als hij dreigt weg te glippen. Ze blijft staan. Ze blijft midden op de weg staan.

Auto, zegt de persoon als er vóór hen een auto de hoek om komt. Astrid springt de berm in. Ze probeert zich te herinneren wat ze tot nu toe hardop heeft gezegd. Het ging allemaal nergens over. Ze heeft niets gezegd. Ze heeft het helemaal niet gehad over wel of niet een vader hebben. De auto rijdt langs haar heen, en ze voelt de luchtstroom terwijl hij voorbijgaat. Het is net alsof er in Astrids oren en ogen een automotor voorbijraast, hoewel er helemaal geen wind staat en het een uiterst kalme, helder zonnige, normale dag in juli is.

De persoon is doorgelopen. Kom op dan, als je nog wil, roept ze zonder zich om te draaien.

Ze loopt nu heel snel. Astrid begint te rennen. Maar terwijl ze haar inhaalt, dringt het ineens tot haar door. Het bijzondere van 's ochtends als eerste wakker worden, is dat er verder niemand is, alleen Astrid, die geeuwend en nog niet helemaal wakker uit het open raam leunt, met haar ellebogen op de vensterbank leunt en filmt hoe het licht begint te worden. Je hoort alleen de vogels wakker worden en je ziet alleen hoe de bomen heen en weer gaan in de wind, hoe het graan wuift, je hoort geen auto's op wegen in de verte, er blaffen geen honden, niets van dat alles. Maar op een van die ochtenden heeft Astrid haar gezien door haar cameralens, die een heel mooie lange reikwijdte heeft.

Zij was het.

Zij was het beslist.

Het was ver weg, er zat iemand op het dak van een auto, een witte auto, Astrid weet zeker dat het een witte auto was, helemaal aan het andere eind aan de rand van het bos geparkeerd. Ze had de indruk dat ze een verrekijker of misschien een soort camera bij zich had, zoals een vogelaar of een of ander soort natuurkenner. Het rare was dat zij stond te kijken naar de enige persoon die ook wakker was, die, typisch en ironisch, naar haar terug leek te kijken, en nu Astrid haar hier op de weg inhaalt, praat ze tegen haar alsof ze midden in een gesprek zitten en alsof ze het vanzelfsprekend vindt dat Astrid precies zou begrijpen waar ze het over heeft.

Want luister. Als jij hierover ook maar één woord tegen iemand anders zegt, vermoord ik je. En dat meen ik. Dat doe ik.

De persoon draait zich om en kijkt haar aan. Ze begint te lachen alsof ze zich ergens vrolijk over maakt, alsof er iets zo raar is dat ze haar lachen niet in kan houden. Ze kijkt Astrid aan met een verbaasde blik, en Astrid realiseert zich dat zij zo'n gezicht trekt omdat zij zelf zo'n verbaasde blik op haar gezicht heeft. Ze heeft haar ogen zo wijd opengesperd dat ze zelfs fysiek kan voelen hoe wijd ze opengesperd zijn.

De persoon, die nog lacht, steekt haar hand uit, legt die met een resoluut gebaar op Astrids hoofd en klopt daar dan twee keer hard op.

Is daar iemand? zegt ze.

Nog een hele tijd daarna voelt Astrid waar ze geklopt heeft. Boven op haar hoofd voelt het heel anders aan dan in de rest van haar lichaam, alsof die hand nog op haar hoofd ligt.

D.w.z. er is beslist iets begonnen

het begin hiervan = het einde van alles. Hij was erbij betrokken. Ze hadden haar hoofd op het andere lichaam gezet. En het iedereen per e-mail gestuurd. Toen heeft ze zelfmoord gepleegd.

Dat lawaai buiten, dat zijn vogels. Gierzwaluwen zijn het. Ze maken hun avondgeluid. Vogels zijn nu zinloos. Avond is zinloos. Ze hadden haar hoofd op het andere lichaam gezet. En het iedereen per e-mail gestuurd. Toen heeft ze zelfmoord gepleegd.

Het was op een dinsdag. Op een gewone dinsdag. Magnus realiseert zich dat er nooit meer een gewone dinsdag zal komen. Vroeger had je gewone weekdagen waarop je het gevoel had dat alles normaal was. Het is verbijsterend om nu aan dat gevoel terug te denken. Ze liepen de gang door, gewoon via de hoofdtrap naar beneden en dan de gang door, alsof het een doodgewone dinsdag was. Hij droeg wat hij 's morgens had aangetrokken. Gewone kleren. De kleren waren toen nog gewone kleren. Had hij die sokken aan? Hij weet dat hij die broek aanhad. Die schoenen had hij beslist aan. Dat is zijn schoolbroek. Dat zijn zijn schoolschoenen. Het was maar een grapje. Ze hadden er allemaal om gelachen omdat het zo grappig zou zijn. Hij had gelachen. Hij was degene die de deur had opengeduwd. Hij kan nu nog voelen hoe de deur hard terugduwde met zijn dranger. Ze hadden een van de nieuwe scanners gebruikt. Een klein kind had het kunnen doen, zelfs op de oude apparatuur. Het was allemaal nogal makkelijk. Maar ze konden niet met computers omgaan. Al had hij het voorgedaan, dan nog zouden ze het niet gekund hebben. Eerst hadden ze haar gescand. Toen dat andere plaatje. Toen hebben ze haar hoofd naar dat andere plaatje gesleept. Toen hebben ze het als jpeg verstuurd naar iedereen op de mailinglist. Toen zijn ze doorgegaan met allerlei andere dingen, kleren, schoenen, school, gangen, thuis, de dagen van de week, dag na dag, dagenlang. Op een van die dagen heeft ze zelfmoord gepleegd.

Is het al licht? Magnus knippert met zijn ogen als hij naar de jaloezieën kijkt die voor het raam hangen. Je kunt de jaloezieën wel naar beneden trekken, maar daarachter blijft alles hetzelfde. Door het licht doen zijn spieren alsof ze verdoofd zijn. Het zorgt ervoor dat zijn benen niets meer willen doen. Het zorgt ervoor dat zijn armen aanvoelen alsof ze van steen zijn. Als het licht is, zal het donkerder worden. Ze hebben haar hoofd op een ander lichaam gezet. Dat hebben ze rondgestuurd aan de mensen. Toen heeft ze zelfmoord gepleegd.

Hij gaat rechtop zitten, grijpt naar zijn maag. Hij knijpt zijn ogen dicht in het licht, in het donker. Ver weg, heel ver weg, alsof hij vanaf de verkeerde kant door een telescoop kijkt, ziet hij een jongen. De jongen is zo groot als een steentje. Hij glimt alsof hij gepolijst is. Hij draagt een schooluniform. Hij zwaait met zijn armen zo groot als spinnenpoten. Hij praat met een piepend stemmetje. Hij praat een beetje bekakt, zegt dingen als *een te gekke vondst, kwaliteit, heel gewiekst eigenlijk*. Hij heeft het over van alles. Alsof het dingen zijn die ertoe doen. Hij praat over wiskundige analyse, over de manier waarop planten groeien, hoe insecten zich voortplanten of hoe het er binnen in het oog van een kikker uitziet. Hij praat over films, computers, binaire getallen. Hij praat over de manier waarop hologrammen worden gemaakt. Hij is zelf een hologram. Hij is een product van laserstralen, lenzen, optische systemen, een speciale vibratievrije optische bank. Hij is een creatie van coherent licht. Daar piept hij nu over. Hij zegt dat coherent licht een te gekke vondst is. Hij is kwaliteit. Hij bevat alle noodzakelijke informatie over zijn vorm, afmetingen, helderheid. Hij is zo. Hij is zo enthousiast over zichzelf dat je er doodziek van wordt. Hij is heel gewiekst eigenlijk. Hij lijkt alleen uit dimensies te bestaan. Hij is een driedimensionale reproductie van iets wat eigenlijk niet echt bestaat. Kijk naar hem. Hij heeft geluk. Om te beginnen bestaat hij niet. Dat is een geluk. Ten tweede is hij heel klein. Hij zou onder een deur door kunnen verdwijnen. Of door een barst in een houten vloer. Ten derde is hij weer terug, zoals eerst. Hier is de echte Magnus, van vlees en bloed, onmiskenbaar. Om de echte Magnus kun je niet heen. Hij is massief, zo groot als een aangespoelde walvis, als een stuntelige, onhandige reus. Alsof het een berg is rust hij op zijn reuzenvoet en kijkt omlaag hoe hijzelf in het verleden piepte, glom en zich inspande, als in een opwindend experiment of een avontuur. Hologram Boy heeft geen idee waar die voet bij hoort. Hologram Boy kan zich iets van zulke monsterlijke afmetingen niet voorstellen. Eerst hen. Hen dan. Dan hen. Dan zij.

Magnus gaat op zijn buik op de grond liggen. Als hij echt een walvis was, zelfs als hij een aangespoelde walvis was, zou het ook nog mogelijk zijn. Of als hij een vis was, maakt niet uit wat voor een, in het water of niet. Hij zou door kunnen gaan met ademhalen. Of het zou een opluchting zijn, het geflapper, de paniek, niet meer kunnen ademen. Of als hij alleen maar het water was of de lucht die door de kieuwen van een vis gaat. Of als hij een hond was, maakt niet uit wat voor een, al of niet aangelijnd. Als hij poten had met kussentjes en op een zandstrand een galopspoor van pootafdrukken achterliet. Als hij een hond was met hondenhersenen. Van nu af aan zou hij een hond kunnen zijn. Hij zou trouw zijn. Hij zou de hele dag in een huis wachten tot er iemand thuiskwam, anders niet. Hij zou van het wachten genieten. Hij zou eten uit een etensbak. Hij zou drinken met zijn tong. Hij zou doen wat hem gezegd werd. Hij zou stomme kunstjes doen. Het zou fantastisch zijn. Hij zou ieder dier kunnen zijn. Hij zou een das kunnen zijn. Hij zou in de grond kunnen leven. Hij zou wormen kunnen eten. Hij zou met klauwen kunnen graven. Er zou aarde tussen zijn klauwen zitten. Hij zou met alle plezier een das zijn. Een das. Zelfs het woord heeft iets leuks. Doet een beetje netjes aan. Magnus is helemaal niet netjes. Hij is slecht. Hij was altijd al slecht, al wist hij het niet. Hij geloofde in zijn eigen coherente licht. Hij had zich vergist. Hij was slecht. Hij was door en door slecht. Hij is als een rottende vrucht aan een tak. Wie hem plukt en openmaakt zal het zien. De wereld met zijn dinsdagen, hologrammen, walvissen, vissen, kikkers, snuffelende dassen met vochtige ogen wervelt van hem weg. Wervelt van hem weg alsof hij door de telescoop kijkt naar een ouderwetse film van een Engelse vossenjacht met vrolijke jachthoorns op een onduidelijk geluidsspoor en je de vos ziet verdwijnen en dan de paarden en de ruggen van de jagers kleiner worden. Hologram Boy glimlacht als een jongen en zwaait met zijn zakdoek alsof hij afscheid neemt, en dan flakkeren alle kerstmissen, pasens, voorjaarsvakanties en zomervakanties op en zijn dan ook ineens weg. Magnus pakt het dekbed van het bed. Hij trekt het over zijn hoofd, zwaar, maar hij kan nog ademen, al weegt het nog zo veel. De wormen eten haar op. Hij heeft aarde onder zijn nagels. Het bot en de spieren die haar lichaam aan haar hoofd verbonden waren kapot. Het einde. Het komt door hem. Hij heeft ze laten zien wat ze moesten doen. Zij hebben het gedaan. Zij hebben haar hoofd op een ander lichaam gezet. Zij hebben het per e-mail rondgestuurd. Zij heeft zelfmoord gepleegd.

Elke keer als Magnus het bedenkt, is hij geschokt. Wat hem in wezen schokt, is dat er niets gebeurt. Elke keer dat hij het bedenkt, gebeurt er niets. Deed het er niet toe? Doet het er niet toe? Ze hebben haar hoofd op een ander lichaam gezet.

Al was het niet waar, het werd het wel. Zo werd het meer haar dan zij het was. Toen hij die dinsdag thuiskwam en zijn mail bekeek, sprong het bericht eruit. Hij stond ook op de mailinglist. Hij had het aangeklikt. Daar was ze. Het was grappig. Hij had gelachen. Als hij er nu aan denkt, verstijft hij. Daar heb je hem weer, daar gaat hij weer. Elke keer denkt hij eraan hoe hij naar die foto keek die ze hadden gemaakt, in zijn eentje, op zijn kamer. Hij was van de hele zaak op de hoogte. Elke keer ziet hij zichzelf weer. Ach. Hij is zo'n vreselijke ellendeling. Hij kan er niet mee ophouden. Hij heeft het geprobeerd. Nog maar eens proberen, haha. Het was dolle pret. Zoals haar hoofd op die nek zat. Zoals die borsten hingen. Wat bijna niemand wist. Maar hij wel. Nu lacht hij weer, stijf als de hel. Hij deugt niet. Hij heeft zichzelf veranderd toen hij haar veranderde. Zonder dat hij het zelfs maar in de gaten had, heeft hij zijn eigen hoofd eraf gehaald. Het heeft zichzelf getransplanteerd op een lichaam dat hij niet kent. Als hij in de spiegel kijkt, ziet hij er niet anders uit dan daarvoor. Maar hij is niet dezelfde. Het is schokkend om te zien hoeveel hij op zichzelf lijkt. Ook zij heeft gezien hoe ze veranderd was. Ze heeft nooit geweten wie het had gedaan. Hij was het. Hij had het gedaan. Magnus is God. Er is helemaal geen God. Er is alleen Magnus. Hologram Boy geloofde dat God waarschijnlijk wel zou bestaan. Hologram Boy zag God als menselijker dan de mens, in het gezelschap verkerend van minder menselijke wezens, zoals de beroemdheid van de week in de *Muppet Show* met de muppets. Hologram Boy was klassenvertegenwoordiger. Hij hield tijdens dodenherdenking de speech voor de dode soldaten van de wereldoorlogen. Het was Hologram Boys taak om de krans te leggen en voor te gaan in het schrille gebed, opdat wij niet vergeten. Maar Hologram Boy was een en al vergeetachtigheid. Hij mocht van geluk spreken. Het geheugen van Hologram Boy was licht en blanco. Nu zal er geen vergeten meer zijn. Nooit zal er nog sprake zijn van vergeten. Het herinneren is als het donkerder worden. Het donkerder worden gebeurt nu meer. Het is net als dat het licht donker wordt als je griep hebt. Het is bijna precies hetzelfde als toen hij griep had in december 1999 januari 2000. Die oude serie over de Duitsers in die duikboot onder water was iedere avond op tv, die druk, de vraag of ze het op die diepte wel of niet zouden overleven. De eerste keer dat het gebeurde was twee dagen nadat hij had gehoord dat ze het had gedaan. Hij stond gewoon ergens, bij een bushalte bij een boom. De boom had een uitstekende tak. Boven de boom, om die tak heen, was de hemel donkerder geworden. Toen was alles donkerder geworden. Zonder dat er iets veranderde. De hemel was blauw. Er waren geen wolken. Er was geen verandering in het weer. Maar het ging gewoon door, het werd donkerder. Toen hij had geslapen was het over. De week daarop was het teruggekomen, in het café. Toen was het weer overgegaan. Toen was het teruggekomen en werd het nog donkerder. Het gebeurt zonder dat je erop verdacht bent. Het is net als wanneer je in de bioscoop wacht totdat de lichten doven. Ergens weet je dat de lichten elk moment langzaam uit kunnen gaan. En dan heb je soms het gevoel dat ze beginnen te doven terwijl dat niet het geval is, dat er helemaal niets gebeurt. Het overkomt hem steeds weer. Het wordt veroorzaakt door causale effecten. Hij heeft het veroorzaakt. Hij heeft iets in het leven veranderd. Ze hebben een beetje zitten spelen met haar hoofd totdat ze tevreden waren. Ze hebben het wat heen en weer geschoven. Toen hebben ze het rondgestuurd. Toen heeft ze zelfmoord gepleegd.

Veertig mensen uit de hoogste klas hebben de foto waarschijnlijk gezien. Uit de op een na hoogste klas hebben waarschijnlijk twintig mensen hem gezien. Magnus heeft geen idee hoeveel andere mensen hem hebben gezien of nog zullen zien. Er is naderhand het een en ander over gezegd in de plenaire bijeenkomst. Milfield zei dat de mensen die hem hebben verstuurd zich moesten melden. Het zou toch wel

bekend worden, zei hij. En als dat gebeurde zou het erger
voor hen zijn dan als ze zich nu zouden melden. Maar na te
gaan is het niet. Het is niet na te gaan dat het e-mailbericht
door hen is verstuurd. Anton had een of andere postcode uit
de Verenigde Staten. Hij had hem van een advertentie in een
tijdschrift. De boodschap was afkomstig van 'Michael
Jackson'. Toen Magnus die dinsdagavond zijn e-mail bekeek,
bleek dat de gebruikte naam te zijn. Hij had gelachen. Hij had
gedacht dat het een te gekke vondst was, dat hij er wel achter
kon staan. Hij was in de leerlingenkamer toen Jake Strothers
binnenkwam met de foto. Jake Strothers had hem gepikt bij
de administratie van de school. Jake Strothers had daar een
briefje af moeten geven, maar toen hij binnenkwam was er
niemand aanwezig geweest. De kast met de dossierlades stond
open. Jake Strothers had erin gekeken. Hij had de foto op
haar dossier gevonden. Zij zat in de op een na hoogste klas.
Ze zat vooraan onder de M. Jake Strothers was de
leerlingenkamer binnengekomen en had hem aan Anton laten
zien. Anton had het tijdschrift in zijn klerenkastje liggen. Hij
had het gepakt en de foto ertegenaan gehouden. Jake
Strothers was woest geworden. Niet doen verdomme, je vouwt
hem dubbel. Jake Strothers had een keer met haar uit gewild.
Daarom had hij de foto gepikt. Hij wilde geen trucfoto. Hij
wilde een foto die niet stiekem genomen was. Toen had Jake
Strothers even een blik geworpen op de fotocombinatie die
Anton had gemaakt door ze te vouwen. Ze hadden allebei
gelachen. Hij had gevraagd waarom ze lachten. Ze wilden het
hem niet vertellen of laten zien. Ze wisten dat hij het nog
nooit had gedaan. Ze voelden het aan, alsof het op zijn
voorhoofd te lezen was. Anton zei: ik heb niks met
homoseksuelen. Magnus zei dat hij het niet was. Anton zei: ik
geloof je, echt waar. Maar ik heb ook niks met mensen die
van niks weten en dingen zien waar ze nog niet aan toe zijn.
Daar had Anton gelijk in. Holgram Boy was zo ontzettend
onschuldig. Hologram Boy beschouwde zijn eigen erecties als

interessante wetenschappelijke experimenten. Toen was hij
nog Hologram Boy. Toen leefde Hologram Boy nog in de
illusie dat hij Magnus Smart was. Toen was het nog een
gewone dinsdag. Magnus Smart wist iets wat zij niet wisten.
Shit, een kind had het gekund. Anton en Jake Strothers
wisten van toeten noch blazen. Ze wisten niks van computers.
Magnus Smart had gezegd dat hij hun echt iets kon laten
zien. Het was na schooltijd. Er was nauwelijks nog iemand
aanwezig. Ze waren de gang door gelopen, langs de
schoonmakers. Ze waren de hoofdtrap af gegaan. De school
was leeg en hol als een walvis. Ze waren er doorheen gelopen
alsof ze tussen zijn ribben door liepen. Nu is Magnus
opgeblazen, groter dan de school. Hij weet meer dan de hele
school bij elkaar. Ze duwden de deur open. Wat zie je
eigenlijk als je een foto van iemand ziet? Er had een artikel
over in de krant gestaan. Er stond: een tragedie, het verlies
van Catherine Masson, een leerlinge van Deans. Een vrolijk,
vrijgevig, algemeen geliefd, intelligent en voorkomend meisje,
een lieve vriendin, iemand met veel vrienden en vriendinnen
die haar allemaal zouden missen, een toegewijd lid van de club
van stenenverzamelaars. De foto in de krant was de
schoolfoto. Het was dezelfde. Magnus weet meer dan zij wist.
Magnus weet meer dan haar familie weet, zelfs nu. Meer dan
iedereen die de e-mail heeft gekregen, meer dan iedereen die
de krant leest, Magnus weet meer dan iedereen. Anton weet
het. Jake Strothers weet het. Niemand zal ooit te weten
komen dat Magnus iets met hen te maken heeft. Zij hebben
een slechte naam. Hij heeft een goede naam. Ze troffen elkaar
bij de zij-ingang, alsof ze elkaar bij toeval tegenkwamen en
toevallig tegelijk en in hetzelfde tempo van school naar huis
liepen. Anton keek onder het lopen naar de grond. Hij zei dat
niemand het mocht weten, dat niemand iets mocht zeggen.
Ze waren het er allemaal mee eens, ze knikten zonder iets te
zeggen, niemand mocht het weten. Maar Magnus weet het.
Die kennis doet hem helemaal opzwellen.

Hij heeft het gedaan.

Zij hebben het gedaan.

Toen heeft zij het gedaan.

Ze heeft zelfmoord gepleegd

Magnus schudt heftig met zijn hoofd onder het dekbed. Hij herhaalt de woorden een voor een in zichzelf. Ze. Heeft. Zelfmoord. Gepleegd. Niks. Woorden zijn zinloos. Ze betekenen niets. Ze brengen niets teweeg. Hij trekt het dekbed van zijn hoofd. Hij ligt nog in deze kamer. Ze zijn met vakantie in Norfolk. Is het al donker? Doet er niet toe. Catherine Masson. Hij zegt haar naam in zichzelf. Catherine Masson Catherine Masson Catherine Masson. Doet er niet toe doet er niet toe doet er niet toe. Ze was vrolijk, vrijgevig, algemeen geliefd. Haar vrienden en vriendinnen hielden van haar. Hij steekt zijn hoofd weer onder het dekbed. Ze was intelligent. Ze was voorkomend. Ze was lid van de club van stenenverzamelaars. Bij de club van stenenverzamelaars polijsten ze stenen om er sieraden of manchetknopen van te maken. De dingen die ze heeft gemaakt zal ze wel op een tafeltje in haar slaapkamer hebben bewaard. Daar is ze, achter een computer in haar slaapkamer. Het is een keurige meisjesslaapkamer. Er hangen posters van zangers, foto's van bekendheden van de televisie, knipplaten van paarden, pasgeboren dieren, tijgers, ijsberen. Het is het moment dat ze een e-mail opent met als afzender zogenaamd Michael Jackson. Ze klikt de boodschap aan. Ze kijkt naar het scherm. Ach. Doet er niet toe. Doet er niet toe. Hij is in de gang een keer langs haar heen gelopen. Hij weet niet eens zeker of zij het wel was. Ze was gewoon een meisje. Ze maakte deel uit van een groepje hard lachende meisjes. Bang werd hij van ze. Ze waren op weg naar Frans. Ze waren chips aan het eten en verdrongen elkaar in de deuropening van het lokaal. Ze riepen dat ze het Franse woord voor banden zo stom vonden. *Les pneus.* Was zij dat? Als zij dat meisje was geweest, dan hadden ze elkaar zonder zich ervan bewust te zijn op een afstand van een halve meter gepasseerd. Zij wist niet wie hij was. Hij wist het ook niet, wie hij was. Zij boft. Zij is dood. Zij voelt niets. Hij voelt ook niets. Maar hij is niet dood. Toen het gebeurd was, ging het gerucht door de school. Een meisje van Deans had in de badkamer van het huis waar ze woonde zelfmoord gepleegd. Haar moeder of haar broer had haar gevonden. Hij had het gerucht gehoord bij wiskunde. Charlie wil achter zijn huis een uitbouw maken met een vloeroppervlak van achttien vierkante meter. Hij wil zo weinig mogelijk bakstenen gebruiken, dus hij wil weten wat de kleinste omtrek is voor zijn uitbouw. Schrijf de vergelijking op voor de oppervlakte met x en y als parameters. Analyse is de wiskunde van limietbepalingen, in het bijzonder van de mate van verandering. Er is nog bijna oorlog ontstaan over de vraag wie de ontdekker was van deze tak van wiskunde, Leibnitz of Newton. Leibnitz had het =-teken bedacht. Wiskunde = het vinden van het eenvoudige in het complexe, het eindige in het oneindige. Hij gaat op het vloerkleed zitten, pakt zijn voeten vast. Het was een dinsdag. Er werd gefluisterd dat ze zich had opgehangen. Sarah en haar broer Steven lopen elke dag van huis naar school. Op een dag nemen ze de tijd op. Als Steven op school komt, zegt hij: het kost me zes minuten en acht seconden. Als Sarah op school komt, zegt ze: het kost me tussen de zes en zeven minuten. Welk antwoord is waarschijnlijk juist? Bij Hologram Boy, die naar de universiteit zou gaan, piepte een stemmetje in zijn hoofd dat 'verhangen' eigenlijk beter is dan 'opgehangen'. Correctie. Er is geen universiteit. Bij universiteit is de kans dat het juist is niet waarschijnlijker. Universiteit is lachwekkend. Analyse is lachwekkend. Het is allemaal een grap. Zelfs de dagen van de week zijn lachwekkend. Het was een dinsdag toen hij het hoorde. Als hij die andere, die eerste dinsdag, niet toevallig na schooltijd in de leerlingenkamer was geweest. Als hij niet zo veel had geweten. Als hij nou maar niet. Als zij niet. Dan zou zij niet. Dan zou zij misschien nog.

Er klinkt het geluid van iemand die op zijn kamerdeur klopt. Hij steekt zijn hoofd uit het dekbed omhoog. Boven de deur steekt een dakbalk de kamer in. Waarschijnlijk niet de originele. Zijn spijkerbroek ligt als een hoopje op de vloer. Zijn overhemd met lange mouwen op een hoopje daarnaast. Alle kleren die hij hier mee naartoe heeft genomen liggen op een hoop bij de wasbak. Ze gaat de deur naar een badkamer door. Ze gaat op de rand van een bad zitten. Ze is omgeven door een douchegordijn. Waar zou het naar ruiken? Tandpasta, zeep, schoonmaakspullen. Onder haar voeten ligt waarschijnlijk een kleedje. Misschien is het kleedje nog vochtig van de vorige die een bad of douche heeft genomen. Ze moet vindingrijk zijn geweest. Er zijn in een badkamer niet echt veel voor de hand liggende plekken. Vreemd om het daar te doen, als je er even over nadenkt. Maar als je er langer over nadenkt, blijkt het erg voor de hand te liggen. Als je een badkamer ingaat, ga je er ook zo weer uit. Je blijft er niet voor langere tijd. Het is de plek waar je je van je viezigheid ontdoet. Het is de plek waar je schoon wordt. Ze kijkt hem vanaf de rand van het bad aan. Ze is beleefd, intelligent. Ze heeft haar schooluniform aan, net als op de foto. Ze kijkt hem recht in het gezicht. Ze knikt. Dat is het minste wat ze kan verwachten. Ze verwacht het. Nee, ze verwacht het niet. Ze is dood. Ze kijkt hem niet aan, ze kan niemand aankijken. Maar ze doet het wel, ze zit op de rand van het bad en kijkt hem aan. Ze houdt de douchekop omhoog alsof zij een stijve heeft, niet hij. Ze zwaait er even mee naar hem. Ze kijkt hem uitnodigend aan.

Weer het geluid van iemand die klopt. Iemand roept iets. Het klinkt boos.

Oké, roept Magnus. Goed.

Zijn stem klinkt vreemd. Lijkt uit zijn buik te komen. Hij verbaast zich erover dat er nog een verbinding is tussen zijn middel en zijn hoofd.

Magnus, heeft de stem achter de deur geroepen. Hoe lang

geleden was dat? Het was de stem van zijn moeder. De woorden op zich waren niet boos bedoeld, maar zo klonken ze wel. Nu naar beneden komen. Oké. Goed. Dagenlang zegt hij nu al niets anders. Hij is een monster, een leugenaar. Oké. Goed.

Magnus komt overeind. Het duizelt hem als hij staat. Hij loopt de kamer door. Hij gaat naar de deur. Dan valt hem ineens zijn blote arm boven zijn hand op. Hij ziet zijn borst. Hij kijkt naar beneden. Hij heeft niets aan. Hij draait zich om en loopt terug door de kamer. Hij trekt een overhemd aan. Hij pakt een knoopje, legt het langs een knoopsgat aan de andere kant van het overhemd, maar hij krijgt het knoopje niet door het knoopsgat. Hij kan zijn hand er niet toe zetten. Hij trekt de spijkerbroek aan. Trekt hem over zijn onderlijf. Hij pakt de ritssluiting, wijsvinger aan de ene kant, duim aan de andere. Hij trekt. De ritssluiting gaat omhoog.

Hij doet de deur van het slot. De deur bestaat uit twee delen; het sleutelgat zit in de onderdeur. De deur wil de indruk wekken dat hij authentiek oud is. Hij moet eruitzien als een echte ouderwetse deur. Misschien is hier niets meer echt authentiek. Misschien moet hier alles lijken op iets wat het niet is. Magnus doet de deur open. De gang is te licht. Het is het soort licht dat naar donkerte neigt. Daar is de deur naar de badkamer. Er zit een rechthoekig bordje op met daarop in zwierige letters het woord Badkamer, met naast het woord een tekening van een gieter. Uit het woord spruiten bloemen omhoog, door de letters heen, door de hoofdletter B heen. Magnus doet zijn ogen dicht. Hij zweet. Hij tast met zijn handen langs de muur, voelt met zijn tenen waar de vloer overgaat in de trap. Hij kijkt door een spleetje tussen zijn oogleden als hij bedenkt dat hij langs de badkamerdeur moet lopen. Hij gaat de trap af.

Beneden in de gang draait hij zijn gezicht naar de deur van de kamer waar ze elke avond eten. Hij loopt eropaf, blijft ervoor staan. Hij richt zijn hoofd op. Oké. Hij opent de deur.

Daar is zijn moeder. Zij weet van niets. Ze zegt iets tegen hem. Magnus knikt. Hij pakt een bord van een plaats aan tafel waar niemand zit. Zijn zus neemt het bord van hem aan. Ook zij weet het niet. Ze pakt iets uit een schaal op tafel en legt dat op het bord. Het ruikt naar vis in de kamer. Michael zegt iets. Hij weet van niets. Hij wijst naar iets. Magnus knikt. Hij hoopt dat dit knikken datgene is waar ze behoefte aan hebben. Hij knikt verscheidene keren, alsof hij heel zeker is van de reden dat hij knikt. Ja. Ja, beslist. Maak je maar geen zorgen. Hij pakt het mes en dan de vork van het couvert. Hij schuift ze langs zijn lichaam op de plek waar zijn achterzak hoort te zitten. Ze moeten erin zijn gegleden. Ze zijn niet kletterend op de grond gevallen. Hij voelt de kou ervan aan zijn rug. Het is een wonderbaarlijke kou. Het is wonderbaarlijk om überhaupt iet te voelen. Het gevoel beklijft niet.

Als jullie het niet erg vinden, neem ik dit mee naar mijn kamer, zegt Magnus. Sorry, maar ik ga. Dank jullie wel.

Hij is beleefd. Hij lijkt op haar. Zij was beleefd, intelligent. *Les pneus.* Zijn moeder zegt iets. Het klinkt als een uitroepteken. Zijn zus reikt hem zijn bord aan. Hij pakt het met beide handen vast zodat hij het niet zal laten vallen. De vis erop is dood. De kop is eraf.

De deur zwaait achter zijn rug dicht. Voor hem ligt de trap. Het is daar erg donker. Bovenaan is de deur met het woord Badkamer erop.

Magnus loopt naar de voordeur. Hij legt het bord op het vloerkleed. Hij opent de deur, pakt het bord weer op. Het is heel licht buiten. Ongelooflijk licht. Hij trekt zijn schouders op. Het kan nu elk moment donker worden. Dat geluid is gewoon dat van de wind in de bladeren, het geluid van vogels. De vogels zijn een soort nachtmerrie. Ze maken steeds weer dezelfde geluiden, steeds weer, steeds weer. De bladeren sissen. Vogels zijn zinloos. Ze maken een geluid dat alleen dient om zich voort te planten, om hun eigen genen door te geven. Bladeren zijn zinloos. Bomen zijn zinloos. Zij houden insecten in leven die bijna meteen na hun geboorte doodgaan. De bladeren helpen bij het produceren van zuurstof, waardoor mensen kunnen blijven ademen, en dan houden de mensen op met ademen. Insecten bestuiven een derde van het voedsel dat mensen eten, mensen die afschuwelijk doen tegen andere mensen, mensen die daardoor zullen doodgaan. Hologram Boy: *een speciaal gekweekte zijderups kan in het rupsstadium de bladeren van de moerbeiboom die hij opeet omzetten in een zijden draad van wel bijna een kilometer lengte, die sterker is dan een stalen draad van dezelfde dikte zou zijn.* Informatie is een lachertje. Belachelijk. Informatie is zo vol betekenis dat ze niets meer betekent. Het andere geluid is het knerpen van zijn eigen voeten op het grind. Het doet onvoldoende pijn. Hij kijkt hoe de grond onder hem voorbijgaat. Nu doet het geen pijn omdat hij op gras loopt.

Hij staat op een bruggetje. Daaronder is een dichtgeslibde rivier. Hij buigt zich voorover, veegt de vis met zijn hand van het bord. Het meeste komt in het water terecht. Een deel van de staart breekt af en belandt in een bosje op de oever. Na de vis laat hij ook het bord erin vallen. Hij haalt het mes uit zijn kontzak, en dan de vork. Die laat hij ook over de rand vallen.

Het bosje prikt. Hij buigt zich er helemaal in om bij het stukje vis te kunnen komen dat hem ontsnapt is. Als hij het heeft, gaat hij naar de oever van de rivier. Hij waadt het water in en dan laat hij de brokstukken in de kom van zijn handen in het water zakken. Hij laat ze uit zijn handen drijven. Ze blijven nog even drijven en zinken dan, vallen uiteen en zakken rond zijn voeten naar de bodem.

Magnus gaat tussen het afval en onkruid op de oever zitten. Zijn spijkerbroek is tot de dijen nat van het rivierwater. Vorig jaar zijn twee meisjes van school hem eens op komen zoeken. Het was een woensdag. Hij was op de schaakclub. Astrid heeft het hem naderhand verteld. Ze was in de tuin, en twee meisjes hadden over het hek heen gekeken. Of Magnus Smart hier woonde. Of zij zijn zus was. Wat voor meisjes? had hij gevraagd. Hij kon het niet geloven. Het was ongelooflijk. Hoe zagen ze eruit? Weet ik veel, had Astrid gezegd. Ik kende ze niet. Ze waren een stuk ouder dan ik. Ze waren van jouw leeftijd, minstens zestien. Een had een navelpiercing. Maar wat wilden ze? had hij gevraagd. Hologram Boy. Hij glom helemaal van verwondering. Ze moesten jou hebben, had Astrid gezegd, maar je was weg. Waarom zouden ze mij moeten hebben? (Hologram Boy. Hij glom helemaal.) Weet ik veel, had Astrid gezegd. Ze stond bij de ingelijste Egyptische plaatjes haar powerball tegen de muur te gooien, iets wat niet mocht. Als Eve er ooit achter kwam. Ze ving hem op, gooide hem weer, ving hem weer op, gooide hem weer. De lijstjes schudden iedere keer als de bal tegen de muur kwam. Nee, echt, hoezo? vroeg hij. Ik heb tegen ze gezegd dat jij hier niet woonde, zei ze. Ik heb tegen ze gezegd dat jij last hebt van zweetluchtjes waarvoor je naar de dokter moet. Ik heb gezegd dat je naar een speciale kliniek was, waar je een medicijnenkuur volgt. Ik heb tegen ze gezegd dat je bijnaam Rukker was. Ik heb tegen ze gezegd dat je homo was. Ze waren allebei erg lelijk. Die met die navelpiercing had iets onder de leden. Een van hen had zo'n litteken over haar hele gezicht. Ze stonken allebei vreselijk naar dode vis.

Hij pakte haar powerball uit de lucht. Hij rende alle trappen op naar de tweede verdieping, met haar schreeuwend van geef terug achter zich aan, langs de slaapkamers, en terwijl hij de ladder naar de vliering opging greep ze zijn arm. Hij gooide de bal uit het tuimelraam, hij viel midden in de bosjes, waar ze hem nooit zou vinden. Ze zei dat ze zich niet druk maakte om een powerball en ging naar haar kamer om haar oude Gameboy te pakken. Ook die gooide hij uit het raam in de bosjes. Nachtenlang probeerde hij te bedenken wie die meisjes geweest waren. In gedachten maakte hij lijstjes van degenen die navelpiercings hadden, althans van hen van wie hij het wist. Het was wonderbaarlijk dat een meisje met een piercing naar zijn huis zou willen komen. Hij had het in bed liggen doen met een sok, fantaserend dat een van die meisjes Anna Leto was. Een meisje als Anna Leto zou toch nooit naar zijn huis komen om hem op te zoeken? Zij had in elk geval wel een piercing. Die was vermaard. Ze liep de honderd meter. Atleten horen ze niet te hebben. Ze hadden haar daar lastig over willen vallen, maar omdat ze steeds maar won voor de school konden ze dat niet. Toen de soldaten naar Irak waren vertrokken, was Anna Leto nog tegen de oorlog geweest. Hierdoor waren veel anderen het ook. Hologram Boy geloofde in orde en chaos. Het was duidelijk dat sommige landen de zaken beter op orde hadden dan andere. Maar als Anna Leto tegen de oorlog was, dan waren degenen die dat waren in elk geval niet allemaal nietsnutten die maar al te graag lessen verzuimden om te gaan protesteren. Zelfs Hologram Boy had zich bijna laten overtuigen. Magnus denkt terug aan het ogenblik dat Anna Leto in de klas opstond om hun te zeggen dat ze tegen de oorlog moesten zijn.

Maar hij durft de echte herinnering niet aan. Die durft hij niet toe te laten voor het geval dat. Want daar zijn ze allemaal bij zijn tuinhek. Ze wachten op hem, de meisjes. Alle meisjes die hij ooit zal kennen. Alle meisjes naar wie hij ooit zal kijken. Alle meisjes die ooit naar hem zullen kijken. Ze hebben het allemaal, haar gezicht, het gezicht van de schoolfoto.

Hij kijkt naar de hemel, dan weer naar beneden. Licht wil zeggen donker. Bij zijn eerste plenaire bijeenkomst op zijn eerste schooldag heeft Hologram Boy de lezing voorgelezen over de aarde die een vormeloze leegte was. Er heerste diepe duisternis. God zei er zij licht. En er was licht. God gebruikte het licht om de dag van de nacht te scheiden. Anton had een nieuwe telefoon. Eentje die oplichtte. Met een fraaie beltoon. Hij maakte er foto's mee van stukjes van meisjes bij de administratie. Hij richtte hem op passerende meisjes, drukte af. Alle meisjes zien er hetzelfde uit dit jaar, fluisterde Anton

hem in het oor. Hij was blij dat iemand als Anton hem had
uitgekozen om hem iets dergelijks in het oor te fluisteren. Kijk
maar, had Anton gezegd. Ze zien er allemaal uit alsof ze van
pornosites afkomstig zijn. Het was waar. Als je naar die sites
gekeken hebt, gaan alle meisjes er zo uitzien. Reclames op de
tv gaan er zo uitzien. Videoclips op de muziekzenders gaan er
zo uitzien, nou ja, de meisjes dan.

Hij kan Eve vragen of hij haar laptop mag gebruiken als hij
thuiskomt. Hij kan het aan Michael vragen als zij bezig is op
de hare of niet wil dat een ander eraan zit. Hij kan het
e-mailadres samenstellen, het is de naam met de toevoeging ll
voor leerling punt deans punt uk. Beste Catherine Masson. Ik
ben. Hopelijk heb je er geen bezwaar tegen. Ik hoop dat je er
geen bezwaar tegen hebt dat ik je mail maar. Je kent me niet
maar. Je hebt geen idee hoe. Ik wilde zeggen dat ik er echt
heel veel. Ik ben er erg. Magnus moet overgeven op het gras,
naast zijn hand. Het is niet echt veel wat er naar boven komt.
Even voelt hij zich een stuk beter. Dan verdwijnt het prettige
gevoel. Ze loopt een klaslokaal in, maar alle gezichten zijn
vreemd voor haar. Ze kan ze niet onderscheiden. Vroeger
waren het haar vrienden en vriendinnen. Nu weet ze het niet
meer. Er valt niets te weten. Voorzover zij wist kon het elk
van hen zijn. Ze loopt door een straat die ze kent of ze gaat
een winkel binnen waar ze talloze keren is geweest. Het is
vreemd voor haar, het is veranderd. Ze zit thuis. Haar
familieleden, die in dezelfde kamer zitten, bevinden zich in
een andere wereld, een wereld waarin de dingen niet
veranderd zijn. Ze gaat op haar bed zitten. Catherine Masson.
Doet er niet toe. Daar heb je het, het donker worden, het
daalt op hem neer, het gras waarop hij zit wordt grijs. Hij
schudt zijn hoofd, doet zijn ogen dicht en weer open. De
bladeren boven zijn hoofd zijn zwart. De rivier is van zwart
water. Ze eindigt in een enorme, razende, zwarte oceaan. Het
doet er niet meer toe wat getallen bij elkaar voor uitkomst
hebben. Al die miljarden elektrische impulsen, de miljarden

boodschappen die in wonderbaarlijke nanoseconden door de
druk op een knop of een toets of een schakelaar grijze mijlen
ver, hele landen en continenten, de hele wereld over worden
gestuurd: dit is de uitkomst van alles. Hij heeft het gedaan.
Zij hebben het gedaan. Zij heeft de boodschap ontvangen. Zij
heeft zelfmoord gepleegd.

Hij komt overeind en loopt terug over de brug, kokhalst
weer. Hij steunt met zijn hand tegen de muur van een oud wit
gebouw. Hij voelt zich weer iets beter. Hij denkt dat hij zo
wel even zou kunnen blijven staan, hoofd naar beneden,
schouder tegen de muur, kijkend naar de ruwe steen, het
onkruid dat naar boven spruit op de plek waar het gebouw de
grond raakt. Maar er komt een man naar buiten. Hij roept
tegen Magnus totdat hij overeind komt. Oké, zegt Magnus.
Hij knikt verontschuldigend naar de mensen door het grote
raam aan de voorkant van het gebouw. Ze kijken in
verbijstering naar hem. Er staat een vaas bloemen op de tafel
tussen hen in. Magnus steekt een weg over. Hij loopt langs
een patatzaak. Er staan een paar jongens voor. Ze roepen hem
na. Hij vraagt zich af hoe het zou voelen om doodgeschopt te
worden door hen. Hij probeert zich een gebed te herinneren,
maar het enige dat in hem opkomt is de tekst Ik ga slapen, ik
ben moe, 'k sluit mijn beide oogjes toe, Here houd ook deze
nacht over mij getrouw de wacht, ik bid de Heer dat ze achter
me aan komen, me neerslaan en me schoppen totdat ik dood
ben. Maar dat doen ze niet, want er is geen God. Ze roepen
nog iets maar ze komen niet achter hem aan. Doet er niet toe.
Magnus voelt zich wat beter. Hij weet wat hem te doen staat.
Eigenlijk heeft hij het de hele tijd al geweten.

Hij loopt terug naar het huis. Het is het goede huis, het
huis waar hij uit is gekomen, want de voordeur staat nog
open. Hij ziet Eve, zijn moeder, voor het raam aan de
voorkant zitten. Ze heeft een wijnglas in haar hand. Hij ziet
de kleur van de wijn erin. Een donkere kleur. Wijndonker!
piept Hologram Boy. Magnus moet erom lachen. Hij heeft

pijn in zijn buik. Zijn familieleden lachen ook om iets, iets anders, in de voorkamer van dit vreemde huis. Hij hoort Astrid, zijn zus, lachen. Ze weet van niets. Tenslotte, zegt Hologram Boy, waarom zou je drie herrieschoppers voor de deur van een patatzaak nodig hebben terwijl niemand dit soort dingen beter kan dan jijzelf? Absoluut, beaamt Magnus. Absoluut. Hij zegt het iedere keer als zijn voet op een traptrede neerkomt, helemaal tot boven aan de trap.

BADKAMER. Het staat erop ten behoeve van alle mensen die tijdelijk in dit gehuurde vakantiehuis verblijven. Op ooghoogte bevindt zich het plaatje van de gieter. Hij drukt zijn voorhoofd ertegenaan. Hij duwt de deur open met zijn hoofd.

Het is een heel gewone badkamer. Heel nederig, welwillend. Er staat een wit bad met een stroef rubberen mat in de vorm van een grote voet met tenen die op de bodem van het bad vastgeplakt zit zodat de mensen niet zullen uitglijden als ze erin of eruit stappen. Er is een douche met een hogedrukkop. Een roze badmat ligt opgevouwen over de rand. Er is een plank met handdoeken, roze reservezepen. Er is een wasbak. Hij is hier alleen maar binnen geweest op momenten dat hij niet anders kon. Plassen deed hij in de wasbak op zijn kamer. Hij hield altijd zijn ogen dicht als hij hier per se moest zijn, als hij moest

Defeceren, zegt Hologram Boy slim.

Hij ziet zichzelf in de spiegel. Hij lijkt erg veel op zichzelf. Wat een grap. De handdoeken op de plank zijn keurig opgevouwen. Aan de muren zitten nog meer van die zelfklevende plaatjes met tuinspullen erop, bloemen, woordeloze afbeeldingen. Een goedkope verfraaiing van een vertrek waarvan we graag doen alsof het niets te maken heeft met ontlasting. Hologram Boy spreekt de woorden verfraaiing en vervolgens ontlasting met vaste stem uit. Hij wacht met gebogen hoofd tot Magnus met het woord absoluut reageert.

Sodemieter op hier, kleine etterbak dat je bent, zegt Magnus tegen Hologram Boy.

Hologram Boy sist een beetje, alsof hij overvol is. Dan verdwijnt hij ineens met een knal in het niets, alsof iemand ineens de stekker eruit heeft getrokken.

Magnus ademt krachtig uit. Hij kijkt naar het plafond boven het bad, naar de namaakbalk. Hij vraagt zich af of die in alle kamers van het huis zitten. Hij gaat op de randen van het bad staan. Hij probeert of de balk zijn gewicht kan dragen door er met twee armen aan te gaan hangen. Hij houdt het, is wel stevig. Hij doet zijn overhemd uit, bindt een van de mouwen met een slipsteek aan de balk. Hij trekt hem aan door aan de andere mouw te sjorren.

Het meisje in het tijdschrift had borsten die zo uit het plaatje op je af leken te komen. Er was geen ontsnappen aan. Het waren net twee verbaasde ogen die je aankeken. Ze waren behoorlijk groot, met lichtere en donkerder bruine kleuren op de tepels. Ze had donker haar. Hij kan zich het soort ogen niet herinneren. Haar tepels waren groot en hard. Haar mond was rood, stond open. Je zag haar natte tong en haar tanden. Haar lichaam was gebogen, zodat je in al haar gaten kon kijken.

Catherine Masson droeg een donkerblauwe schooltrui. Het wapen was er aan de linkerkant van haar borst op geborduurd, met daarin de woorden Eendracht maakt macht, de wapenspreuk van Deans. Ze droeg een das met een vol uitziende, zacht uitziende knoop. Ze droeg een wit schoolhemd waarvan de punten keurig waren ingestopt onder de trui. Ze had een vriendelijke glimlach op haar gezicht. Haar mond was dicht. Haar huid had iets reins. Haar bruine haar viel tot op de schouders. Haar pony hing behoorlijk ver over haar ogen. Je kon haar ogen nog heel duidelijk zien. Ze waren diepbruin.

Hij had een van de nieuwe scanners en een Mac gebruikt. Eerst had hij ze allebei gescand in Photoshop. Toen had hij de samenvoeg-functie aangeklikt. Hij had ze laten zien hoe je het hoofd kunt selecteren, kopiëren en dan een nieuwe laag maken met het lichaam. Toen had hij hen laten zien hoe je met een lasso om haar heen de randen afsneed. Hij had hun laten zien hoe je de achtergrond weghaalt. Hij had uitgelegd hoe je het hoofd erop plakt, de randjes weghaalt, alles normaal in elkaar laat overlopen. Hij had hun laten zien hoe je hem savede, toen hoe je hem als jpeg verstuurde, en ten slotte hoe je hem wiste.

Magnus slaat zijn armen om zichzelf heen. Hij rilt. Hij heeft het ijskoud. Hij gaat in het bad op het rubberen antislipmatje staan. Hij steekt zijn handen omhoog en knoopt een slipsteek in de andere mouw van het overhemd. Dan gaat hij weer op de randen van het bad staan. Hij maakt de knoop losser totdat het gat groot genoeg is. Hij steekt zijn hoofd erdoor. Het hangt losjes helemaal om zijn hals. De manchet steekt in zijn oor. Hij staat onder een schuine hoek. Voer een experiment uit om na te gaan hoever een balk door zal buigen onder invloed van de werking van een gewicht, waarbij m = het gewicht in kg en n = de doorbuiging in mm. Hij tilt een voet van de rand van het bad. Hij houdt hem omhoog. Hij zou moeten bidden. Nu leg ik mij te ruste. Hij beeft. Hij zet zijn voet voorzichtig weer op de rand. Hij ziet het stof boven op de balk en de plekken waar de kwast van degene die hem ooit zwart heeft geverfd is uitgeschoten. Zijn hoofd is op gelijke hoogte met de lamp. Hij ziet de spinnenwebben op de bovenrand, het stof boven op het lichtpeertje. Hij kan niet bedenken waarom de lamp niet ook beeft, waarom niet de hele badkamer beeft.

Intussen is er iemand de badkamer ingekomen. Het is zijn eigen schuld. Hij had de deur op slot moeten doen. Hij had er niet aan gedacht hem op slot te doen. Hij is zo'n mislukkeling. Zelfs dit kan hij niet goed doen.

Het is een engel. Ze kijkt naar hem op.

Het was maar een grapje, zegt hij.

Ik snap het, zegt ze. Is dit ook een grapje?

Ze leunt op het handdoekenrek en kijkt naar hem. Ze heeft geel, engelachtig haar.

Het is mijn schuld, zegt hij. Omdat ik ze heb laten zien hoe het moest. Toen hebben zij het rondgestuurd. Toen heeft ze. Ik moet wel.

Hij begint te huilen. Hij houdt zich vast aan de balk.

Ik begrijp het, zegt de engel.

Het was een ongeluk, zegt hij.

Oké, zegt de engel.

Het is verkeerd gegaan, zegt hij.

Ik zie het voor me, zegt ze.

Ze knikt. Ze is heel mooi, een beetje grof van uiterlijk, als een heel mooi gebruikt meisje van een internetsite. Ze licht helemaal op tegen de achtergrond van het afwasbare behang.

Heb je hulp nodig? vraagt ze. Als je klaar bent, kan ik wel tegen je aan stoten, zodat je je evenwicht verliest.

Ze houdt zijn been vast; ze houdt het stevig vast, met beide armen eromheen. Ze heeft blote armen. Het been dat ze omklemt schudt tegen haar borst en gezicht aan.

Zeg maar wanneer, zegt ze in zijn spijkerbroek.

Hij slikt. Hij huilt. Zijn hele gezicht zit onder het snot of het zweet. De manchet van zijn overhemd vlak bij zijn neus zit onder het snot of het zweet.

Kom op dan, zegt ze. Ik ben er klaar voor. Zeg jij maar wanneer. Wil je het?

Hij knikt. Hij probeert ja te zeggen. Hij kan het niet. Zweet of huilen, hij weet niet welke van de twee, druipt van ergens boven naar beneden op zijn borst.

Weet je het wel zeker? vraagt de engel die hem vasthoudt.

het begin weer! Wat bijzonder. Het leven is nog steeds even schitterend, een schitterende verrassing, een schitterende hernieuwing van voren af aan. Alsof het nieuw is. Nee, niet alsof het nieuw is, het is echt nieuw, wezenlijk nieuw. Een metafoor, niet een gelijkenis. Geen *alsof* tussen hem en het woord nieuw. Wie had dat kunnen bedenken? Die vrouw, Amber, had net haar bord weggeduwd, haar stoel naar achteren geschoven, met haar lange ledematen, onverschillig en schaamteloos als een meisje, was opgestaan en van tafel gegaan, de kamer uit, en nu kon Michael ophouden, nu er tegenover hem alleen haar lege stoel stond, kon hij uitademen, zich afvragen of Eve, die met haar servet broodkruimels bij elkaar veegde, als ze opkeek, stel dat ze opkeek en hem recht in het gezicht keek, de verbazing zou zien die van hem afstraalde. Op zijn gezicht zou de stomverbaasde uitdrukking te zien zijn die je normaal eerder zou zien op het gezicht van een sopraan die een hoge O perfect weet te treffen.

Eve keek nu naar hem op. Hij trok zijn mond recht voor het geval dat. Haar toon was perfect, in zijn oren, in zijn hoofd en schetterend in zijn bloed, zodat hij zich aan tafel vooroverboog toen weer achteroverleunde en niet wist hoe hij moest zitten. Wat Apollinaire noemde 'de modernste energiebron – verbazing!', een zinsnede die hij aan het begin van elk academisch jaar op het bord schreef, omdat de moderne literatuur vervuld is van de energie van de verbazing, zoals dr. Michael Smart de nieuwe derdejaars altijd in het eerste semester vertelde. Maar dr. Michael Smart, God zegene hem en al zijn opvarenden, had nooit eerder op deze manier een toon getroffen, zo wonderbaarlijk van kwaliteit, zo indringend nieuw, zo'n schokkende O.

Hij boog zich voorover, steunde met zijn handen op de tafel. Hij leunde weer achterover. Zijn armen en benen voelden nieuw aan in hun gewrichtsholten, zijn handen hadden nooit eerder niet geweten wat ze moesten doen of waar ze zich moesten plaatsen. Maar hij voelde zich uitzonderlijk goed. Hij voelde zich buitengewoon. Hij gaf een roffel op zijn benen; ze voelden goed aan. Hij rekte zich uit op zijn stoel. Elke spier voelde vreemd aan, nieuw, goed. Eve was nog aan het praten, zich van niets bewust, goed. Ze was de borden aan het afruimen, zei iets tegen Astrid. Ze zeiden iets over lepels. Lepels! Er was een wereld waarin lepels bestonden, borden, kopjes, glazen. Hij hield zijn wijnglas op, liet het restje wijn erin rondgaan, keek hoe het tot rust kwam. Hij was goed. Het was Gavi, van Waitrose.

Als hij dit wijnglas zou zijn, zou hij bij elkaar worden gehouden door haarfijne barstjes, die hem helemaal zouden bedekken met hun elektrische stroompjes. O. Vervuld worden van goedheid en dan barsten van goedheid, door een dergelijke schokkende goedheid in zo'n prachtig mozaïek uiteen te vallen. Michael glimlachte. Eve dacht dat hij naar haar glimlachte. Ze glimlachte terug. Hij glimlachte ook naar Astrid. Zij keek hem met een moordzuchtige blik aan en schraapte over een bord. Wat een trut! Onhebbelijk engerdje. Hij lachte hardop. Astrid keek hem dreigend aan en ging de kamer uit. De kinderen van Eve moesten allebei in therapie. Magnus was een speciaal geval. Weigeren om samen met de anderen te eten was tot daar aan toe. Maar er geen blijk van geven dat je ziet dat er een gast in de kamer is, net doen alsof je die niet ziet, weigeren om die gewoon te begroeten, zoals hij net had gedaan, was brutaliteit van een andere orde, uiterst laakbaar, ongeacht de mate van zijn adolescente levensangst et cetera, en Michael, die zich over het algemeen erg afzijdig hield van ouderlijk gedoe, bedacht zelfs dat hij daar later in bed met Eve over wilde spreken. Inmiddels was er echter een grote mot door het open raam naar binnen gevlogen, die om de brandende kaars heen fladderde. Motten konden er niets aan doen, *als een mot naar een*, dat ze door licht werden aangetrokken, was genetisch zo bepaald, ze zagen elk licht natuurlijk als liefdeslicht. Als ze er in het donker dronken op afvlogen, deden ze dat omdat ze genetisch dachten dat ze hun Übermot gevonden hadden, die ene mot ter wereld die er speciaal voor hen was. Bij een heldere nachthemel zouden ze zelfs helemaal naar de maan proberen te vliegen als de maan vol was.

Deze wond er geen doekjes om, ging recht op de vlam af en viel met een hoorbaar plofje op tafel. Het was een bruinige mot. Hij draaide zich om, en nog eens en nog eens. Terwijl hij zich om en om wentelde op zijn beschadigde vleugel, kon Michael de met een vage beharing begroeide gelaatskenmerken onderscheiden (hij had altijd uitstekend kunnen zien, had goede ogen; al dik in de veertig en in al die jaren nog nooit een bril of contactlenzen of wat dan ook nodig gehad). Motten en kaarslicht! Als een mot naar een kaarsvlam! Dr. Michael Smart dacht alleen nog maar in clichés!

Wel uiterst opwindend, het cliché, als concept. De waarheid met een zweem overdrijving eromheen, toch, als een stellage in de mist waargenomen, iets wat nog een keer gevoeld wil worden, nog een keer gezien. Iets teers dat door dikke handschoenen heen betast wordt. Het cliché was werkelijkheid, dat was duidelijk, daarom was het juist cliché geworden; zo reëel dat het cliché je zelfs afschermde van zijn eigen waarheid door te zijn wat het was, niets anders dan cliché. Reclame was bijvoorbeeld dol op het cliché, omdat dit de onvervalste waarheid van het gepeupel was. Hier zat een onderwerp voor een college in, misschien voor de colleges

Manieren van lezen. Bron? duidelijk Frans, hij zou het opzoeken. Larkin bijvoorbeeld, de Sid James van de Engelse lyriek (dat was nou eens echt een goede gedachte, dr. Michael Smart draaide als een tierelier), kende de kracht van het cliché. Wat van ons zal overleven is liefde. Die oude renpaarden van hem in het paardengedicht galoppeerden niet uit blijdschap maar uit *wat blijdschap moest zijn*. Larkin was een uitstekend voorbeeld. Die komische oude seksist, die al die jaren in de onderste regionen van het bibliotheekwezen in Hull had geleefd, geen wonder dat hij zo narrig was, maar hij kon met een paar goedgekozen woorden een cliché tot in de finesses openleggen. Of hoe Hemingway, bijvoorbeeld, die, voordat iemand anders zelfs maar wist te bedenken hoe je het uitdrukt, schreef: *didst thou feel the earth move* (of hoe hij het ook een beetje boers verkeerd deed in het niet erg goede *For Whom the Bell Tolls*, 1941 dacht Michael), een idee gehad kan hebben hoe deze zinsnede in de taal terecht zou komen? In de taal! Terechtkomen! Het cliché wás een aardverschuiving, als je het voor het eerst begreep, voor het eerst voelde. Aarde en verschuiving, een aardbeving, een hooggestemde, verwoestende verschuiving van tektonische platen diep beneden in de hitte, onder de gordel, onder je voeten. Mot plus vlam. Hier en nu had Michael precies gezien hoe het drama zich op het moment voltrok, toen de mottenvleugel verschroeide en broos werd in de kaars. Hij had wezenlijk meegemaakt hoe de individuele mot de individuele tafel raakte. Hij had deze dingen, ja, heftiger, reëler, met meer *verrassing* meegemaakt dan misschien alles wat hij had gevoeld sinds hij, nou, zeg eens wat, sinds hij nog de onbevangen blik (cliché!) van een kind van twaalf had gehad, en dan niet een kind van twaalf zoals die daar, dacht hij bij zichzelf terwijl hij over het hoofd met het zachte gekamde haar van Eves narrige dochter keek, niet een kind van twaalf van nu, nu niets nieuw was en alles zo bekend, voorbij, al gedaan en postmodern op T-shirts gespiegeld was, nee, hij bedoelde het kind van twaalf dat hij toen was, toen hij in zijn overhemd in hoog gras bij het diepe water lag, met de geluiden van de zomer om zich heen, een zoete grasstengel in zijn mond, toen hij voor het eerst twee insecten zag, twee vliegen van een of andere soort, langpotige watervliegen, een metoniem zou je kunnen zeggen voor de hele zomer, en de ene op de rug van de andere in een staat van pure opwinding, waarvan Michael zeker wist, voor de eerste keer, de meest onschuldige keer, dat het een binnenkomen was.

Binnenkomen! Het was een prachtig woord. De vlieg in de vlieg. De jongen in het gras. Het gras in de jongen. De jongen diep in de dag en de dag diep in de jongen. Hij was ook bijzonder gesteld op het woord puur; zo tot rust gebracht was het en gladgestreken, terwijl het toch nog zo jongensachtig enthousiast was, het strekte zich nog zo ver mogelijk uit. Een puur, glad wateroppervlak, stel je voor, en dan iemand die daarin duikt, ongegeneerd.

Ze was bij hem binnengekomen alsof hij water was. Alsof hij een woordenboek was en zij een woord waarvan hij niet had geweten dat het in hem stond. Of ze was eenvoudiger bij hem binnengekomen, alsof hij een deur was en zij hem had geopend, hem op een kier had laten staan terwijl ze gewoon naar binnen liep. (Op een kier! Wanneer is een deur geen deur? Een afschuwelijk grapje op de televisie toen hij nog jong was, waar hij nooit naar mocht kijken, het was nooit leuk geweest, dat grapje. Tot nu toe niet. Hij had er tot nu toe nooit voldoende open voor gestaan, haha!)

Wie is ze? hoe heet ze ook alweer? Eve vraagt het hem zachtjes wanneer ze hem voor het avondeten in de keuken even apart neemt. Het was niets voor Eve om dat soort dingen te vergeten of om luchthartig om te gaan met de bijzonderheden van gemaakte afspraken; hij was ineens blij, hij had er een goed gevoel bij dat hij organisatorisch zo duidelijk was. Hij was bezig geweest een forel vanbinnen aan te tippen met klontjes boter. Te veel en je bederft hem. Te weinig en je bederft hem. Met beleid. Amber huppeldepup, was het niet? zei hij, boter in de vis stekend, onder de insnijding.

Ze had vanmorgen aangebeld. Hij had de deur geopend, en ze was binnengekomen. Het spijt me dat ik te laat ben. Ik ben Amber. Ik heb autopech.

Dessert, is dat er? vroeg Eve terwijl ze naar de kamer liep. Ze glimlachte, haar overtuigende glimlach. Ze was in een goede stemming. De vis was trouwens prima, zei ze terwijl ze zich naar hem toe boog.

Ja, zei hij. Inderdaad prima, hè? (Ze had het lekker gevonden; ze had alles wat hij op tafel zette lekker gevonden, ze had het allemaal zo, tja, als een wolf naar binnen gewerkt, met de vissenhuid erbij, dat Astrid haar aan had zitten gapen en Michael zichzelf erop betrapt had dat hij haar ook wilde aangapen; hij was vergeten hoe het is om te merken dat wat je hebt klaargemaakt zo fysiek gewaardeerd wordt. Niemand at nog op die manier, alsof je honger had, alsof datgene wat je at goed was.) Ik dacht peren à la Belle Hélène, zei hij tegen Eve. Ik moet ze alleen even opwarmen. Ik zal het zo doen.

Eve pakte de laatste borden, pakte hem het bord uit handen. Ze kuste hem terwijl ze het deed; hij kuste haar terug, zacht maar nadrukkelijk; ze legde haar hand in zijn nek en liep toen weer door. De zon was weg, maar de avond was warm. Ze kon nu elk moment het vertrek weer binnenkomen. Ze kon nu elk moment de trap afkomen, zich naar de deur draaien, binnenkomen en daar tegenover hem gaan zitten, en dan zou hij onder zijn kleren beginnen te gloeien als een elektrisch verwarmingselement dat rood wordt. Zou hij beginnen te roken en te smeulen? Zouden zijn kleren in zijn huid smelten? Zouden de pijpen van zijn kaki broek schroeien waar ze om zijn dijen spanden?

Hij roffelde weer met zijn vuisten op zijn dij. Haha! zei hij. Astrid keek hem aan met een vernietigende blik. Hij negeerde haar. Hij begon te zingen. *It's a Barnum and Bailey world, Just as phoney as it can be.* Zijn stem klonk goed. In zijn spiegelbeeld in het raam zag hij er jongensachtig uit. *But it wouldn't be make-believe.* De mot was opgehouden met bewegen. Toen hij aanstalten maakte hem van de tafel op te rapen, bewoog hij weer; hij had alleen liggen rusten. Hij pakte hem; hij hield hem vlak voor zijn neus; hij had de neiging hem in zijn mond te stoppen.

Hij rook voor het eerst een mot.

Motten roken naar niets.

Hij fladderde in zijn hand. Dank je, mot, voor je treffende gelijkenis, zei hij terwijl hij zijn hand sloot, zich vooroverboog, zijn ogen sloot, zijn hand door het open raam stak en de mot liet vallen zonder te kijken waar hij neerkwam.

Ik wens je veel geluk, mot. *If you believed in me.*

Michael hield van oude songs. Vaak op zich al lyrische poëzie. Hij ademde in, diep. De lucht was nieuw en schoon, vond hij. Eindelijk had hij, in een huis dat niet van hem was, een oven aan de praat gekregen die hij niet kende, een elektrische oven bovendien, en elektrische ovens zijn altijd het ergst. Er zat nog wat mottenstof op zijn hand; hij veegde het af aan zijn broek. Er was aangebeld. Hij had de deur geopend, en zij was binnengekomen. Ze was gewoon langs hem heen gelopen. Hij had opengedaan terwijl hij nog aan het bellen was. Wacht even, had hij tegen Philippa Knott gezegd. Er is iets, kan ik je zo meteen terugbellen, Philippa? Zijn eigen stem die Philippa's naam zei hoorde hij, knarsend, zacht-ruw, huid die een scheerbeurt kan hebben, namiddag-in-een-hotel-huid, de belofte dat die Philippa's oor in zou gaan. Terwijl hij opendeed had hij zich afgevraagd hoe hij haar zou noemen. Pippa, Pip misschien. Jammer dat ze zich al voluit bij haar naam liet noemen, de volle naam heeft altijd meer betekenis, is altijd voller. Die andere namen waren kindernamen; jammer; het was alsof ze graag verzocht werden om volwassen te zijn. Hij zou haar later vragen wat ze wilde, welke naam ze hem het liefst hoorde gebruiken. Ze zou wel gewacht hebben totdat iemand het haar vroeg, zo was dat over het algemeen, over het algemeen hadden ze graag dat het gevraagd werd.

Philippa Knott had het voor elkaar gekregen om terug te komen en te midden van alle anderen van het tweedejaars college Victoriaanse literatuur zijn aandacht te trekken; ze was slank en donker, had lang donker haar met een lichte slag. Goede smaak voor kleding, bijna steeds de hoogste cijfers voor haar achtereenvolgende scripties ten behoeve van de voortdurende beoordeling, een paar opvallend goede tweedejaars-opstellen, in het bijzonder een over prefreudiaanse zinspelingen in de monologen van Robert Browning; ze had een goed stuk geschreven over steenoppervlakken in Brownings gedichten, over de manier waarop Browning zo sensueel was over steen, dat had hij haar aan het einde van het zomersemester op zijn kamer verteld, toen ze hem was komen vragen of hij haar supervisor wilde zijn bij haar scriptie Amerikaanse letterkunde. Ze had hem toen ook recht in de ogen gekeken; ze speelde het spel mee, dat was goed. Uitstekend, had hij gezegd, ben je tijdens de zomer hier in de stad? want ik zal af en toe op en neer gaan, nakijken, administratie doen, vakantiehuis in Norfolk, heb je een mobiel nummer of niet? Toen ze zijn werkkamer verliet, had hij zijn hand in haar lendenen gelegd, en zij had zich er even tegenaan gevleid, heel even maar. Hij had Justine gebeld om haar tentamenresultaten te horen, en dat waren voornamelijk achten en negens; mooi, dat gaf de doorslag.

Toen gebeurde dit.

Spijt me dat ik te laat ben. Ik ben Amber. Autopech.

Hij had het gesprek met Philippa Knott beëindigd, *er is iets, kan ik je zo meteen terugbellen.* Ze liep gewoon door en ging op de bank zitten. Ze bekeek hem met een ongeïnteresseerde blik; ze was hier niet voor hem. Een beetje veel rouge, een jaar of dertig, misschien iets ouder, gebruind als een lifter, gekleed als een demonstrant, zo'n al wat oudere vrouw die per se een meisje wil zijn; al die feministische vrouwen die nog steeds

74

politiek bewust waren, waren vreselijk geïnteresseerd in wat Eve deed. Een naam voor een hippie. Amber. Een belachelijke naam.

Ik ben Michael Smart, de partner van Eve, zei hij, en hij stak zijn hand uit. Ze keek naar zijn hand, keek hem weer aan met een uitdrukkingsloos gezicht. Hij bleef hem uitgestrekt houden, toen nog even omhoog, en toen liet hij hem langs zijn zij zakken en schraapte zijn keel.

Eve is in de tuin, zei hij. Ze is aan het werk in het tuinhuis. Maar ze zal vast wel een momentje hebben. Ze verwacht je toch, hè?

Ze zat uit het raam te kijken. Ze zei niets.

Misschien kan ik je wat aanbieden terwijl je wacht? Wat fruit misschien, of iets te drinken? (Inwendig voelde hij zich opschepperig, overdreven.)

Alles kits, man, zei ze. Is er koffie?

Alles kits, man. Hij had de woorden alles kits, man in jaren niet gehoord. Ze had een accent dat buitenlands klonk. Scandinavisch. Het schoot hem in de keuken te binnen hoe hij vroeger naar de camping fietste en op zijn fietszadel zittend over de schutting naar de vakantiegangers keek, het was het jaar van die twee Zweedse meisjes met haar zo licht van kleur dat het bijna wit leek, met de geur van patchouli-olie, de vriendschapsarmbanden, de leren riempjes die ze om hun nek droegen, enkelbanden droegen ze ook, en hun teennagels waren paars en zwart geverfd, die manier waarop ze lachend tussen de tenten en de kranen waar ze hun waterflessen vulden doorliepen, en hoe ze hem over de schutting toeriepen en probeerden te verleiden naar binnen te komen door de opengeritste voorkant van hun tent, die van buiten gezien zo klein was dat er voor hen beiden al nauwelijks ruimte genoeg leek te zijn in die omgekeerde v, laat staan ook nog voor hem. Anna-Katherina, heette de een, de andere was Marta. Hij was tien. Hoe oud zouden zij zijn geweest? Ze zullen niet ouder zijn geweest dan negentien, misschien twintig; voor hem waren ze zo onwaarschijnlijk volwassen geweest dat hij zeker wist dat hij zo'n leeftijd nooit zou bereiken. Waar waren die meisjes nu? Wat was hun overkomen in hun leven? Dertig jaar geleden was het. Meer. 1971. Alsof het gisteren was. Het geluid van de regen op de buitenkant van de tent, de achterkanten van zijn blote benen in zijn shorts op de vochtige warmte van het grondzeil.

Hij had er in jaren niet aan gedacht.

Die meisjes waren een week op de camping gebleven.

Zijn moeder had willen weten waar hij elke avond op zijn fiets naartoe ging en bleef totdat het bijna donker was. Ze wilde niet dat hij daar rondhing; mensen die dingen deden als kamperen waren niet het juiste soort mensen. Hij had gezegd dat hij naar Jonathan Hadley ging (Jonathan Hadley was nu een veel verdienende medisch specialist met een groot gezin en een huis aan de rivier van drieënhalf miljoen pond in Walton-on-Thames.) Elke avond pakte hij daarom een boek van de plank met klassieke werken, liep er ongedwongen mee onder zijn arm zodat iedereen het kon zien, vertelde haar dat Jonathan Hadley en hij de avonden lezend doorbrachten op Jonathans kamer. Dat was bewonderenswaardig. Dat mocht. *Great Expectations. Mijn kindertong kon van beide namen niets langers of duidelijkers maken. The Mill on the Floss.* Deel een, eerste boek, Jongen en meisje. *Vanity Fair.* Een roman zonder held. *The Manager of the Performance.* De geur van nat gras. Het licht dat gefilterd door het tentdoek en de naden van de flappen naar binnen viel. Toen de meisjes weg waren, bleek het stukje geplet gras waar hun tent had gestaan ongelooflijk klein te zijn. De nieuwe kampeerders die op hun plaats kwamen staan waren afkomstig uit een onaangenaam oord, Bournemouth of Bognor Regis, een groot gezin was het. De vader had een harde kop toen hij het gecompliceerde frame van hun tent opzette, die drie plaatsen in beslag nam. Ze spraken met harde stemmen. Ze schreeuwden over het gras naar elkaar.

Hij was maar gewoon een jongen uit de buurt die over een schutting leunde.

Hij was aan komen lopen met een peer voor haar, netjes in partjes gesneden. Ze at hem meteen op, partje voor partje. Viel het haar op dat hij het netjes had gedaan? Ze zei geen dank je wel.

Wat is er met je auto? vroeg hij.

Ze zei niets. Misschien had ze hem niet gehoord door het geluid van de stofzuiger boven.

Je auto? herhaalde hij, harder. Doet hij het niet meer? vroeg hij. Wil hij niet starten of zo?

Ze haalde haar schouders op.

De accu? vroeg hij. Hij zei het te hard toen het geluid van de stofzuiger even niet te horen was.

Ze keek uitdrukkingsloos voor zich uit. Misschien kende ze het woord accu niet.

Ik stak het sleuteltje erin, draaide het om, niks, zei ze, van hem wegkijkend.

Ze zou de verlichting 's nachts wel aan hebben laten staan, dacht hij. Misschien het plafondlampje. Er zat misschien geen benzine meer in.

Hij ging op de armleuning van de bank zitten. Vertel eens, waar kom je oorspronkelijk vandaan? was hij begonnen te vragen, toen ze hem onderbrak met een verbijsterend lange zin:

Maar denk je dat het wel in orde is, en denk je dat het helemaal geen kwaad kan dat hij daar maar gewoon midden op straat is blijven staan?

De zin was afgelopen. Boven hun hoofd begon het geluid weer.

Nou, ik heb absoluut geen idee, riep hij. Eerlijk gezegd lijkt het me helemaal niet in orde, als hij er zo bij staat als je beschrijft. Waar staat hij?

Ze maakte een vaag gebaar in de richting van het raam.

Ik bedoel, het is hier heel stil, riep hij in het geraas van de stofzuiger. Hij moest lachen om de tegenstrijdigheid. Hij hield op met lachen.

Maar wat ik wil zeggen, zei hij, is dat ik niet geneigd ben te denken dat het helemaal geen kwaad kan om iets midden op straat te laten staan. Het hangt ervan af wat je precies met midden op straat bedoelt.

Ja, zei ze. Echt in het midden. Precies op een hoek waar ik hem moest laten staan toen hij ermee ophield. Ik heb de hele nacht doorgereden om hier te komen.

Ze wreef in haar ogen. Ze zag er inderdaad uitgeput uit.

Alles ligt er nog in, zei ze.

Je hebt er toch niks kostbaars in laten liggen? vroeg hij. Een laptop of iets dergelijks?

Ze knikte, wees op zijn mobiele telefoon op tafel.

Alles, zei ze.

Dat had je niet moeten doen, zei hij. Je kunt tegenwoordig nergens iets laten liggen. Zelfs hier niet, in deze uithoek. Overal zijn dieven.

Ze liet zich achteroverzakken op de bank, sloot haar ogen en schudde haar hoofd. Ze wreef met haar hand over haar hoofd. Ze leek te wachten op iets.

Nou, ik... begon hij. Ik heb niet veel verstand van auto's. Ik heb niet veel tijd. Ik moet over een uur even overwippen naar Londen.

Ze keek uiterst verveeld.

Waar is het precies? vroeg hij. Als je wilt, zou ik kunnen proberen...

Ze was al opgestaan, had het autosleuteltje uit de zak van haar shorts gepakt en hield dat op. Toen hij het aannam, ging ze weer zitten.

Maar duurt die koffie nog lang? vroeg ze.

Het was echte koffie, wilde hij zeggen. Hij wilde haar laten weten dat hij niet het soort man was dat wel eens oploskoffie maakte. Hij kon zich er echter geen voorstelling van maken hoe hij het kon zeggen zonder dat het neerbuigend zou klinken. Ze zou het wel merken als ze het proefde, daar was hij van overtuigd. Terwijl hij op straat liep belde hij Philippa Knott. Hij zorgde er eerst voor dat hij anoniem belde; nooit je mobiele nummer bekendmaken. *Hallo Philippa? Met dr. Michael Smart*, in de zomerse open lucht klonk zijn stem vreemd, bombastisch. Hij stelde hun afspraak vast op twee uur 's middags. Precies in de bocht van de weg, daar waar het bos begon, stond een kleine, hoekige Volvo van een of ander type, keurig netjes langs een greppel. Het zag er niet naar uit dat erin ingebroken was. Er leek niets te zijn geforceerd.

Het portier was open. Hij stapte in, ging op de bestuurdersplaats zitten. Hij wist niets van auto's. Misschien was dit niet eens haar auto. Maar hij stak het sleuteltje in het contact, en de motor sloeg meteen aan. Ik kan toveren, dacht hij. De man met de gouden handen. Puur geluk. Ze zou hem wel hebben laten verzuipen, iets met de choke hebben gedaan. Misschien was de motor oververhit geraakt. Ze had gezegd dat ze de hele nacht had gereden. Terwijl hij naar het huis reed, bedacht hij hoe hij het het beste kon zeggen. Ik moest het een paar keer proberen, en toen liep hij soepel als een zonnetje. Ik heb even onder de kap gekeken, en volgens mij is nu alles in orde. Ik heb niet veel verstand van auto's, maar ik heb er even naar gekeken, en ik denk dat je nu zult merken dat hij als een naaimachientje loopt.

Als een naaimachine! Michael zat nog aan tafel, leunde afwisselend achterover en voorover, schoof heen en weer op zijn stoel. Eve en Astrid waren in de keuken over iets aan het bakkeleien. Ze was nog steeds niet teruggekomen naar de kamer. Dat kon ieder moment gebeuren. Het was nog waar ook, dacht hij. Hij liep als een naaimachine. Het was geen bedekte toespeling. Het was onschuldig. Een onschuldig feit. Hij liep als een naaimachine.

Philippa, daarentegen, had zodra ze gekust werd haar hand in zijn broek gestoken en zijn ballen vastgepakt. Ze was een ambitieuze meid. Laten we helemaal bij het begin beginnen, had hij tegen haar gezegd terwijl hij haar bloesje losknoopte. Dat is een goede plek om te beginnen. Maar ze vatte het niet. Hij was nog bezig uit te leggen dat het een opzettelijk theatrale opmerking was, toen ze zijn rits opentrok en 'm eruit haalde. Ze had geen idee waar hij het over had. O, ik snap het, zei ze, het is uit een oude film, en daarna kneep ze er zo hard in dat hij geen woord meer kon uitbrengen.

Het was een beetje ontmoedigend geweest; hij kon er niets aan doen maar voelde zich onbegrepen, voor de gek gehouden zelfs, terwijl hij onder haar rok voelde. Hij wilde eigenlijk een kort exposé geven over Agape en Eros. Hij wilde graag het verhaal vertellen hoe hij haar tijdens het college had bewonderd toen ze '   ' had gezegd. (Hij had, zonder dat het nodig was, het moment willen gebruiken waarop Philippa Knott de opmerking had gemaakt dat Charlotte Brontë eigenlijk Emily Brontë onder de valium was.) Hij zou graag hebben verteld hoe hij in zijn studeerkamer op en neer was gelopen en nachtenlang niet had kunnen slapen doordat ze tijdens het college zulke slimme dingen had gezegd, waardoor het hem als een donderslag bij heldere hemel duidelijk was geworden dat hij haar wilde nemen, hier en nu, waar alle anderen bij waren, het deed er niet toe. Hij wilde het haar graag zo vertellen en dan schuldbewust op de stoel gaan zitten, niet zijn eigen stoel achter het bureau, maar een van de stoelen waar ze zelf op zaten, beschaamd om zichzelf, hoofdschuddend om zichzelf, de blik naar de grond gericht. Dan de stilte. Dan de blik omhoog, om te kijken. Eentje (was het Kirsty? Kirsty Anderson, afgestudeerd met hoge cijfers, 1998) had hij vernuftig weten te overreden; ze had hem het type daarvoor geleken. Hij had het stuk over Sappho voorgelezen, *I am undone by a beautiful youth*, en had met zijn rustige stem tegen haar gezegd ik ben zelf een lesbienne. Niet lachen. Ik voel mezelf vrouwelijk, mijn ziel is beslist anima, en waar het om gaat is dat ik niet anders kan dan van meisjes en vrouwen houden. (Hij dacht dat ze nu bij de BBC werkte.) Vroeger hielden ze meer van die dingen; vroeger had hij citaten gebruikt van Lillian Hellman en Alice Walker, auteurs van wie de reputatie nu duidelijk passé was; nu was Philippa Knotts voorgenomen scriptie Hedend. Amerik. Litt. III: 'The American Presidential Erection: machtsbeelden in de romans van Philip Roth.' Hij had zich er per trein heen gehaast met het idee dat hij het haar voorzichtig zou kunnen laten weten, voordat hij haar aanraakte (als ze hem toestond haar aan te raken), dat ze haar tentamens had gehaald. Pippa heeft het gehaald, dacht hij dat hij haar zachtjes in het oor kon fluisteren, gevat en als een man van de wereld. Maar ze had zelf condooms bij zich gehad, en terwijl ze hem tegen het bureau aan rechtop liet zitten, rolde ze er zelf een bij hem aan, zodat hij zich zwak voelde, alsof hij in het ziekenhuis lag.

Tien jaar geleden had hij het romantisch, inspirerend, versterkend gevonden (Harriet, Ilanna, die lieve met dat pagekopje op wier naam hij nu niet kon komen maar die hem nog steeds met Kerstmis een kaart stuurde). Vijf jaar geleden was het ook nog goed geweest (Kirsty Anderson bijvoorbeeld). Nu was Michael Smart, terwijl de vijfentwintigjarige Philippa Knott met haar ogen open op hem tekeerging, daar op de vloer van zijn werkkamer, bezorgd geweest om zijn ruggengraat. Hij sloot zijn ogen. Wat jammer was het, dacht hij, dat de filmactrice Jennifer Beals, over wie hij een paar maanden geleden bij toeval 's avonds laat een programma had gezien op een van de talloze kanalen die ze nu thuis konden ontvangen, duidelijk een chirurgische ingreep aan haar gezicht had laten doen om te zorgen dat ze eruitzag als al die andere vrouwen in Hollywood.

Hij had het ruwe hout aan de onderkant van het bureau kunnen zien. Misschien was Philippa Knott geen goede keuze geweest. Misschien had hij toch achter die verlegen roodharige aan moeten gaan, hoe heette ze ook alweer, Rachel uit Yorkshire, die volgens zeggen poëzie schreef en die een geruststellend scriptieonderwerp had: het belang van authenticiteit in de arbeidersliteratuur in het naoorlogse Groot-Brittannië. Zou Rachel authentieker zijn geweest? Anders dan deze. Maar ja. Deze stelde hem op haar manier tevreden. Michaels hersenen ontledigden zich. Hij kwam klaar.

Toen hij weer kon denken, toen Philippa Knott van hem af ging, opstond en zichzelf weer op orde bracht, dacht hij onwillekeurig aan Aschenbach in *Dood in Venetië*, aan het moment waarop hij in het geheim plezier beleeft aan de gedachte dat die mooie tengere jongen waarschijnlijk jong zal sterven. Ze keek op haar mobiele telefoon. Ze had een oproep gemist. Ze kamde haar haar en werkte haar make-up bij voor een zakspiegeltje dat ze op zijn boekenplank tegen de woordenboeken zette. Met zijn rug naar haar toe kwam hij overeind, stopte zijn overhemd in, gespte zijn riem weer vast en streek zijn kleren recht. Had hij haar genomen, of zij hem? De docent neukt de studente. De studente neukt de docent. Hij begon te praten omdat de kamer zich vulde met geluidjes van Philippa Knott. Het is opvallend dat de volgorde van de woorden in het Engels veel belangrijker is dan in veel andere talen, zoals bijvoorbeeld in het Duits, omdat daar onderwerp en lijdend voorwerp afzonderlijk worden aangeduid door middel van mannelijke/vrouwelijke verbuiging. Er was niet veel behoefte aan morfologie voor het Engels, dat in de periode van het Middel-Engels zijn verbuiging was kwijtgeraakt. Morfologie komt er niet meer van, had hij gezegd, haha, terwijl hij het gebruikte condoom in een velletje A4 vouwde dat hij van een stapeltje Yeats-stencils had gepakt. *O love is the crooked thing*, stond er halverwege het vel. Hij zag de woorden staan. Een strofe uit een van de prerafaëlitische gedichten, uit de tijd dat Yeats nog jong was. Daarna kwam de ouder wordende Yeats, die de haperende motor van zijn viriliteit opnieuw aan de gang probeerde te krijgen. Yeats, de oude aap. Philippa praatte over behaalde resultaten. Ik heb het heel goed gedaan, zei ze. Justine van de administratie vertelde het me. Ik ben er best heel blij mee. Ik had een acht voor mijn Shakespeare en een negen voor mijn Victoriaanse letterkunde en een... Michael had ineens een gevoel van uitputting gehad. Voordat ze wegging, was ze op haar gewone plaats drie plaatsen van zijn bureau gaan zitten en had ze een pen, een blocnote in kleinfolioformaat en een serie paperbacks van Roth uit haar tas gehaald. Ze zat te wachten. Het spijt me vreselijk, had dr. Michael Smart gezegd, maar dit zal moeten wachten tot de volgende keer, Philippa. Ik heb vanmiddag helaas andere afspraken.

Oké, had ze onverschillig gezegd, en ze tastte in haar tas naar haar agenda.

Toen ze weg was, had hij op zijn horloge gekeken. Het was 2:24. De tien minuten daarna had hij voor zijn raam gestaan. Het keek uit op een lege binnenplaats, waar niets te zien was, steen na steen. Gewoonlijk was hij er wel mee ingenomen. Doorgaans kon hij er wel iets mee. Maar vandaag was de binnenplaats ontegenzeggelijk een niets.

Hij zette zijn computer aan en keek of er e-mail was. Honderddrieënzeventig nieuwe berichten. Het was langzamerhand niet leuk meer, de druk van de administratieve taken in zijn beroep.

Hij liep de hele gang van de faculteit door zonder iemand tegen te komen; hij luisterde aan een paar deuren en hoorde niemand. Vrijdagmiddag, de tentamens achter de rug, niet bepaald verwonderlijk. Toen hij bij de administratie binnenliep voor zijn post was Justine beleefd maar niet spraakzaam, enigszins laatdunkend. Secretaresses waren de niet-erkende wetgevers van deze wereld. Hij vond het vreselijk wanneer ze zich tegen hem keerden. Het maakte alles zo moeilijk. Aan het begin en aan het einde van het semester mocht Justine hem nooit. Het zou kunnen dat ze jaloers was.

Hij waste zich op het personeelstoilet en droogde zich af met papieren handdoekjes. In de spiegel keek hij weg van zichzelf. Terug op zijn kamer bekeek hij de nieuwe e-mails en verwijderde zonder ze te lezen de zeven berichten van Emma-Louise Sackville, die onlangs met een nogal armzalig zesje was afgestudeerd en nu in de hulpbehoevende, betraande fase verkeerde. Ook als haar resultaten beter waren geweest, zou het geen verschil hebben gemaakt. Daarin was hij heel duidelijk. Hij had er het hele jaar de nadruk op gelegd. Na het afstuderen hield de supervisie op.

Hij zette de computer uit. Hij sloot zijn deur af.

Hij dacht erover om naar huis te gaan, naar het huis aan de andere kant van de stad, waar niemand was. Daar zouden nu geen melodramatische kinderen zijn met hoge voorhoofden vol chagrijn, geen verstrooide, mopperige, duister kijkende Eve. Het rijk alleen. Hij keek op zijn horloge. Te laat. Hij liep naar het station. De straten waren vol irritante jonge en gelukkige mensen. Hij ging in de trein zitten. Het rijtuig was spaarzaam bevolkt, anders dan op de heenweg, toen het vol was geweest in de trein en de zon steeds naar binnen flitste, de bomen overvloeiden van zomers groen en zijn stemming net zo stralend was geweest als de bomen erbij stonden. Als een gek was hij vandaag de stad in geijld, inwendig lachend om het plaatselijke advertentiekrantje dat iemand op de plaats naast hem had achtergelaten. Een advertentie voor ochtendkoffie met een optreden van de Norfolk Beatles. De Norfolk Beatles! Een artikel over vandalisme in het dorp. Verscheidene boze brieven over een stel woonwagenbewoners dat op weilanden in de buurt semi-permanente stacaravans had neergezet. (Wat de vraag opriep: bestaat dat wel, een semi-permanente stacaravan?) Een column over het raadsel wie de dief zou zijn van de gemeentelijke dozen te hergebruiken papier in een bepaald dorp. Hij had zich erop verheugd iemand, Justine, Tom, misschien Nigel als Nigel er was, te vertellen hoe raar, hoe vreemd, hoe interessant ten aanzien van sociale interacties en demografische opbouw het plaatsje was waar ze de zomer doorbrachten, en dat je dat kon zien als een metafoor voor Engeland als geheel. Hij zou de verhalen hebben verteld, en iedereen zou hebben gelachen.

Maar nu hij op de terugweg ernaartoe was, gaven de onvertelde verhalen hem een bedrukt en bezoedeld gevoel. De treindeuren gingen met goedkoop klinkende piepgeluiden dicht. Hij had naar huis moeten gaan toen hij eraan dacht, toen hij de kans had. Ze hadden naar Suffolk moeten gaan. Niemand ging naar Norfolk. Iedereen ging naar Suffolk. Zo zou dr. Michael Smart nooit decaan van de faculteit worden, niet eens waarnemend decaan. Tom zat in Suffolk. Marjory Dint zat in Suffolk. Zij had daar een eigen zomerhuisje. De Dints bulkten natuurlijk van het geld. Zij konden het zich veroorloven. Hij kende verscheidene mensen die in Suffolk zaten, en een aantal anderen, van wie hij het niet wist, zaten er waarschijnlijk ook. De trein schommelde het station uit. Het was zo'n lichte, onbelangrijke trein. Zijn hart was zwaar. Het was zwaarder dan de trein. Het hele stuk door de voorsteden was het zwaar. Ook zijn oogleden waren zwaar. Hij viel in slaap.

Maar toen hij god weet waar wakker werd, op een totaal afgelegen plek, zag hij de lege zitplaats tegenover zich.

Het was maar een zitplaats waar niemand zat, gewoon een lege zitplaats in een trein. Er waren veel lege zitplaatsen, net als deze, overal door het rijtuig verspreid; er zat bijna niemand in deze onaangename trein. De stof van de zitting was smoezelig, van overheidswege felgekleurd als voor kinderen bedoeld; bij de inrichting van deze treinen kreeg je een gevoel van gêne. Maar op de een of andere manier wilde hij er nu niet op letten hoe alles eruitzag en zo, want wat er meer dan wat ook toe deed, was dat hij zich ineens als vanuit het niets, alsof hij getroffen was door, ja, inderdaad, een bliksemslag bij heldere hemel, dat hij wilde dat die vrouw, die Amber van vanmorgen in het huis, tegenover hem op die lege plek zou zitten.

Hij schudde zijn hoofd. Hij moest om zichzelf lachen.

Twee keer door de bliksem getroffen die dag. Hij had net een meisje gehad. *Met dr. Michael Smart.* Onverbeterlijk. Hij leunde achterover op zijn bank, sloot zijn ogen weer en probeerde zich voor te stellen dat die vrouw, Amber, hem op de wc in de trein afzoog.

Maar het lukte niet.

Hij kon het zich niet eens voorstellen.

Wat vreemd, dacht dr. Michael Smart bij zichzelf.

Hij probeerde het nog eens.

Hij posteerde haar op haar knieën voor zich, achter in een halflege bioscoop. Maar hij zag alleen de lichtbundel van de projector boven zijn hoofd, hoe het luie stof met de beelden leek te veranderen, en voor hem uit een losse speldenprik licht die van het scherm reflecteerde op de plek waar het scherm met een klein gaatje doorboord was.

Hij zette haar voor zich neer op de bodem van een Londense taxi in de winter. Het enige wat hij zag, was hoe de lichten van de Londense straten en het verkeer samensmolten in de speldenprikken regen op de autoruit.

Het werd al vreemder en vreemder, zoals de pedofiele wiskundige in zijn kinderboek schreef, bedacht dr. Michael Smart slim bij zichzelf.

Maar eigenlijk was het een beetje verontrustend dat hij zich alleen maar kon voorstellen dat ze daar tegenover hem in de trein zat. Dat was mogelijk. Dat was heel goed mogelijk. Daar zat ze. Ze keek uit het treinraam naar buiten. Ze inspecteerde haar nagels. Ze inspecteerde de punten van haar haar. Ze was een boek aan het lezen in een taal die hij niet kende.

Hij dacht eraan hoe, toen hij een jongen was, die twee meisjes in de tent hem tussen zich in hadden gezet, hem gehakt met ui te eten hadden gegeven dat ze hadden gebraden op hun blauw vlammende primusbrander en geen aandacht aan hem besteed hadden, hem met zijn boek opengeslagen op bladzijde één voor zich hadden laten dommelen, knus met hun lichaamswarmte om hem heen, terwijl zij over zijn hoofd heen met elkaar praatten in een taal waarvan hij geen woord herkende.

Openbaring! lieve god het was een openbaring! die lege zitplaats gevuld met niets anders dan goedheid was een heilig moment! en dat in een smerige trein die het smerige moerasland bij Cambridge doorkruiste!

Maar voor dr. Michael Smart was het een nieuwe waarheid – want wie ter wereld, als hij tenminste echt leefde, zo dus, maakte zich druk om 'openbaring', met andere woorden, om hoe de dingen genoemd werden, om trucs en opvattingen, om regels en de grenzen van genres, de geleerde chronologieën, de geclassificeerde en aanvaarde definities van de dingen? Nu hij het eindelijk had begrepen, nu hij voor het eerst precies wist wat het betekende, waar die Joyce en die ronkende oude zeur van een Woolf en die Yeats en die Roth en die Larkin, die Hemingway, die authentieke naoorlogse stemmen van arbeiders, die Browning, die Eliot, die Dickens en die wie nog meer, William Thackeray, monsieur Apollinaire, Thomas Mann, de oude Will Shakescene, Dylan Thomas, dronken en dood en voor eeuwig jong en comfortabel onder de appelaar, allemaal, alle anderen, en alle bladzijden die hij ooit had gelezen, alle exegeses die hij ooit had geëxegeseerd (was dat wel een woord? wie kon het wat schelen? nu was het een woord, niet?) over gingen.

Dit.

Bij het avondeten zat hij tegenover haar. Ze leek het soort meisje, nee, het soort goede, volle, volwassen vrouw voor wie je stopt en aan wie je een lift geeft naar het volgende dorp, en die dan uit je auto stapt en gedag zwaait waarna je haar nooit meer ziet, maar die je nooit vergeet.

Ze zag eruit als het meisje met de loshangende haren in Botticelli's *Lente*.

Verbaasd over zichzelf was hij uit de trein gestapt. Even was hij in de zon blijven staan. Hij had staan kijken hoe het eenvoudige zonlicht van zijn auto op de parkeerplaats weerkaatste. Hij had zich vreemd gevoeld, anders, glimmend onder zijn kleren, zozeer zelfs dat hij er op weg naar huis over was gaan denken misschien maar een antihistamine te nemen. Toen hij thuiskwam stond de Volvo nog op de oprit. Hij zette zijn auto ernaast. Hij liep langs de zijkant van het huis naar achteren. Ze lag in de tuin op haar buik iets te bekijken, als een meisje. Toen hij haar zag, voelde zijn hart aan als een vleugel in de lucht.

Hij had het avondmaal klaargemaakt. Hij had een uitstekend avondmaal klaargemaakt. Blijft zij eten? had hij Eve gevraagd toen ze binnenkwam. Ik heb geen idee, zei Eve, heb je haar gevraagd om dat te doen? Hij had naar haar in de tuin geroepen, waar ze met Astrid op het gras lag. Of ze zin had om te blijven eten? Astrid, lieve Astrid, riep terug van ja. Inmiddels had ze haar stoel naar achteren geschoven, was van tafel gegaan en naar boven verdwenen, en Michael Smart had zijn ogen geopend in wat licht was, wist hij, als een comapatiënt na jaren donkere bewusteloosheid. Hij zag Eve. Hij zag Astrid. Hij zag zijn eigen handen zoals hij ze nooit eerder had gezien. Hij had het licht gezien. Hij was het licht. Hij was aangestoken, afgestreken als een lucifer. Hij was verlicht. Hij was fotosynthetisch; hij was groen geworden. Hij was bladerrijk en nieuw. Toen hij om zich heen keek, glansde alles wat hij zag van leven. Het glas. De lepel. Zijn eigen handen. Hij hield ze omhoog. Ze dreven. Hij dreef, hij zweefde in de lucht, hier op zijn stoel. Hij lapte de zwaartekracht aan zijn laars. Hij was vurig, vol vuur, vol van een nieuwe, onbedorven brandstof. Hij pakte zijn glas weer op. Keek ernaar. Het was gevormd in een intense hitte. Het was wonderbaarlijk, dit gewone glas. Hij was het. Hij was dit glas. Hij was die lepel, die lepels daar. Hij wist van de glassigheid van glas en de glanzende lepeligheid van de lepel. Hij was de tafel, hij was de muren van deze kamer, hij was het eten dat hij zo ging klaarmaken, hij was dat wat zij zou eten, zij daar tegenover hem, die recht door hem heen keek.

Tijdens het avondmaal had ze hem genegeerd.

Ze had hem de hele tijd genegeerd.

Ze had tegenover hem gezeten alsof hij er niet was. Hij had zelf net zo goed een lege stoel tegenover haar kunnen zijn, een lege ruimte, een onschuldig niets. Maar hij had haar auto aan de gang gekregen. Hij had een uitstekend avondmaal bereid. Hij zou warme peren in warme chocoladesaus maken, en dan zou hij kijken hoe ze er met de rand van haar lepel in sneed, er iets van op haar lepel zou scheppen, haar lepel in haar mond zou stoppen, op iets zou kauwen wat voortreffelijk smaakte, het zou doorslikken, nog wat van de etenswaar op haar lepel zou scheppen en nog een keer haar mond zou openen voor de lepel.

Elk moment kon ze nu door de deur de kamer weer in stappen.

Daar was ze al, in de deuropening.

O

het begin was haar wakker houden. Ze gaf veruit de voorkeur aan de gemonteerde versie, het eindproduct, dan was het werken in het donker voorbij en kon je naar believen snijden en nog eens snijden totdat je de ware vorm zag ontstaan.

Waar was Eve precies? Eve lag in bed in deze te donkere, te warme kamer, midden in de nacht klaarwakker naast Michael, volkomen in slaap, met zijn hoofd onder zijn kussen.

Geen andere reden dat ze niet kon slapen? Nee.

Echt niet? Nou. Dat meisje van Michael was een beetje verwarrend.

Welk meisje? Het meisje dat de brutaliteit had om naar hun vakantiehuis te komen, bij hen te eten, de kinderen van Eve te verleiden en dingen te zeggen waarbij Eve bedacht dat ze nog nooit iemand zo'n verzameling leugens zo schaamteloos en met een stalen gezicht had horen debiteren. Het meisje dat, aan het einde van de (eigenlijk nogal plezierige) avond zonder dat daar ook maar één enkele reden voor was, Eve bij de schouders had gepakt en haar hard door elkaar had geschud.

Wát heeft ze gedaan? Ze heeft Eve door elkaar geschud en vervolgens een stap achteruit gedaan, en toen heeft ze de voordeur opengedaan, vrolijk goedenacht gezegd, de deur achter zich dichtgedaan, waarna ze onder de blote hemel is gaan slapen (in feite onder het dak van een op de oprit geparkeerd staande Volvo, om preciezer te zijn).

Ze heeft Eve door elkaar geschud? Ja. Schandalig.

Waarom had ze Eve zo door elkaar geschud? Er was geen
enkele reden voor. Geen enkele reden die Eve kon bedenken.
Eve had absoluut geen idee.

Wie was dat meisje? Ze had iets met Michael te maken.

Hoe was het op dit ogenblik met Eve? Ze was klaarwakker,
heel erg wakker.

Was het een beetje te donker in dit vakantiehuis? Ja. Het was
ongewoon donker voor de zomer. De ramen van het huis
waren veel te klein. De gordijnen waren veel te dik.

Op wat voor manier had het meisje 'iets met Michael te maken'?
Het was duidelijk zijn nieuwste 'studente'.

Deed Michael alsof ze dat niet was? Natuurlijk deed hij dat:

Michael: (*al in bed, tegen Eve, terwijl ze haar kleren uitdeed
en zich klaarmaakte om ook naar bed te gaan*) Hoe is het
allemaal gegaan?

Eve: Hoe is wat allemaal gegaan?

Michael: Wat voor vragen heeft ze je gesteld?

Eve: Heeft wie mij gesteld?

Michael: Hoe heet ze ook weer. Amber. Waren het goede
vragen?

Eve: (*die zich voorneemt niets te zeggen over de vernedering die
ze een halfuur daarvoor had ondergaan, toen ze in de gang door
elkaar werd geschud*) Wat bedoel je precies?

Michael: Je weet wel. Authentiek. Was ze goed? Is ze slim?
Ze maakt de indruk dat ze heel slim is.

Eve: Nou, dat zou jij moeten weten.

Michael: Hoe bedoel je?

Eve: Nou, ze is er toch een van jou.

Michael: Hoezo, een van mij?

Eve: Een van jouw studentes.

Michael: Nee, dat is ze niet.

Eve: O. Juist, ja.

Michael: (*draait zich om*) Ze is hier toch om je te
interviewen over een Authentiek project?

Wat is de laatste sensationele uitgave die het literaire wereldje stormenderhand heeft veroverd? Het is de Serie Authentieke Teksten van Jupiter Press, een serie 'autobiowarefictieinterviews' geschreven door Eve Smart (42), die acht jaar geleden als eerste het concept bedacht tijdens het schrijven van Authentieke Tekst nr. 1: *De geschiedenis van Clara Skinner*, een portret van een Londense barjuffrouw die echt heeft geleefd en die tijdens de Blitzkrieg op 38-jarige leeftijd om het leven kwam. (Andere 'Authentieke Teksten' gaan over een Italiaanse krijgsgevangene, een ouvreuse, een oorlogsvlieger en een vluchtelingetje.) De opwinding die ontstond over haar meest recente Authentieke Tekst, *De geschiedenis van Ilse Silber*, betekende voor de voordien onafhankelijke uitgeverij Jupiter Press, met oplagen van doorgaans rond de vijfduizend, een grote sprong voorwaarts. Afgelopen voorjaar alleen al zijn er van het boek over Clara Silber veertigduizend exemplaren verkocht en de vraag naar vorige uitgaven is omhooggeschoten (wat eerder dit jaar voor het conglomeraat HarperCollins een reden was het kleine Jupiter Press over te nemen). 'Het heeft ons zeker verrast,' zegt Amanda Farley-Brown, die op de leeftijd van slechts zevenentwintig jaar al acquirerend chef-redacteur is van Jupiter Press. 'Het duizelt ons nog. We kunnen nog steeds niet geloven dat we zo'n succes hebben. We duimen ervoor dat Richard en Judy van het boekenprogramma op tv ook in de serie terecht zullen komen.'

Waar gaan deze boeken over? Elk boek gaat uit van het leven van een gewoon iemand die echt bestaan heeft en in de Tweede Wereldoorlog vóór zijn of haar tijd is overleden. Die persoon krijgt daar dan een stem in – maar een stem die zijn of haar geschiedenis vertelt met de aanname dat hij of zij verder geleefd zou hebben. 'Ik laat hen het verhaal vertellen van een alternatieve voortzetting – het verhaal van hoe het geweest had kunnen zijn,' zegt Eve Smart.

Wat is er zo nieuw aan deze boeken? Het zijn maar dunne boekjes, en ze zijn geschreven in een vraag-en-antwoordvorm.

Aan de 'spreker' in *De geschiedenis van Ilse Silber*, een van geboorte Duitse vrouw, die in het geheim joods is maar voor de buitenwereld een goede nazi-moeder is, die zelfs door Hitler het IJzeren Kruis voor moeders toegekend krijgt voor het baren van zeven kinderen (die achtereenvolgens allemaal om het leven komen bij bombardementen van de geallieerden), wordt gevraagd het moment van haar dood in het echte leven te beschrijven, wanneer bij hevig kanonvuur haar kleding vlam vat en ze zichzelf bij Wuppertal in de rivier werpt. Met behulp van de vragen van Eve Smart vertelt ze postuum verder wat er gebeurde in de dertig jaar dat ze nog leefde nadat ze uit het water was gekropen, zichzelf had afgedroogd en met hulp van een boer uit de buurt van haar brandwonden was genezen.

Waarom die truc van het vraag-en-antwoordspel? 'Het is geen truc. Iedere vraag heeft een antwoord,' zegt Eve Smart.

Hebben nog in leven zijnde familieleden nog iets te zeggen over het feit dat Eve Smart hun doden opgraaft? 'Doorgaans is de familie er blij mee. Ze beschouwen het als zeer positieve aandacht,' zegt Eve Smart. 'Ik maak altijd duidelijk dat de Authentieke Teksten eerst en vooral fictionalisaties zijn. Maar dat fictie de unieke macht bezit om iets van de waarheid te onthullen.'

Hebben de critici nu eindelijk door hoe slim Eve Smart is? 'Ingenieus en ontroerend' (*Times*). 'Een boek waarin het metafysische evenzeer deel uitmaakt van het alledaagse als een theekopje op een schoteltje op een keukentafel in het jaar 1957' (*Telegraph*). 'Briljant, een diepzinnige verzoening. Een verlichtende leeservaring' (*Guardian*).

Is deze extatische ontvangst eenstemmig? 'Wanneer zullen schrijvers en lezers nou eindelijk eens genoeg krijgen van al die verhalen waarin met allerlei onwaarheden een oorlog wordt opgehemeld die inmiddels voor ons gevoel op een geheel andere planeet gevoerd had kunnen zijn? De Authentieke Teksten van Eve Smart geven heel goed weer hoe wij ons schaamteloos aangetrokken voelen tot alles wat ons zowel een vals schuldgevoel geeft als een ethische rechtvaardiging. Afgelopen met dit smoezelige genotteren. We hebben behoefte aan verhalen over het nu, niet aan nog meer onzinnige beuzelpraat over het verleden' (*Independent*).

Wat nu? Er wordt druk gespeculeerd over de vraag of Eve Smart op zoek zal gaan naar een lucratiever uitgeefcontract; zit zij intussen in afzondering te werken aan Authentieke Tekst nr. 7? Wie zal deze keer de wederopstanding deelachtig worden? Alleen Eve Smart weet het.

Wat weet Eve Smart (42)? Dat weet alleen God.

Waar was Eve Smart (42) op dit moment? Naast Michael in bed in een onheilzaam vakantiehuis in Norfolk.

Nee, ik bedoel waar was ze met haar volgende project? Vraag me dat alsjeblieft niet.

Waarom niet? Ze was tot net zo weinig in staat als een stomp potlood op de vloer van het 'fraaie zomerhuis met internetaansluiting' in de 'tot volle wasdom uitgegroeide tuin' van deze 'zestiende-eeuwse boerderij in de omgeving van een schilderachtig dorp in de Norfolk Broads'. De advertentie had moeten luiden: 'huurwoninkje uit jaren dertig gelegen aan B-weg in Norfolk, vlak bij in verval rakende wijk vol oude woningwetwoningen'. Iemand had door het hele huis heen stukken van spoorwegbielzen aan de plafonds gehangen. Heel zestiende-eeuws, ja. Eve lachte, maar in zichzelf, zodat ze hem niet wakker zou maken.

Waarom? Deels omdat ze hem echt niet wilde storen, en deels omdat ze niet weer wilde vrijen. Hij lag te slapen met een van de kussens die hij van huis had meegenomen over zijn hoofd.

Waarom had hij kussens meegenomen? Hij was vaak allergisch voor kussens die niet van hemzelf waren. Afgezien daarvan vond hij slapen niet moeilijk. Iets nieuws beginnen vond hij evenmin moeilijk. Hij was altijd bezig iets anders, iets nieuws te 'beginnen'.

Vanwaar die kleine, ironische ' '? Eve wilde op deze vraag geen antwoord geven.

Wat mankeerde er aan het dorp? Eve had zich een schilderachtig oord voorgesteld met grote, comfortabele huizen met opnamestudio's in de schuren en mensen die ontspannen op terrassen zaten met uitzicht op de legendarische weidse luchten van Norfolk. Fraaie luchten waren er inderdaad in Norfolk. Maar in de etalage van een van de twee winkels in het dorp stond een schedel met een plastic rat in een van de oogholten.

Waarom gingen ze niet weg? Eve had vooruitbetaald.

Waarom waren ze hier eigenlijk? Even iets anders. Verandering van omgeving.

Waarom nog meer? Om even geen last te hebben van 1. familieleden van overledenen, die steeds maar opbelden en e-mailden om uiting te geven aan hun ongenoegen of om aandacht en om geld te vragen; 2. alle zielige brieven, telefoontjes en e-mails van mensen uit het hele land die dolgraag wilden dat zij in haar volgende boek een van hun overleden familieleden weer tot leven zou wekken, en 3. mensen van Jupiter die ettelijke keren per week opbelden om haar te vragen hoe het met haar boek was en waar het bleef.

Hoe was het met haar boek en waar bleef het? Vraag me dit alsjeblieft niet.

Werkte ze er niet aan? Elke avond om zes uur kwam ze de schuur uit, en dan liep ze terug naar het huis, kleedde zich om en at alsof zij de hele dag gewerkt had en de zomer niet voor iedereen bedorven werd doordat ze in een afschuwelijk oord in Norfolk zaten. Vandaag was Astrid over het gras in plaats van over het grind naar haar toe gekomen, zodat Eve haar niet had horen aankomen, alleen haar schaduw over het raam had zien vallen en maar net op tijd van de grond was opgestaan om op de oude stoel aan het bureau te gaan zitten en geluiden op de uitgeschakelde laptop te maken. Toen Astrid weg was, had Eve naar het lege scherm gestaard. Kalm. Beheerst.

Was Eve Smart een bedriegster? Toen Astrid weg was, was ze weer op de smerige vloer gaan liggen.

Had Eve er, bijvoorbeeld, genoeg van om steeds hiernamaalsen te bedenken voor mensen die in werkelijkheid dood en verdwenen waren? Eve wilde op deze vraag geen antwoord geven. *Was ze van haar stuk gebracht door de populariteit van het laatste deel, die ze eigenlijk had kunnen verwachten gezien de toename in de afgelopen jaren van smakeloze publieke belangstelling voor alles wat met nazisme en WOII in het algemeen te maken had, vooral nu het Verenigd Koninkrijk weer in een oorlog verwikkeld was?* Eve wilde op deze vraag geen antwoord geven. *Had het iets te maken met die recensie van zo-even waarin sprake was van 'verhalen waarin met allerlei onwaarheden een oorlog wordt opgehemeld'?* Eve wilde op deze vraag geen antwoord geven. *Kende Eve die hele recensie werkelijk letterlijk uit haar hoofd?* Eve wilde niet *had het iets te maken met het feit dat achtendertigduizend achteraf eigenlijk helemaal niet zo veel was, niet voor een bestseller, en dat, nu er dan zogenaamd sprake was van een groot succes, het helemaal niet zo'n groot succes bleek te zijn?* Nee! natuurlijk niet! Absoluut niet. *Had Eve al een onderwerp voor haar nieuwe boek, waaraan ze nog niet was begonnen?* Nee. *Waarom was het idee alleen al om een nieuw boek te beginnen, dat toch enige roem en ook geld zou opleveren, voor haar voldoende reden om de hele dag op de vloer van het zogenaamde zomerhuis te blijven liggen en niet in staat te zijn tot wat ook?* Goede vraag. Kijk eens of daar een antwoord op te vinden is in de al gegeven antwoorden. Ze had gekeken hoe een pissebed uit een barst in de vloer was gekropen en er vervolgens weer in naar beneden was gegaan. Op dat moment had ze van ganser harte een pissebed willen zijn, met de talenten en de verantwoordelijkheden van een pissebed.

Noemt u dat werken? Eve haalde diep adem. Het is inderdaad heel hard werken, ja, antwoordde ze, om in deze tijd, in deze maatschappij en in de westerse wereld vrouw te zijn. Het vergt veel van je om al deze dingen die van je

verwacht worden te doen zoals van je verwacht wordt. Talent.
Aantrekkelijkheid. Geld. Gezin. Een juiste mate van
bescheidenheid en intelligentie. Slank zijn zoals het hoort.
Jezelf goed presenteren.

Is dat niet een beetje zwak? Als er meer van dit soort vragen
kwamen, zou Eve een einde maken aan het interview.

Nou, welke vragen zijn dan wel acceptabel? Goede vragen.
Conceptuele vragen. Geen persoonlijke vragen. Wat maakte
het uit welke kleur ogen Eve had? Of van welk geslacht ze
toevallig was? Of wat zich afspeelde in haar privé-leven of in
dat van haar gezin?

Wat speelde zich dan af in haar gezin? Nou, Astrid gedroeg
zich bijvoorbeeld erg puberaal.

En Magnus? Eve wist niet wat ze met Magnus aan moest.
Zijn gedrag baarde haar zorgen.

En haar man? Met Michael was alles in orde. Echt, prima.
Maar dit zijn persoonlijke vragen. Dit is het verkeerde soort
vragen. Waar het om ging, was dat Eve kunstenaar was en
door iets geblokkeerd werd.

Oké, nou dan, waar geloofde Eve in?

Dat is tenminste een duidelijke vraag, waar geloofde Eve in?
Wat bedoel je precies, waar geloofde Eve in?

Waar geloofde Eve in?

Wat was haar credo?

Nou?

Wat zette haar aan het denken?

Wat zette haar aan het schrijven?

Wat hield haar aan de gang? Eve werd aan de gang gehouden
door Quantum.

*Het natuurkundige begrip? Quantumtheorie?
Quantummechanica? Quantumsprong?* Quantum was het merk
van de loopband waarop ze jogde.

Een loopband? Ja.

Ze 'geloofde' in haar Quantum-loopband? Ja.

Zoals andere mensen in God geloven, de chaostheorie,

reïncarnatie of het bestaan van eenhoorns? De loopband van het merk Quantum bestond echt. Als ze thuis niet kon slapen, ging Eve aan de gang op de Quantum. Op de Quantum trainde ze zowel lichaam als geest terwijl alle anderen sliepen, ze stelde zichzelf vragen en beantwoordde die terwijl ze aan het lopen of rennen was. (Zo was ze ook op het concept van de Authentieke Teksten gekomen.)

Maar in Norfolk was geen Quantum? Nee. Die stond thuis, in Eves werkkamer.

Waarom ging Eve dan overdag niet af en toe eens een stukje joggen, in plaats van de hele dag in de schuur maar een beetje op de grond te liggen? Doe niet zo belachelijk. Eve ging nooit en nergens 'een stukje joggen'. Wat een afschuwelijke activiteit in het openbaar. Dat zou totaal iets anders zijn.

Waarom heeft ze het nooit geprobeerd, een stukje joggen, nu, nu het donker is, op deze afgelegen plek, waar niemand haar zou hebben gezien? Eve ging rechtop in bed zitten. Ze sloeg haar armen over elkaar.

Oké, oké. Waar waren we ook weer gebleven? Op de vloer van de schuur. Pissebed.

En wat gebeurde er toen, na de pissebed? Na het ogenblik van openbaring met de pissebed was ze op de vloer in slaap gevallen.

Geen wonder dus dat Eve nu niet kon slapen, na al dat slapen overdag? Luister. Eve lag in dit te warme bed in deze te warme kamer op deze te warme, te donkere plek op aarde. Als ze thuis zo wakker lag, waren er tenminste de straatlantaarns.

Waarom had dat meisje Eve door elkaar geschud? Was het jaloezie? Intimidatie? Boosaardigheid?

Voelde het aan als boosaardig? Nou, nee. Niet echt. Het voelde aan alsof...

Alsof wat? Nou, vreemd genoeg alsof het meisje, toen ze haar bij de armen pakte, hoe gek het ook klinkt, haar zou gaan kussen.

Maar dat deed ze niet? Nee. Ze schudde haar door elkaar.

Als Eve zou opstaan en naar het raam lopen, zou ze dan naar beneden kunnen kijken en daar de auto zien staan? Het meisje zou er op de achterbank liggen slapen. Nee, de achterbank zou je waarschijnlijk kunnen neerklappen om zo een redelijk ruime slaapplaats te creëren. Of misschien had ze zich op beide voorstoelen uitgestrekt. Of op de passagiersplaats met de rugleuning achterover geklapt. Eve tilde het laken op, gleed uit bed en liep naar de   au g*********

Wat was dat? Dat was de rand van de kaptafel.

Nee, wat was dat g*********? Moet dat een woord voorstellen? Mag Eve het woord godverdomme niet zeggen? Niet hardop.

Waarom niet? Heb je geen kinderen? Eve wreef over haar dijbeen. Ze trok het gordijn open en hield haar adem in. Stof. Deze gordijnen waren zeker van voor de oorlog, en sindsdien waarschijnlijk ook niet meer gewassen. Eve was van plan om bij hun vertrek uit het huis mevrouw Beth Orris een lijst te sturen van wat hun niet was bevallen en om gedeeltelijke restitutie te vragen.

Stond de auto er nog? Ja, hij stond naast hun eigen auto.

Hoe sliep iemand in een auto? Hoe kreeg iemand het voor elkaar om dat elke nacht te doen? Deed ze dit niet alleen 's zomers maar ook 's winters? Je zou er last van je spieren en je gewrichten door krijgen. Zou je niet in huis willen slapen, Amber? had Eve gevraagd toen het tijd werd om weg te gaan en ze daartoe aanstalten maakte. We hebben ruimte genoeg, had ze gezegd. Er is een logeerkamer die niet in gebruik is, ik geloof zelfs dat het bed opgemaakt is, het is geen enkele moeite, je mag er zo in. Nee, had ze gezegd, ik slaap graag in de auto, en toen was ze in de gang op Eve afgelopen alsof ze haar netjes welterusten wilde wensen, haar als dank voor het diner wilde omhelzen of kussen of wat dan ook, maar in plaats daarvan had ze Eve stevig bij de schouders gepakt, zo stevig dat het bijna pijn deed, Eve kon het nog voelen, en voordat ze tijd had gehad om te beseffen wat er gebeurde, laat staan om iets te zeggen of zich kwaad te maken over het feit dat ze zo dichtbij kwam, had het meisje Eve door elkaar geschud, twee keer, zonder enige reden, alsof ze daar het volste recht toe had.

Waarom dacht ze dat ze daar het volste recht toe had? Eve hoorde hoe Michael zich achter haar rug omdraaide. Ze keek hoe hij het laken verder langs zijn rug naar beneden werkte. Eve had Michael expres een stevige zoen gegeven toen zijn 'studente' de kamer uit was.

Waarom? Om het hem duidelijk te maken.

Wat? Dat het wat haar betrof goed was, wat hij op dat moment ook in zijn schild voerde.

Was het meisje (nou ja, eigenlijk geen meisje meer, ze was maar een jaar of tien jonger dan Eve, verdomme)

– was haar brutaliteit in het algemeen tegenover Michael vanavond niet nog een extra bewijs dat ze een van Michaels veroveringen was? Ja, beslist.

Zag ze er niet een stuk ouder uit dan bij Michael gebruikelijk was? Vreemd genoeg, ja, en ze zag er ook geiler uit, woester, met haar shorts en haar laag uitgesneden, smoezelige hemd, ze was in elk geval veel smoezeliger dan de meisjes op wie Michael over het algemeen viel. Ze zag er niet uit als een studente. Ze zag er vaag bekend uit, als iemand die je wel kent maar van wie je niet weet waarvan, zoals iemand die je geholpen heeft bij Dixons of bij de drogist en die je naderhand op straat ziet. Ze was ook dapperder dan de anderen, in elk geval dapper genoeg of dom genoeg om Michael thuis op te zoeken. Eve voelde er bijna een soort bewondering voor.

Sliepen ze al bij elkaar? Best mogelijk, want Amber MacDonald toonde al een soort verlegenheid als Michael in de buurt was. Ze reageerde onnatuurlijk koel als hij in de buurt was. Ze knipperde zelfs niet met haar ogen als hij haar glas vulde.

Maar wanneer was er voor het laatst een avondmaaltijd geweest zoals die van vanavond? waarbij Astrid heel zoet was geweest, kinderlijk uitgelaten en met rode konen reageerde op alles wat de gast haar in het oor fluisterde.

Wanneer had Eve Astrid voor het laatst zo gezien, alsof iemand haar aanspoorde zich onderdanig te gedragen? Joost mocht het weten.

En hoe had ze in godsnaam Magnus weten in te palmen? Ze was naar boven gegaan, en toen ze weer beneden kwam, liep hij achter haar aan, ze hield hem bij de zoom van zijn hemd en voerde hem zo de kamer binnen, ik trof hem in de badkamer waar hij zich aan het verhangen was, had ze gezegd. Iedereen om de tafel had gelachen. Magnus lachte ook en was naast het meisje gaan zitten. Hij was beneden gebleven. De rest van de avond was hij bij hen blijven zitten. Hij at chocoladeperen van het bord van het meisje.

Hoe was die vreemd feestelijke sfeer ontstaan? Vanavond was er niets op te merken geweest over Astrids obsessieve filmen van de verschillende gangen van het diner, want waar vanavond Astrids camera was, was een open vraag, en Astrid gedroeg zich weer als een beschaafd wezen.

Wat was Astrid? Onzeker op de drempel van haar volwassenheid als een jong hert voor de bloem van een roos. (Herten eten graag rozen.) Daar stond ze op haar te dunne benen, onschuldig, onvast, zich er volstrekt niet van bewust dat de toekomst zijn loop recht op haar gericht hield. Donkere wallen onder de ogen. Schrikachtig en ongeduldig, blind als een jong poesje dat verbijsterd is door al het weten en niet-weten. De dierlijkheid van alles was afstotelijk. Ze had het niet van Eve. Ze had het god weet waar vandaan. Van Adam. Ze was zo'n puber. Alles bij haar vroeg om aandacht, zoals ze door een kamer of een winkel of over het terrein van een benzinestation liep, op niets af een beetje voorovergebogen alsof ze elk moment haar evenwicht kon verliezen en stilzwijgend eiste dat iemand – Eve, wie anders? – haar hand zou uitstrekken om Astrid de gelegenheid te geven er haar voorhoofd of schouder tegenaan te drukken.

Wat was Magnus geweest, nog maar een ogenblik geleden?
Helder en eenvoudig als een glas water. Zo overtuigd van de
eenvoud dat hij (op Astrids leeftijd, een ogenblik geleden? vijf
jaar geleden?) aan het negentiende-eeuwse bureau in Eves
werkkamer was gaan zitten en brieven schreef aan de
koningin, Elton John, Anthea Turner en god weet wie nog
meer om hun te vragen de armoede in de wereld te bestrijden
en daklozen te helpen met het vinden van een huis. Aan de
koningin in Buckingham Palace, aan Elton John in Los
Angeles, aan Anthea Turner p/a de BBC. Het kind Magnus,
die lieve betweter. Hij had een paar aardige brieven
teruggekregen, bijvoorbeeld van een hofdame op een kantoor
ergens in het paleis, die waarschijnlijk de hele dag bezig was
dit soort brieven te beantwoorden. Hare Majesteit de
Koningin was zeer geroerd door je bezorgdheid. Magnus: een
gelukkig ongelukje, een gelukkige onverwachte zwangerschap,
het gelukkige begin van een onverwacht gezin. (Astrid
daarentegen: een opzettelijke zwangerschap, opzettelijk zo
bedoeld, door Eve, om al het ongelukkige bij elkaar te
houden.) Die gelukkige kinderlijke versie van Magnus was
gestolen, door dieven misschien, en daarvoor in de plaats was
een lange, magere, angstige, geheimzinnige, intolerante,
brutaal beleefde jongen gekomen die vaak onder de douche
ging (of ook wel eens, zoals nu, helemaal niet), een jongen die
zo vreemd en niet-vertrouwd was dat hij zelfs eens, op een
avond terwijl ze zaten te eten, verklaarde dat hij vóór de Irak-
oorlog was – een oorlog waarover Eve zich nog een beetje
schuldig voelde, zij het gematigd, omdat ze er niet meer tegen
ondernomen had, zich niet meer had ingespannen, en dat
allemaal omdat ze zich zo druk maakte over haar onvermogen
om aan een nieuw boek te beginnen.

Maar de Astrid van vanavond? ruimde de borden af en
maakte grapjes tegen Eve als een gewone dochter. *Magnus?*
was bijna zoals hij vroeger was. Hij hielp Michael zelfs, net als
vroeger, vrijwillig met de afwas (omdat er blijkbaar geen

afwasmachines waren in deze negorij hier in Norfolk). Toen had Astrid haar puberale afkeer van het meubilair in het huis enigszins afgelegd (al legde ze wel een exemplaar van de *Guardian* op de armleuning waar haar hoofd zou komen) en was ze al bijna in slaap gevallen. Eve en het meisje, Amber, waren in de warmte tussen de openstaande tuindeuren gaan staan.

Wat had Eve toen gedaan? Laten we even de tuin in gaan, zei Eve kalm, beheerst.

Oké dan, zei het meisje. Dat lijkt me leuk. Bedankt.

Ze liepen over het grind. Eve praatte in algemene termen over bloemen, hoe je planten in de schaduw kunt laten groeien. Ze gingen onder een van de oude bomen zitten.

Wat had Eve in de tuin tegen het meisje gezegd?

Jij bent Schots, hè? Ik hoor het aan je manier van praten. Ik ben dol op Schotland. Ik ben er al jaren niet meer geweest. Mijn moeder was een Schotse.

Aha. Waar kom jij eigenlijk vandaan, oorspronkelijk?

Spreek je – ik weet niet meer hoe het heet – die andere taal die de mensen daar vroeger spraken?

Wat zei je? Het klinkt prachtig.

Vertaal dat eens voor me. Wat je daarnet zei.

Vertel eens wat over jezelf.

Nou, maakt niet uit, gewoon in het algemeen. Wat studeer je?

Op de universiteit, bedoel ik.

Wat antwoordde het meisje in de tuin daarop?

Ik ben een MacDonald.

Ik ben een directe afstammeling van de MacDonalds van Glencoe.

(Iets wat als gebrabbel klonk.)

(lachend) Ik zei in het Gaelic een paar oude spreekwoorden die iedereen daar waar ik vandaan kom uit zijn hoofd kent.

Oké. Ruwweg het volgende. Een: er zijn nogal wat hennen die eieren leggen. Twee: het geel keert altijd terug naar de bezem. Drie: pas op dat je geen volk over de drempel laat totdat je heel zeker weet wie het zijn.

Wat wil je weten?

Hoe bedoel je?

(lachend) Ik zit niet op een universiteit.

Wat was praktisch het laatste wat Eve in de tuin tegen het meisje zei?

We zijn een gezin, Amber, zoals je vanavond gezien zult hebben. Astrid is nog maar twaalf en verkeert in een moeilijk fase, en Magnus heeft een beetje een adolescentenproblematiek. Het is ingewikkeld, een gezin. Je snapt het wel, denk ik. Had Michael tegen je gezegd dat je hiernaartoe kon komen?

En het laatste wat het meisje in de tuin tegen Eve zei, die in het donker naar haar glimlachte?

Welke Michael?

(Ze was goed, dat meisje.)

Heeft hij tegen je gezegd dat het goed was als je hier kwam? vroeg Eve. Want jij en ik weten allebei dat het heel ingewikkeld is, vooral als er een gezin met kinderen bij betrokken is.

Deed Eve neerbuigend? Alleen voorzover ze daar het recht toe had.

Wat deed het meisje? Het meisje maakte een kort Schots snuivend geluid. Ze stond op, schudde haar hoofd naar Eve, hief haar armen boven haar hoofd en liep terug naar het huis. Eve bleef onder de boom zitten. Ze keek op haar horloge.

Hadden ze aan tien minuten genoeg om met elkaar in het reine te komen? Ze zou zelf ook na de tiende minuut naar binnen gaan en zo hoffelijk zijn het meisje aan te bieden dat ze de nacht in de logeerkamer kon doorbrengen, gewoon om te laten zien dat ze haar geen kwaad hart toedroeg, want dat was toch zeker niet het geval? En de volgende ochtend zou het meisje weggaan, omdat zij haar geen kwaad hart toedroeg.

Maar wat gebeurde er toen Eve het huis weer in kwam? Niets.

Helemaal niets. Michael en Magnus waren in de keuken nog met borden aan het kletteren, aan het afdrogen. Astrid lag op de bank te slapen met haar voeten op Amber MacDonalds schoot. Sst, zei Amber MacDonald tegen Eve toen Eve binnenkwam. Ze had haar handen om de voeten van Eves dochter geslagen.

Klonk zelfs haar sst niet een beetje Schots? Eve stond bij het open raam. Ze kon het dak van de auto zien maar kon er niet in kijken, kon niet zien of ze wakker was of sliep, en zelfs niet of ze er wel of niet in zat.

Waarom had het meisje haar door elkaar willen schudden? Ze wist het echt niet.

Hoe ging het verhaal ook weer, over de plek waarvan Amber MacDonald zei dat ze ervandaan kwam? Eve wist het niet meer. Het was iets historisch, of iets met een lied, of iets over een veldslag en een Schotse familie.

Wat betekende Schotland voor Eve? Eves moeder knielde neer op het kleedje voor de elektrische open haard in de voorkamer van het huis in Welwyn Garden City en speelde grammofoonplaten op de grote, doosvormige platenspeler. Uit de doos klonken de stemmen van mannen op. Ze klonken alsof ze al dood waren, maar dat ze heldhaftig aan hun einde gekomen waren in de strijd om de goede zaak, dat hun ondergang het waard was geweest.

Wat waren dat voor afschrikwekkende ridderliederen? Haar moeder kreeg er tranen van in haar ogen.

Hoe oud was Eve toen? Het was vóór de leeftijd dat je naar school ging. Een van de liederen heette 'The Dark Island'. Het vuur had wel een gloed verspreid, maar in de hoeken van de kamer kronkelde een slangachtige duisternis. Eve (4) had het gezien. Op zondagavond maakte Eves moeder altijd toast in plaats van een gewone maaltijd, en zij en Eve aten die toast in een genoeglijk stilzwijgend samenzijn op, luisterend naar de top-twintig die op de radio in omgekeerde volgorde ten gehore werd gebracht. Als Eve aan geluk dacht, dacht ze altijd hieraan: aan de smaak van toast en marmelade, aan het licht van het vroege voorjaar, en aan een radio op tafel. Er werd 'If You Leave Me Now' van Chicago gespeeld. Dat stond op één. Het was betrekkelijk laat, chronologisch gezien. Het was in het begin van Eves tienerjaren. Kort daarna zou Eve iedere doordeweekse dag 's middags uit school thuiskomen bij haar zieke, bedlegerige moeder.

Zomermiddagen? Wintermiddagen? Alle lichte en donkere middagen.

Wat gebeurde er iedere middag om tien voor halfvijf als ze thuiskwam? Eve zette haar schooltas bij het telefoontafeltje, liep naar de keuken, deed een theezakje in een kopje, maakte een kopje thee en bracht dat met haar schoolblazer nog aan naar boven. Haar moeders hoofd stak klein boven de witte vlakte van het beddengoed uit. Ben jij dat, schat?

Was dat een soort Schotse manier van uitdrukken? Ben jij dat? Ja, dat was het. Eves moeder was naar het ziekenhuis gegaan en overleden. Ze was aan een hartkwaal overleden. Eve was vijftien. Eves vader zat in zaken in de Verenigde Staten; hij had daar zijn 'andere' gezin. Toen ze was overleden, kwam hij voor korte tijd naar huis. Hij en Eve verzamelden al haar moeders spullen en gaven die weg aan buren en tweedehandswinkels. Hou je kalm, had de vijftien jaar oude Eve tegen zichzelf gezegd toen ze de Schotse elpees in een doos vol vesten stopte. Kijken, alleen maar kijken. Een elpee in een hoes was heel dun, niet veel dikker dan een plakje kaas. Er had sneeuw gelegen op de bergtoppen op de voorkant van een van de elpees. Het is maar sneeuw op een berg, had ze tegen zichzelf gezegd terwijl ze de elpee tussen de zijkant van de doos en de lege gevouwen kleren schoof. Het is maar een tweedimensionaal plaatje van een plek die ik nooit heb gezien. Kalm en beheerst. Vele zomers later was de Eve bij het raam bijna tot tranen toe bewogen geweest door haar vijftienjarige ik. Haar vijftienjarige ik, nog in haar schoolblazer, keek terug naar Eve, ijzig kalm, hooghartig, zonder te huilen. Zwak, zei ze. Alsof iemands kindertijd ergens een excuus voor kon zijn. Je moet mij niet verwijten dat jij jij bent. Ik heb er geen schuld aan. Ze had de transistorradio van tafel gepakt, hem aan het handvat omhooggehouden en hem hard op de vloer gegooid. De achterkant was losgeraakt en het inwendige was naar buiten gekomen. Word toch eens volwassen, godverdomme, had Eve (15) tegen Eve (42) geraasd.

Wanneer had Eve ooit eerder zo geraasd? Bij de begrafenis, bij het idee dat er een God was, die, zelfs als je tot hem bad, ooit ergens iets aan zou doen. Tegen haar vader, na de begrafenis, toen hij haar voordat hij terugvloog naar New York meenam en chic met haar ging dineren in een restaurant in Londen, alsof hij haar trakteerde. Nog een keer tegen haar vader, toen hij haar bij de garnalencocktail voorstelde dat ze het misschien leuk zou vinden om de zomers daar door te brengen, bij het 'andere' gezin. Ze zou een maand later zestien worden. Over een maand kon ze doen wat ze wilde. (Dat was een van de keren in haar leven dat ze precies kon doen wat ze wilde.)

Wanneer nog meer? Tegen Adam, toen hij aankondigde dat hij van haar ging scheiden en zou gaan trouwen met 'Sonja' van 'personeelszaken' bij de 'hypotheekbank', die hij had ontmoet toen hij daar een 'gezamenlijke rentedragende betaalrekening' voor hem en Eve wilde openen.

Is dit een grap? Heette hij echt Adam? Eve wilde deze vraag niet beantwoorden.

En wat had Eve op de kamer van Michael op de universiteit gedaan toen ze, terwijl ze zat te wachten totdat hij terug zou komen van een vergadering, begon te begrijpen waarom alle muren van zijn kamer, zelfs tussen de boekenplanken, bedekt waren met een mozaïek van ansichtkaarten, letterlijk honderden, met reproducties van kunstwerken, posters van films, beroemde foto's, bekende plekken overal ter wereld, stranden, katten die zich in de Griekse zon koesteren, kloosters in Frankrijk, pinguïns en zo die grappige dingen deden, schrijvers, zangers, filmsterren, historische figuren, en dat elk van die ansichtkaarten waarschijnlijk afkomstig *was van een meisje dat hij geneukt had, ik bedoel gen****?* Een van de muur losgeraakte kaart had voor haar voeten op de grond gelegen. Ze had zich voorovergebogen en hem opgeraapt en omgedraaid. Een gekleurde lijntekening van twee ouderwetse treinen. Op de achterkant stond in weelderig handschrift een boodschap van een meisje dat freudiaans spelde als freuediaans, dat zichzelf zijn 'jaguar' noemde en dat te veel uitroeptekens gebruikte. Kalm en beheerst.   Hxxxx   p.s. zorg dat je een Alpha   krijgt kalm   !!!!   beheerst. Eve zat daar op haar man Michael te wachten, in zijn kamer op de universiteit waar hij een vooraanstaande positie had bij de letterenfaculteit.

Want wat was Eve? Eve was van huisje-boompje-beestje, een solide huismoeder en een fascinerend auteur bovendien, iemand die het tamelijk goed deed, zij het op kleine schaal, ze verdiende er wat geld mee, maar ja, zo was het nu eenmaal.

En wat was Hxxxx? Dun als een ansichtkaart, en een oude ansichtkaart bovendien, gezien de datum. GOOI ALSTUBLIEFT NIETS ANDERS DAN PRULLEN IN DEZE PRULLENBAK. Ze plakte de ansichtkaart weer aan de muur, weer op de kleine ruimte die hem toebedeeld was. Ze liet haar blik over de muur gaan. Kaarten op kaarten op kaarten. Ze bekeek de andere muren. Kaarten. Eve probeerde het nog eens, nu, aan de andere kant van de kamer, tegenover de slapende Michael (ze probeerde het heel stilletjes) en ja, ze kon nog snuiven, en precies zoals dat meisje eerder op de avond in de tuin had gedaan.

Wat vond Eve onverwachts nog meer leuk aan het meisje? Wat het meisje over Magnus in de badkamer had opgemerkt. 'Ik trof hem in de badkamer waar hij zich aan het verhangen was.' Ze was niet op haar achterhoofd gevallen, het meisje, dat ze het zo scherp zag, dat ze in staat was zo samen te vatten wat een bijzondere rouwperiode het tiener-zijn was.

Zou het kunnen dat soms alleen een buitenstaander aan een gezin kan tonen dat het een gezin is? Magnus had welterusten gezegd zoals hij altijd deed. Astrid had Eve een nachtkus gegeven. Michael had Eve op haar rug gekust, tussen haar schouderbladen. Ze hadden heel aandachtig met elkaar gevrijd voordat hij zijn hoofd onder het kussen stak. Terwijl Eve dit dacht, viel haar een andere gedachte in. Een gedachte die haar met kracht trof.

Stel dat het meisje de waarheid had gezegd.

Stel dat het meisje in werkelijkheid niets met Michael te maken had. Stel dat Eve de hele avond ten onrechte kwaad had gedacht en gesproken over het meisje – en ook over Michael, die zo lief lag te slapen onder zijn ganzenveren kussen. O, lieve god. Eve stond bij het raam. O, lieve god.

Was dit mogelijk? Bijvoorbeeld. Terugdenkend. Eve was eerder op de avond uit de schuur gekomen op het tijdstip waarop ze dat gewend was. Bij de deur had ze een vreemd geluid gehoord. Het was Astrid, die blij klonk. Het leek alsof Astrid met iemand praatte, met een jonge vrouw, een meisje dat met haar ogen dicht op het gazon lag.

En wat nu? zei Astrid.

Ik zie de omtrekken nog voor me, maar dan omgekeerd, zei het meisje. Het licht en het donker zijn verwisseld.

Als op het negatief van een foto? vroeg Astrid. Alsof alles daarbinnen net zoiets is als het negatief van een foto?

Terwijl Eve stond te kijken, had ze in een flits, een fractie van een seconde van het moment dat ze stond te kijken en niet werd gezien, geweten dat Astrid haar op een dag in de steek zou laten. In een flits van een seconde had ze begrepen dat Astrid zou doen wat natuurlijk was, ze zou gewoon ouder worden, wat op zich al een in de steek laten was waar je niks aan kon doen.

Toen had Astrid Eve zien staan.

O, hoi, zei ze. Ze had het opgewekt gezegd, terloops. Ze leek blij om Eve te zien.

Het meisje met de gesloten ogen had die geopend en Eve voor zich zien staan. Ze was rechtop gaan zitten. Ze had haar ogen tegen de zon afgeschermd.

Hallo, had ze gezegd.

Er had niets dan vriendelijkheid in haar stem geklonken.

Want

stel dat Eve de hele avond, vanaf het moment van begroeting, en misschien omdat ze zich toen even vanwege iets totaal anders in de steek gelaten had gevoeld, iets wat er helemaal niets mee te maken had – stel dat Eve door dit alles een scenario had verzonnen waar het meisje part noch deel aan had. Eve stond in het donker bij het raam. Ze wreef in haar ogen.

Maar dan, als ze niet van Michael was, wat was het meisje dan?

Een zwerfster. Ze had wel iets van een zwerfster.

Een soort zigeunerin.

Een gehaaide uitvreetster, die aan de kost kwam door charmant te doen en zich onder valse voorwendselen aan mensen op te dringen. Ze was charmant, dat was waar.

Een anekdote voor etentjes in de toekomst – dat iemand die ze totaal niet kenden hen op een avond toen ze met vakantie in Norfolk waren zover had weten te krijgen dat ze haar mee hadden laten eten. *Ik* dacht dat ze een van *zijn* studentes was, en *hij* dacht dat ze iets met *mij* te maken had...

Nee, geef antwoord op de vraag – wat was het meisje dan? Wat het meisje dan was, was oprecht.

Had dat meisje hun dan bijvoorbeeld om iets gevraagd? Nee. Ze had hun niets gevraagd. Zij hadden haar uitgenodigd om te blijven eten. Zij hadden haar uitgenodigd om te blijven slapen.

Dus was het dan een wonder dat ze Eve zo hard door elkaar had geschud? Nee, het was geen wonder. Eve stond bij het raam. Ze keek naar de auto beneden. Ze keek de nacht in. Toen keek ze weer naar de auto beneden.

En wat ging Eve eraan doen? Oké. Als het vannacht zou gaan regenen, zou Eve naar beneden gaan en tegen het meisje zeggen dat ze onder geen beding in een auto in de regen mocht slapen, dat ze binnen moest komen. Eve zou naar beneden gaan en de voordeur uit rennen met een jas over haar hoofd en op het natte autoraampje kloppen en aandringen.

Maar (ze wierp een blik op de ergerlijk heldere hemel) *zou het vannacht wel gaan regenen?* Nee. Het ging niet regenen. Het was een prachtige zomernacht. Het was echter vanavond veel te warm om in een auto te slapen. Honden stikten bijvoorbeeld soms als op een warme dag de autoraampjes niet naar beneden waren gedraaid. Dan stierven ze door uitdroging.

Stel dat het meisje was gaan slapen zonder een autoraampje open te laten. Vermoedelijk moest je, als je in een auto sliep, uit zelfbescherming je raampjes goed dichtdraaien, zodat er niemand kon inbreken en van die afschuwelijke gevaarlijke dingen doen die sommige mensen een kwetsbaar iemand die in een auto slaapt soms aandoen. Maar als je in een te warme nacht als deze de raampjes dichthield, liep je op zijn minst de kans om uit te drogen, wat op zijn hoogst levensgevaarlijk was.

Eve boog zich uit het raam en keek naar de auto. Vanwege de hoek waaronder de auto geparkeerd stond, kon ze van hieruit niet zien of de raampjes open of dicht waren.

Was het niet, achteraf bezien, een vriendschappelijk door elkaar schudden geweest?

Had het meisje niet strak geglimlacht, alsof Eve een oude kameraad was?

Wat deed Eve nu? Heel zachtjes liep ze de kamer door en trok haar ochtendjas wat strakker om haar schouders. Heel zachtjes deed ze de deur open.

Waar was het meisje? Helemaal niet in de auto. Eve keek door alle ruiten, maar er was niemand in de auto.

Ze was in de tuin. Ze zat onder de bomen waar ze eerder samen hadden gezeten. Ze rookte. Eve rook de rook voordat ze die zag. Sigarettenrook kringelde omhoog in de onbeweeglijke lucht boven het hoofd van het meisje en verdween.

Hallo, zei ze.

Ze klopte op de grond naast zich.

Eve trok haar ochtendjas nog wat dichter om zich heen.

Wil je er een? vroeg het meisje. Ze haalde er een uit het pakje en hield die op. Het waren Franse sigaretten, Gauloises. Het meisje streek een lucifer af, en toen ze Eves sigaret aanstak, viel het flakkerende licht op haar gezicht, dat geconcentreerd en ernstig was en toen weer donker.

Ik ben vanavond niet helemaal eerlijk tegen je geweest, zei het meisje.

O nee? zei Eve.

Nee, en dat spijt me echt. Ik heb je niet de, eh... niet de hele waarheid verteld.

O. Juist, ja, zei Eve.

Want toen je me vroeg of ik in huis wilde slapen, zei het meisje, nou, toen was het antwoord natuurlijk ja, want wie slaapt er nu liever in een auto dan in een bed? Maar. Waar het om gaat. Het gaat erom wat er gebeurd is, en ik kan het niet, ik heb een gelofte afgelegd, jaren geleden heb ik een gelofte afgelegd, en ik doe het niet, dat wil zeggen, ik kan het niet.

Wat vertelde ze aan Eve? In de half afgebroken zinnen van iemand die het moeilijk vindt om iets te vertellen, dit:

Toen ze in de twintig was, had Amber MacDonald in de city gewerkt, waar ze een goede baan had bij een bedrijf dat zich bezighield met het verzekeren van beleggingen en verzekeringsgelden. Ze had een Porsche gehad. Het was in de jaren tachtig. Toen ze in de week voor Kerstmis, op een winterse avond met natte sneeuw, door een smalle straat met geparkeerde auto's reed, de radio stond aan en er werd een nummer gedraaid dat 'Smooth Operator' heette, de ruitenwissers veegden hun rubberachtige vegen over de voorruit, was er een kind, een meisje van zeven in een winterjasje met een strookje bont langs de rand van de capuchon, tussen twee auto's door vlak voor haar de straat op gelopen. Amber MacDonald had met haar auto het kind geschept, en het kind was doodgegaan.

Toen heb ik mijn baan opgegeven en had ik geen inkomen meer, zei Amber MacDonald. Ik heb die auto verkocht en van het geld dat ik ervoor kreeg het meeste, duizenden ponden, een grote stapel bankbiljetten, bij wijze van gedenkteken achtergelaten langs de rand van de straat waar het was gebeurd. Ik heb een tweedehands Citroën stationcar gekocht en besloten nooit meer in een huis te wonen dat ik mijn thuis zou kunnen noemen. Hoe zou ik dat kunnen? Hoe zou ik op dezelfde manier hebben kunnen doorleven?

Ze zaten in het donker. Het zou gauw licht worden. In een ooghoek van het meisje welde één enkele traan op, die langs haar neus naar beneden liep en toen, op verzoek leek het wel, stilhield vlak onder de welving van haar jukbeen, precies halverwege haar gezicht. Voorzichtig drukte ze haar sigaret in het gras uit. Ze keek op, keek Eve recht in de ogen.

En? zei ze. *Geloof je me?*

Ik ben geboren in een hutkoffer. Tijdens een middagvoorstelling op vrijdag. Door mij werd de voorstelling afgebroken.

Ik ben geboren in het jaar van het supersonische, het tijdperk van multifunctioneel multivitamine multicausaal, de hoogtijdagen van mannen met de techniek en vrouwen die bionisch konden zijn, toen je de Harrier had als jump-jet, *Queen Elizabeth II* als Cunard, toen een elf meter hoge *Prinses Margaret* statig op de kussens van haar hovercraft rustte, toen de année érotique slechts dertig luchtkussenminuten ver was en alles met twee keer de geluidssnelheid ging. Toen ik mijn ogen opende was alles in kleur. Het zag er niet meer uit als Kansas. De studenten stonden op de barricaden, de mode was maxi, de Beatles waren transcendent, ze openden een winkel. Dat was Groot-Brittannië. Het was fantastisch. Mijn moeder was een non die niet meer tegen het klooster kon. Ze trouwde met mijn vader, de kapitein; hij was heel streng. Ze leerde ons allemaal zingen en maakte van gordijnen nieuwe kleren voor ons. We renden over bruggen en we sprongen de trappen op en neer. We klommen in bomen en vielen uit de boot in het meer. We eindigden als eerste in het zangconcours en we ontkwamen maar net aan de nazi's.

Ik ben gevormd en gemaakt in de tijd van Saigon, van Rhodesië, de tijd van de rivieren van bloed. *Disembowel Enoch Powell*. Apollo 7 plonst in zee. Overstroming in

Tunbridge Wells. Over London Bridge liep een mensenmassa en zesendertig Amerikanen deden er een bod op. King werd in Memphis doodgeschoten, waardoor de uitzending van de uitreiking van de Oscars met twee hele dagen werd vertraagd. Hij had gedroomd, hij vond het vanzelfsprekend dat alle mensen gelijk geschapen waren en dat ze ooit gebroederlijk met elkaar zouden aanzitten. In het Ambassador Hotel schoten ze die andere Kennedy dood. RIGHTEOUS BROS stond er in neonlichten boven de parkeerplaats van het hotel. Ondertussen was mijn vader de koppelaar en kon mijn moeder vliegen met gebruikmaking van alleen haar paraplu. Als kind reed ik de Grand National. Ze wisten niet dat ik een meisje was totdat ik flauwviel en ze mijn jockeyhemd openknoopten. Maar alles was mogelijk. We hadden een auto die kon vliegen en drijven. We voorkwamen de spoorwegramp door met onze petticoats naar de trein te wuiven; mijn vader zat onschuldig in de gevangenis, mijn moeder knoopte de eindjes aan elkaar. Ik verkocht bloemen in Covent Garden. Een piekfijne bink leerde me netjes praten en nam me mee naar de paardenrennen, ontworpen door Cecil Beaton, hoewel ze uiteindelijk mijn stem hebben nagesynchroniseerd omdat het zingen niet goed genoeg ging.

Maar mijn vader was Alfie, mijn moeder Isadora. Ik was in mijn tienerjaren onnatuurlijk paranormaal begaafd, ik liet een jongen van zijn fiets vallen en ik liet een hele school afbranden. Mijn moeder was krankzinnig; ze was verliefd op God. Toen ik voor het altaar stond om met iemand anders te trouwen, bonkte mijn vriendje achterin op het raam van de kerk en zijn we er samen vandoor gegaan met een bus. Mijn moeder was woedend. Zij was ook met hem naar bed geweest. De duivel zorgde dat ik zwanger werd, en een satanische sekte dat ik de zwangerschap niet liet afbreken. Toen werd ik verliefd op een paar vogelvrijverklaarden en kletste wat met de zon. Ik zei dat ik het afkeurde hoe hij de dingen voor elkaar kreeg. Ik vrijde achter in een oude bioscoop die aan het sluiten was. Ik deed het met boter in Parijs. Ik had een boerderij in Afrika. Ik trok mijn kleren uit voor het raam van een appartementencomplex en leidde twee politie-inspecteurs af die op zoek waren naar de krankzinnige op het dak die een priester wilde doodschieten. Ik werd smoorverliefd op een Italiaan. Het kwam door zijn manier van bewegen op de dansvloer. Ik wist wat liefde betekende. Het betekende dat je nooit hoefde te zeggen dat het je speet. Het betekende dat de man die de taxi bestuurde de presidentskandidaat zou doodschieten of de pooier. Het was zo zacht als een luie stoel. Het gebeurde zo snel. Mijn benen werden afgebeten door een haai. Ik stak de ontvoerder dood, maar dat deden alle anderen ook, niet alleen ik, in de Oriënt Express.

Mijn vader was Terence en mijn moeder Julie. (Stamp. Christie.) Ik ben geboren en opgevoed door de heuvels (levend) en de dieren (waartegen gepraat werd). Ik bevond me in een goed blaadje, hoorde erbij. We hadden het niet breed. Wie gaf daar wat om? Ik zette een voorstelling op, gewoon hier in de schuur; bij mijn geboorte zong ik met mijn pasgevormde longen het lied al zo hard mogelijk. *Inchworm*. *Inchworm*. De afrikaantjes de maat nemen. Het lijkt wel alsof je stilhoudt en kijkt hoe mooi ze zijn. Ik steeg centimeter voor centimeter met de stijgende populariteit van de neus van Streisand, de z van Liza. Wat had je eraan om alleen op je kamer te blijven zitten? Toen we overgingen op het tientallig stelsel was ik er klaar voor.

Ik ben geboren in een tijd van licht, snelheid, celluloid. Beneden was roken. Op het balkon niet. Het kostte meer om op het balkon te zitten.

Kinematograaf. Eidoloscoop. Galopperende ferrotypieën. Het witte doek. De bios. De film. Rook kringelde omhoog. Wazige herinneringen in aquareltinten.

Maar het hoort er allemaal bij en het is maar hoe je het speelt, maar je moet het wel spelen, weet je.

Ik ben in vrijheid geboren, ik heb het erg naar mijn zin gehad, en weten wij veel, misschien heb ik wel het eeuwige leven.

HET
MIDDEN

van de vierbaansweg, vlak voor de
auto's! Ze steekt haar arm omhoog, d.w.z. Stop. De auto's
komen met piepende banden en krankzinnig loeiende claxons
op haar af. Amber staat tussen de twee rijbanen van de ene
weghelft met haar hand omhooggestoken om te zorgen dat de
auto's stil blijven staan.

Nu! roept ze boven het lawaai uit, en ze zwaait met haar
andere arm naar Astrid. Astrid komt aanrennen en past goed
op dat ze de camera niet laat vallen.

Als ze dan allebei in de middenberm staan, stapt Amber
precies zoals ze aan de andere kant deed de weg op voor het
verkeer dat vanuit de tegenovergestelde richting komt
aanrijden en begint het piepen van de banden en het loeien
van de claxons opnieuw.

Het is krankzinnig. Het is echt gevaarlijk. Het doet een
beetje denken aan het bijbelverhaal waarin de zee in tweeën
gespleten wordt, alleen is het hier verkeer. Het is alsof Amber
beschikt over een magnetisch krachtenveld afkomstig van diep
uit het heelal of van een ander sterrenstelsel. Als ze een
stripfiguur was, zou ze een soort superheldin zijn die
tegelijkertijd dingen naar zich toe kan halen en van zich af kan
stoten.

Persoonlijk denkt Astrid dat Amber hiermee moet
ophouden wanneer ze bij de rand van de weg komt. Het is
krankzinnig om zomaar de straat op te lopen. Maar zo is
Amber. Zo is haar persoonlijkheid. Het is niet zozeer dat ze

een mongool is wat auto's betreft, ze gelooft gewoon echt dat ze net zo veel recht op de weg heeft als zij, of misschien wel meer.

Samen blijven ze aan de rand van de weg staan terwijl de auto's achter hen weer met veel geraas op snelheid komen en de mensen hen vanuit hun autoraampje nog naroepen. Amber negeert het. Nu Astrid weer normaal kan ademhalen, haar hart niet meer dat angstige doet en ze haar gedachten weer een beetje kan ordenen, bedenkt ze dat ze het graag gefilmd zou hebben, zoals ze de weg overstaken. Dat zou fantastisch zijn, om het op film te hebben.

Nu filmt ze Amber. De akker ligt achter haar. Hij is helemaal goudkleurig.

Astrid zou ook willen dat iemand anders hen van buitenaf filmde. Ze zouden de indruk maken van een ouder iemand en een jonger iemand die een dagje uit zijn en echt goede vriendinnen of misschien zusters zijn, die soms zelfs arm in arm lopen, want het heeft niets met leeftijd te maken, zegt Amber, leeftijd doet er gewoon niet toe.

Er is daar een prachtig uitzicht op het landschap en de rand van het dorp. Amber wijst terwijl ze lopen naar de wilde bloemen in het gras; lange, dunne, rode, echt mooie, kleine, blauwe. Astrid filmt ze. Als ze klaar is met filmen, loopt Amber al heel ver voor haar uit, in de richting van de gebouwen in de verte. Een tijdje lang filmt ze Amber van achteren, terwijl die zwaaiend met haar armen door het veld loopt.

Een van de gebouwen is een supermarkt. Het heeft een puntdak met een windvaantje in de vorm van een haan erbovenop. Als Astrid haar inhaalt en haar erop wijst, zegt Amber dat het windvaantje niets te maken heeft met de manier waarop de wind waait. Het dient om de supermarkt ouderwetser te laten lijken, uit het verleden, zodat wanneer de mensen er hun boodschappen gaan doen ze zich er prettiger voelen en het idee hebben dat ze ergens heen gaan waar de traditie in ere wordt gehouden, waar ze denken iets uit hun verleden te zullen herkennen, al is er in hun verleden niets wat er maar een beetje op zou hebben geleken. Het is duivels slim hoe het werkt. Het werkt op het onderbewuste.

Astrid weet niet waar ze naartoe gaan. Het zou niet cool zijn om het te vragen. Neem de camera mee, had Amber beneden aan de trap omhoog geroepen. Dit is de derde dag dat ze met Astrids camera buiten belangrijke dingen filmen. Amber struint nu over de akker, ze loopt dwars door alles heen wat er groeit. Overal zoemen insecten en er zijn vogels. Er zullen ook wel veldmuizen of konijnen of ringslangen zijn, die bij iedere stap van hen wegschieten. Het zou geweldig zijn als ze ze echt zouden kunnen zien wegschieten van de voeten van Amber en Astrid, d.w.z. dat zij en Amber reuzen zijn en in een andere wereld verkeren, dat de grond onder hun voeten schudt en dat alle dieren zich in alle richtingen van hen verwijderen. Maar het gewas dat op de akker groeit prikt in Astrids benen, en op de plekken waar er ruimte is tussen de stoppels is de aarde droog en ongelijk, en de akker is gigantisch groot, veel groter dan hij vanaf de rand van de autoweg leek, waar hij eruitzag alsof je hem heel makkelijk kon oversteken, en het is heel warm omdat het rond het middaguur is.

Halverwege blijft Amber op haar staan wachten. Ze maakt haar trui, die ze om haar middel heeft geknoopt, los en bindt die om Astrids hoofd als bescherming tegen de zon, waarbij ze er met de mouwen een knoop in draait om hem op zijn plaats te houden.

Hoe zit-ie? vraagt ze.

Astrid voelt zich beter.

Aan de andere kant van het veld lopen ze verder via de weg langs een garage waar ze auto's verkopen (buiten hangen camera's) en een enorme drogisterij van Boots (buiten hangen camera's), en vervolgens over een soort industrieterrein (camera) en de parkeerplaats van de supermarkt op (verscheidene camera's). Op het parkeerterrein is het heel druk met auto's. Als ze bij de ingang komen, lopen ze weer in de schaduw, zodat Astrid de trui van haar hoofd haalt en aan Amber teruggeeft, waarop Amber hem weer om haar middel bindt. Amber is echt heel mager. Ze heeft waarschijnlijk maat 38. Ze heeft lange handen, lange vingers, ze zien er heel elegant uit. Astrids moeder zei het gisteravond nog, Amber, je hebt de handen van een pianist. Ja, had Amber toen gezegd, maar wat voor een pianist, een goede of een waardeloze? Magnus had gelachen. Michael had vreselijk lang gelachen, als een waanzinnige. Een goede, natuurlijk, had Astrids moeder gezegd. Maar je hebt mij nooit piano horen spelen, had Amber gezegd.

Astrid kijkt nu naar haar eigen kleine handen en naar de camera die ze vasthoudt.

Wil je dat ik film? vraagt ze terwijl ze de camera op de eerste beveiligingscamera na de ingang richt.

Amber blijft bij de ingang staan, knijpt haar ogen tot spleetjes en laat haar blik door het inwendige van de supermarkt gaan. Ze schudt haar hoofd. Ze doet dat langzaam, d.w.z. dat ze zich aan het concentreren is.

Ga eens wat te eten halen, zegt ze. Heb je honger?

Astrid knikt.

Waar je maar trek in hebt, zegt Amber. Haal in elk geval wat fruit. En neem voor mij een broodje mee.

Astrid gaat eropuit om wat te eten te halen. Bij de fruitafdeling pakt ze een paar appels die Discovery heten. Op het bordje erboven staat dat ze uit de buurt komen en biologisch geteeld zijn. Dat is beter dan dat ze niet uit de buurt en biologisch zouden zijn. Proeven is geloven! staat op een reclamebord boven de appels. Op een ander staat hoe goed de supermarkt is wat de verkoop van vers fruit betreft. Stel je voor dat het niet vers was. Stel je voor dat het allemaal oud en wormstekig was, al die rijen appels, sinaasappels, nectarines en perziken. Zou er op het bord dan nog staan dat het vers was, of zou er staan oud en wormstekig? Oud en wormstekig fruit te koop hier. Proeven is geloven. Haha. Ze bedenkt dat ze dit aan Amber zal zeggen, en aan Magnus als ze thuiskomt. Ze kiest een broodje met tonijn en mayonaise uit de grote muur van broodjes in de gekoelde schappen vóór in de winkel. De grote muur van broodjes – net de Chinese muur! Stel je de Chinese muur voor opgebouwd uit broodjes. De tonijn in het broodje is gevangen zonder dat schade is toegebracht aan de dolfijnen. Het staat op de verpakking, waar een eiland op staat met een palmboom erop.

Er zijn niet erg veel mensen in de supermarkt, ook al stonden er al die auto's buiten op de parkeerplaats. Astrid zoekt op de borden die boven de schappen aan het plafond hangen naar dat van de warme gerechten. De warme gerechten zijn naast de delicatessenafdeling. Op een ander bord, dat achter dat van de warme gerechten hangt, staat ook: Proeven is geloven! Ze pakt een stukje geroosterde spareribs voor zichzelf, en een vrouw pakt ze in een verpakking waarin ze warm zullen blijven, zegt de vrouw, ongeveer een halfuur lang.

Dank u, zegt Astrid tegen de vrouw.

Graag gedaan, zegt de vrouw.

Een camera boven hun hoofd neemt het allemaal op: Astrid die om de spareribs vraagt, de vrouw die ze inpakt en Astrid vertelt (het geluid komt niet op de band te staan) hoe lang ze warm zullen blijven. Astrid neemt het pakje aan. Ze vraagt zich af of de vrouw weet van de camera's, d.w.z. natuurlijk weet ze het, dat is duidelijk en ze werkt hier. Maar hoe zit het als ze ophoudt met werken en langs de weg loopt, waar ze dan langs andere camera's komt alleen maar omdat ze langs een bepaalde route naar huis loopt en die haar dan opnemen terwijl ze langsloopt? Zoals ze ook die jongen hebben opgenomen die doodging toen Astrid kleiner was omdat ze hem hadden neergestoken; vlak daarvoor was hij nog huppelend langs de bibliotheek van Peckham met die nieuwe architectuur gekomen; en het meisje dat saxofoon speelde en stond te strijken op die zelfgemaakte video-opname die haar ouders aan de politie hadden gegeven om op het nieuws te laten zien, het meisje dat op weg van school naar huis verdwenen was en als vermist was opgegeven.

Alleen is het maken van de video-opname van de vrouw van de supermarkt terwijl ze haar werk doet en over straat loopt of haar auto van de parkeerplaats haalt of naar een bibliotheek gaat of wat dan ook maar een zinloze opname die niets te betekenen heeft en waar geen mens naar zal kijken tenzij haar iets afschuwelijks overkomt, want dan zal hij alles betekenen, wat verschrikkelijk zou zijn, maar belangrijk.

En als er dan niets verschrikkelijks gebeurt, als de vrouw 's avonds thuiskomt en aan tafel gaat of aan de koffie of wat dan ook, beseft ze dan dat ze niet meer opgenomen wordt? Of denkt ze bij zichzelf dat ze nog steeds wordt opgenomen, door iets wat alles wat we doen in de gaten houdt, omdat ze er zo aan gewend is dat het overal elders zo gaat? Of denkt ze er gewoon nooit aan, is ze gewoon een vrouw die in een supermarkt werkt en niet de moeite neemt om over dat soort dingen na te denken?

Astrid krijgt van het nadenken over dit alles een raar gevoel. Ze kijkt naar het pakje dat ze in haar hand heeft. Ze weet dat de spareribs erin warm zijn, hoewel het pakje vanbuiten volkomen koel aanvoelt.

Astrid loopt van het ene gangpad met supermarktartikelen naar het andere. Dan vindt ze Amber in het gangpad met alle toiletartikelen en deodorants etc. Amber haalt pakjes van de haakjes waar ze aan hangen en laat die op de grond vallen, alsof ze het voorste pakje niet wil hebben en ook het volgende niet en het daaropvolgende evenmin. Pakje na pakje valt op de grond. Als Amber de ene haak helemaal leeg heeft gehaald, begint ze aan de volgende en doet hetzelfde. Ze heeft inmiddels al een paar haken leeggehaald.

Astrid gaat naar haar toe. Pakjes scheermesjes met cellofaan erom, van die pakjes met plastic haakjes eraan, liggen verspreid om Ambers voeten. Amber haalt er nog een van de haak en laat het vallen.

Astrid kijkt naar haar.

Waarom doe je dat? vraagt Astrids blik.

Amber kijkt terug naar haar.

Maar Astrid heeft geen idee wat die blik betekent.

Wilde je mayonaise? vraagt Astrid.

Het hangt ervan af of die lang in de zon heeft gelegen, zegt Amber.

Astrid lacht.

D.w.z. op je broodje, zegt ze.

Amber laat het pakje van de haak vallen, pakt dan een ander, houdt het op en laat het vallen.

Ja, zegt Amber. Dat wil zeggen, ik hou van mayonaise. Zolang het maar geen broodje mayonaise is, dat wil zeggen eentje met niets anders dan mayonaise erop.

Tonijn, zegt Astrid, terwijl ze het ophoudt.

Dat vind ik het lekkerste, zegt Amber.

Astrid is vergenoegd. Vergenoegdheid, of hoe het ook heet, gaat door haar hele lichaam.

Amber kijkt even naar de lege haken voor haar en naar de pakjes die verspreid over de grond liggen en zegt dan:

Oké.

Ze loopt weg en stapt over de kring van pakjes heen.

Tijd om hier weg te gaan, zegt ze.

Drie geüniformeerde beveiligingsmannen en twee mannen in pak staan aan de andere kant van de kassa's, bijna alsof ze op Amber en Astrid staan te wachten. Dan dringt het tot Astrid door dat dit inderdaad het geval is. Amber geeft een meisje geld voor het broodje en de spareribs. Het meisje weigert op te kijken of Amber of Astrid aan te kijken. Ze kijkt alleen naar de dingen die ze komen afrekenen en de kassa waarop ze streepjescodes afleest en op knoppen drukt. Ze stelt ook alle vragen over bonuspunten en zegels zonder hen aan te kijken. Ze weet dat ze bekeken wordt en dat er iets op til is. De beveiligingsmannen staan te wachten tot het afrekenen klaar is, als boze, zwijgende cowboys in een televisiewestern. Een van de mannen in pak kijkt kwaad. De ander kijkt ironisch. Hij kijkt Amber recht in haar gezicht en schudt zijn hoofd terwijl zij en Astrid passeren. Maar ze doen niets en zeggen niets.

Amber en Astrid verlaten de supermarkt.

Spareribs, zegt Amber terwijl ze in Astrids pakje tuurt. Aan haar gezicht te zien houdt ze niet erg van spareribs.

Hou je niet van spareribs? vraagt Astrid.

Het is mij om het even, zegt Amber.

Mij ook, zegt Astrid. Het is mij ook om het even. Ik hou wel van die aangebrande smaak die ze hebben.

Carcinogeen, zegt Amber.

Tja, zegt Astrid.

Ze weet dat carcinogeen iets betekent, maar ze weet niet meer wat.

Van het eten van aangebrande dingen. Kanker, zegt Amber.

Het is net alsof ze echt Astrids gedachten kan lezen.

Ik weet het, zegt Astrid.

Dan maakt ze zich zorgen, want als Amber echt haar gedachten kan lezen, zal ze weten dat ze niet wist wat het betekende. Ze kijkt Amber tersluiks aan, maar Amber wijst ergens naar.

Mooie plek om te picknicken, zegt ze.

Het is een afschuwelijke plek met glasbakken. Ze gaan op het gras zitten aan de rand van de parkeerplaats in de geur van verschaalde wijn uit de glasbakken. Hier zamelen wij glas in, staat er op een bord bij de glasbakken. Nou, succes. Milieu.

Een van de beveiligingsmannen staat bij de ingang van de supermarkt. Hij staat al sinds ze de winkel uitgingen en hier zitten te eten naar hen te kijken. Hij praat in een telefoon.

Astrid en Amber kijken terug naar hem.

Ik denk dat ze hebben gezien wat je met die scheermesjes deed, zegt Astrid.

Ze hebben me zeker gezien, zegt Amber. Je zou kunnen zeggen dat ze me heel goed gezien hebben.

Ze vertelt Astrid dat deze supermarkt een nieuwe manier uitprobeert om winkeldiefstal te voorkomen. Als iemand een pakje scheermesjes van de haak haalt, wordt een camera door een computerchip in het pakje aangestuurd om een foto te maken van degene die dit doet, zodat men aan de kassa aan de hand van die foto kan controleren of de klant die scheermesjes heeft gepakt die ook echt afrekent, waardoor ze weten of ze gestolen worden of niet.

Astrid snapt niet echt wat het probleem is. Ze denkt dat het eigenlijk wel in orde is dat de supermarkt dit doet. Tenslotte dient het om te voorkomen dat mensen stelen.

Amber raakt een beetje geïrriteerd.

Astrid overweegt aan Amber te vragen wat zij ervan vindt dat de vrouw van de supermarkt op video wordt opgenomen. Maar ze weet dat als ze zegt dat het de vrouw van de supermarkt misschien niet kan schelen omdat ze maar een vrouw van een supermarkt is, Amber nog meer geïrriteerd zal zijn. Daarom zegt ze maar nergens iets over. Ze houdt een van de spareribs op en bijt er met haar tanden stukjes van af, terwijl ze probeert te voorkomen dat er saus op haar gezicht of nog verder op haar hand komt.

Amber is klaar met haar broodje. Ze komt overeind. Ook Astrid staat snel op en houdt haar handen van haar lichaam af. Amber klopt haar kleren af en rekt zich uit. Ze zwaait de beveiligingsman gedag die een hand opsteekt om terug te zwaaien, alsof hij eigenlijk niet weet wat hij moet doen, alsof het per ongeluk is. Dan pakt Amber de camera omdat Astrids handen onder de barbecuesaus zitten en lopen ze via dezelfde weg terug als ze gekomen zijn, over de hete akker (Astrid eet een appel en gooit het klokhuis weg, biologisch afbreekbaar), waarna ze de vierbaansweg oversteken via een voetgangersbrug die direct naar het station leidt en die ze natuurlijk op de heenweg ook hadden moeten nemen in plaats van op die krankzinnige manier zomaar de weg over te steken en midden op straat te blijven staan.

Halverwege de voetgangersbrug, boven het razende verkeer, blijft Amber stilstaan. Ze buigen zich voorover en bekijken het uitzicht over het landschap nog een keer. Het is prachtig. Het is echt Engels, heel karakteristiek. Ze kijken hoe de auto's onder hen aan komen rijden en eruit rijden, zich voortbewegen alsof het een twee richtingen op stromende rivier is. Zonlicht weerkaatst van de voorruiten en de lak van de auto's in Astrids ogen. Het is makkelijker om naar de auto's verder weg te kijken die in een doorzichtige muur van flakkerende warmte verdwijnen. De kleuren gaan in elkaar over alsof auto's niet van vaste stof zijn gemaakt.

Het is een prachtige zomermiddag, zoals zomers vroeger eeuwig duurden, voordat Astrid geboren was.

Dan laat Amber de camera over de rand van de brug vallen.

Astrid kijkt hoe hij door de lucht valt. Ze hoort van veraf haar eigen stem, geïsoleerd, en dan hoort ze het plastic geluid van de camera die op het wegdek valt. Het klinkt heel klein. Ze ziet hoe een vrachtwagenwiel hem raakt en hij rondtollend onder de wielen van de auto op de binnenste rijstrook daarachter schiet, waar hij in talloze stukjes breekt die over de hele weg verspreid worden. Andere auto's volgen, die ook de stukjes raken, eroverheen rijden waardoor ze op het wegdek stuiteren.

Kom mee, zegt Amber.

Ze is doorgelopen en is al halverwege de trap naar het station. Astrid ziet haar rug kleiner worden, dan alleen nog haar schouders, dan alleen nog haar hoofd.

Het is ongelooflijk.

Het is krankzinnig.

De hele weg terug in de trein denkt Astrid: het is krankzinnig. Onder het lopen, de hele weg van het station naar huis, wat een heel eind is, spreekt Astrid niet met Amber. De hele weg naar huis kijkt ze haar ook niet aan. Wanneer ze wel even een tersluikse blik opzij werpt, uit haar ooghoeken, lijkt Amber zich nergens druk over te maken, alsof er helemaal niet iets verschrikkelijks is gebeurd, alsof ze helemaal niet iets gedaan heeft waar iemand zich druk over zou hoeven maken.

Ze had hem op haar vorige verjaardag cadeau gekregen van haar moeder en Michael.

Daar krijgt ze de grootste moeilijkheden mee.

Het was een ontzettend duur ding.

Ze hebben het er altijd over dat hij zo duur was. Ze zijn er trots op dat hij zo duur was.

Het was een digitale Sony.

Er stonden opnamen op van vandaag, van die bloemen.

Amber stond erop terwijl ze over de akker liep met al dat geel en goud achter haar hoofd.

Er stonden opnamen op van laatst in Norwich, en misschien was het ook de disk waarop de opnamen stonden die ze buiten bij het Curry Palace en zo hadden gemaakt.

Wat zal Amber nu nog aan Astrid hebben, nu ze niets belangrijks meer kan opnemen?

De opnamen van de ochtendschemering liggen op het nachtkastje. Maar die houden op op de dag dat Amber kwam. Wat moet Astrid als ze morgen bij het wakker worden weer zou willen beginnen?

Ze zullen Amber voor de camera moeten laten betalen.

Het is typisch en ironisch dat er op de brug geen beveiligingscamera's zijn.

Niemand heeft het zien gebeuren.

Astrid kan niets bewijzen.

De hele weg naar huis kijkt ze niet en zegt ze niets. Amber merkt het niet eens. Ze fluit voor zich uit, loopt met haar handen in haar zakken. Astrid slentert aan de andere kant van de weg achter haar aan, de blik op de grond die tussen haar sandalen voorbijgaat. Maar Amber merkt het niet, of als dat wel het geval is, vindt ze het niet belangrijk.

Als Astrid thuiskomt, naar boven gaat en in haar kamer de deur achter zich op slot doet, vangt ze een blik op van zichzelf in de spiegel. Haar gezicht is zo wit dat ze twee keer moet kijken om het te geloven. Ze moet er bijna hardop om lachen dat ze er in de spiegel zo klein en wit en boos uitziet. Ze moet er bijna om lachen dat zij dat werkelijk is.

Ze staart naar zichzelf.

Voorzover ze zin heeft om te lachen voelt ze zich gespleten nu ze zichzelf zo ziet. D.w.z. het is een afgesplitst stukje van haarzelf dat volkomen onberoerd is, ofwel als een heel ander iemand dan zij.

Ze gaat op het bed zitten, weg bij de spiegel, en doet moeite om woedend te blijven.

Een paar dagen later vraagt Amber aan Astrid of ze haar blocnote en viltstift even mag gebruiken.

Astrid knikt. Ze maakt een geluid dat ja betekent. Ze spreekt nog niet echt tegen Amber.

Amber ligt in de schaduw op het gras met Astrids pen te tekenen op Astrids blocnote.

Na een tijdje komt Astrid naar haar toe en gaat in haar buurt zitten. Dan schuift ze nog een beetje dichter naar haar toe.

Amber kan nogal goed en heel snel tekenen. Ze heeft een portret van een klein kind getekend. Je kunt zien dat het kind op school is, want het zit aan een tafeltje en op de achtergrond is een ouderwets schoolbord met een ouderwetse schoolmeester erbij. Het kind op de tekening is ook aan het tekenen, op een vel papier op een ezel. Op haar tekening staat bovenaan in kinderlijk handschrift het woord *Mammie*, en het is dus het soort tekening dat kinderen van hun moeder maken, met daarop dan een stakerige figuur met dommig gespreide armen, raar puntig haar, met het ene oog veel groter dan het andere en een rare hanenpoot als mond.

Amber laat hem aan Astrid zien.

Dan scheurt ze het blad eraf, draait het om en legt haar arm over de blocnote, zoals mensen doen als ze niet willen dat anderen hun antwoorden afkijken, en begint iets anders te tekenen.

Als hij klaar is, geeft ze hem aan Astrid.

De tweede tekening is er een van het hek buiten de school (er hangt een bord waarop School staat) waar drie moeders staan te wachten om hun kinderen op te halen. Twee van de moeders lijken net echte mensen. Maar de derde moeder lijkt sprekend op de moeder op de tekening van het kind op de eerste tekening. Ze staat naast de echte moeders, maar alles aan haar is vertekend, ze heeft puntig haar, haar ene oog is te groot, ze heeft een krankzinnige streep als mond en de armen zijn vreemd gespreid, d.w.z. de moeder op de tekening lijkt écht op die in de werkelijkheid, dat is de grap.

Astrid heeft nog nooit zoiets raars gezien. Ze moet onbedaarlijk lachen. Ze vindt het dolkomisch dat de moeder in werkelijkheid echt zou kunnen lijken op de moeder op de tekening die het kind gemaakt heeft. Het is zo grappig en eigenlijk zo stom dat Astrid zo moet lachen dat ze eigenlijk huilt van het lachen. De tranen lopen langs haar hoofd, voelen koud aan achter haar oren, en vallen in het gras. Amber lacht ook, ze ligt op haar rug te lachen als een gek. Ze kunnen allebei niet ophouden met lachen om de twee tekeningen en zo rollen ze over het gazon.

Dat is wat je noemt een sprekende gelijkenis, zegt Michael wanneer hij later over haar schouder naar het vel papier kijkt (dat ze aan Magnus laat zien).

Heel grappig, zegt Magnus. Hij ligt op de bank naar het plafond te kijken. (Hij is weer normaal, hij praat weer met mensen, hij gaat zelfs regelmatig in bad en zo. Hij heeft nog donkere wallen om zijn ogen, alsof iemand er met een viltstift vlekken op heeft gemaakt.)

Heeft Amber dat getekend? vraagt haar moeder. Wat heeft ze een talent. Ze is zo'n talentvol meisje.

Dat is ze. Amber heeft echt talent. Nog dagenlang schiet Astrid regelmatig in de lach om de grap als ze met iets anders bezig is, met wat dan ook, het doet er niet toe.

Dagen later kan het haar 's avonds ineens weer te binnen schieten, en dan kan ze het niet helpen, maar begint ze weer te lachen, het is van het soort grappigheid die je zo diep in het midden van je lichaam voelt dat je het gevoel krijgt dat je ingewanden smelten of dat je in bezit bent genomen door een buitenaards wezen dat niets anders doet dan lachen daar in je lichaam, en nog lang nadat de tekeningen zoek zijn geraakt of opgeruimd of misschien wel weggegooid door Katrina de Werkster kan Astrid nog onwillekeurig in de lach schieten als ze eraan denkt, als ze bedenkt hoe grappig het is, hoe slim het bedacht is, de moeder die daar bij het schoolhek staat te wachten en die er in het echte leven precies zo uitziet als in die stomme kindertekening waarin ze is getekend, d.w.z. alsof de manier waarop het kind haar getekend heeft dan toch naar de werkelijkheid was.

Astrid, zegt haar moeder op een warme avond als Michael iets heeft klaargemaakt dat iets bijzonders moet zijn en er oneetbare kopjes van bloemen over de salade zijn gestrooid. Je moet ons bij het eten vanavond allemaal filmen. Het is zo'n mooie avond, het is zo'n mooie dag geweest, en het is zo'n mooie maaltijd, daar moeten we een aandenken aan hebben. Ga je camera eens halen.

Astrid zegt geen woord.

Toe, Astrid, zegt haar moeder. Ga nou.

Astrid kijkt naar haar bord.

Toe, ga nou, zegt haar moeder. Ga hem halen.

Nee, zegt Astrid.

Nee? zegt haar moeder.

Dat kan niet, zegt Astrid.

Wat bedoel je? vraagt haar moeder.

Ik ben hem kwijt, zegt Astrid.

Je bent wat? zegt haar moeder.

Astrid zegt het nog eens.

Ik ben hem kwijt.

Waar ben je de camera kwijtgeraakt, Astrid? vraagt Michael.

Ja, als ik dat wist, zegt Astrid, dan zou hij niet kwijt zijn hè?

Amber lacht.

Astrid, zo is het wel genoeg, zegt haar moeder.

Astrid kijkt met een stuurse blik over de stapel bloempjes op de rand van haar bord.

Maar hoe heb je dat nou precies kunnen doen? vraagt Michael.

Astrid, hij heeft tweeduizend pond gekost, dat weet je, zegt haar moeder, maar ze zegt het eerder vriendelijk vermanend dan boos, omdat Amber hier aan tafel zit en ze hun best doen om in haar ogen een indruk van perfectie te wekken, zelfs Astrids moeder.

Wanneer? vraagt Michael. Heb je het bij de politie aangegeven?

Astrid, in hemelsnaam, zegt haar moeder. Je camera.

Eigenlijk is het mijn schuld, zegt Amber terwijl ze nog een snee brood pakt. Ik vond het niet leuk dat ze er de hele tijd mee rondliep. Daarom heb ik hem van de voetgangersbrug over de autoweg gegooid.

Iedereen draait zich om en kijkt naar Amber. Er valt een stilte die maar door blijft duren, blijft duren totdat Astrid zegt:

Nee, dat heeft ze niet gedaan. Hij is er gewoon af gevallen.

O, zegt haar moeder.

Ah, zegt Michael.

Hij lag op de rand van de brug. En toen is hij gewoon…
gevallen, zegt Astrid.

O, zegt haar moeder weer. Er valt weer een stilte, met
alleen het geluid van Ambers mes en vork op het bord.

De voetgangersbrug, zegt Amber. Over de A14.

Er had van alles kunnen gebeuren, er had wel iemand bij
om het leven kunnen komen, zegt Michael. Als hij op een
voorruit terecht was gekomen of zo.

Tja, zegt Amber.

Maar dat is niet gebeurd, hè? zegt Astrids moeder snel.

Nee, zegt Astrid.

Er is niemand om het leven gekomen, zegt Amber terwijl
ze haar boterham in tweeën scheurt. In elk geval was het mijn
schuld, dus maak het haar niet moeilijk. Als je het iemand
moeilijk wilt maken, neem dan mij.

Astrids moeder dept haar mond met haar servet en kijkt
Michael aan, kijkt vervolgens op haar horloge en kijkt dan uit
het raam.

De verzekering. Ik zal het nakijken, zegt Michael, en hij
kijkt even naar haar moeder, dan naar Astrid, dan naar Amber
en dan naar niemand, naar de lege plek achter Ambers hoofd.
Hij steekt zijn hand uit naar de fles om nog wat wijn in te
schenken. Komt wel goed, zegt hij.

Haar moeder gaat door met eten alsof er niets gebeurd is.
Heel vreemd is dat. Michael gaat door met eten. Magnus
heeft de blik omlaag gericht naar zijn bord en kauwt. Aan de
zijkant van zijn hals en in zijn gezicht is hij helemaal rood,
alsof hij huiduitslag heeft. Maar niemand zegt nog iets over de
kapotte camera. De hele avond en de dag daarop zegt
niemand er meer iets over, en op de derde dag is Astrid er
eigenlijk wel zeker van dat niemand er nog aan denkt.

Dat wil zeggen is de verlengde vorm van d.w.z., of liever
gezegd d.w.z. is de afkorting van dat wil zeggen. Het is een
andere manier om d.w.z. te zeggen.

Astrid vertelt Amber het verhaal van de mobiele telefoon in de afvalbak op school waarvan het abonnement nog doorbetaald wordt zonder dat iemand daar iets van weet. Ze vertelt haar over Lorna Rose en Zelda Howe en Rebecca Callow. Ze vertelt haar dat Rebecca Callow en zij vroeger vriendinnen waren. Ze vertelt haar van de brieven van haar vader Adam Berenski aan haar moeder en dat ze die gevonden heeft onder de geboorteakten, de autoverzekering en papieren waarin staat van wie het huis is en zo, in het bureau in haar moeders werkkamer, dat ze die heeft weggenomen, dat niemand zelfs maar gemerkt had dat ze dat had gedaan, en dat ze ze nu thuis bewaart in een sok in weer een andere sok in het zakje dat dichtgeritst kan worden in de weekendtas onder haar bed. Ze vertelt Amber van de mooie dingen die erin staan, d.w.z. dat wil zeggen zo uit het hoofd *jij bent voor mij het begin van het begin. Jij hebt mij geleerd wat trouw is. Als ik een filmcamera achter mijn ogen had, zou ik alle ochtendschemeringen van mijn leven filmen en al die stukjes aan elkaar gelast aan jou geven* (gelast wil zeggen getrouwd). *Dan zou jij weten hoe het is om jou te kennen, om samen met jou wakker te worden. Jij bent een eeuwigdurende mooie zomer, een zomer die maanden achtereen voortduurt, van mei tot oktober, dag na dag na dag onafgebroken vriendelijke zonneschijn en zomerse luchten. Ik ben de hoog vliegende vogels die langs jouw hemel scheren. Door jou kan ik vliegen. Als ik naar jou kijk, voel ik dat ik de enige levende man ben die zo dicht bij de zon kan vliegen. Laat mijn vleugels niet smelten!* (dat is Icarus die de zoon is van Daedalus in de Griekse mythe).

Ze beschrijft de foto van hem in de blauwe auto waarvan het portier openstaat. Hij heeft één been uit de auto, op de grond. Hij draagt een spijkerbroek. Hij heeft donker haar. Hij is mager. Hij draagt een blauw geruit hemd, dat zie je door de voorruit. Achter de auto staan bosjes, en achter die bosjes staat een modern uitziend huis. Op de grond ligt het blad dat van een boom viel voordat de foto genomen werd.

Hij heeft zijn armen over elkaar geslagen. Je kunt zijn handen niet zien. Zijn ogen zijn ofwel dicht, ofwel hij glimlacht.

Hij gebruikte suiker in zijn thee.

De woorden komen uit Astrids mond zoals die verwarmde stenen die ze daar gebruiken waar haar moeder naartoe gaat om zich te laten masseren, van die stenen die rode plekken achterlaten op de huid van mensen nadat ze erop zijn gelegd en er vervolgens afgehaald.

Amber breekt een lange grashalm af aan de rand, steekt de grashalm in haar mond en gaat weer in het gras liggen. Met haar ogen halfgesloten tegen de zon kijkt ze langdurig op naar Astrid. Ze zegt niets.

De boomtoppen overal rondom hen bewegen even heen en weer voordat zij de windvlaag voelen die zonet de bladeren boven hen deed bewegen.

Amber is een dag weg.

Astrid loopt rond het huis en nog eens rond het huis. Ze loopt een rondje door de tuin. Ze loopt naar het dorp. Onderweg denkt ze aan de keer dat zij en Amber gingen filmen in Norwich.

Ga daar eens staan, zei Amber meteen onder de eerste camera die ze aanwees, de camera die hen op het station van Norwich opnam zodra ze uit de trein stapten. En blijf het een minuut lang opnemen. Ik bedoel blijf een volle minuut lang filmen.

Astrid gaat op de bank tegenover de dorpskerk zitten. Ze kijkt naar de straat. Ze kijkt een volle minuut lang op haar horloge, elke tik van de secondewijzer lang. In die ene minuut, die heel lang aandoet, gebeurt helemaal niets.

Een volle minuut? had ze tegen Amber gezegd. Wie zal er ooit zin hebben om langer dan vijf seconden te kijken naar een film van zo'n stomme bewakingscamera die daar nutteloos aan de muur hangt?

Amber schudt haar hoofd en kijkt naar Astrid dat wil zeggen Astrid was dom en irritant, dus Astrid knipte de camera aan, zette hem op autofocus en begon de andere camera te filmen. Hij zwenkte en keek naar haar. D.w.z. de camera's waren elkaar aan het filmen.

Het is te warm om hier in de zon te zitten. De zon is een gigantisch rood oog. Astrid staat op. Ze kijkt naar het oorlogsmonument met de verbleekte namaakbloemen in de twee kransen. Ze raakt de stenen rand aan, die zo heet is geworden door de zon dat ze hem niet lang kan aanraken. Sinds het oorlogsmonument nieuw was heeft de zon het elke zomer verwarmd.

Ze probeert de deur van de kerk. Hij is op slot. Er hangt een briefje waarop staat bij wie je moet zijn voor de sleutel. Meneer zus-en-zo die in de zijstraat bij het tweede kruispunt woont (er is een plattegrondje bij).

Kerken zijn meestal op slot. Dat voorkomt vandalisme.

Maar stel dat je een vandaal bent. Dan zou je gewoon om de sleutel kunnen vragen.

Maar dan zouden ze weten dat jij de vandaal was.

Maar stel dat je dan zei dat je de sleutel wel had maar dat je die ergens had laten vallen, bijvoorbeeld, en dat een vandaal hem gevonden moest hebben en er toen naar binnen was gegaan en vandalisme had gepleegd.

Of, stel dat degene die de sleutel in zijn bezit heeft de vandaal is en besluit om wat vandalisme te plegen en dan achteraf te verzinnen dat iemand de sleutel kwam halen en met een spuitbus op de muren is gaan spuiten of de banken kapot heeft gemaakt of wat dan ook daar in die kerk.

Het is eigenlijk niet waar dat er in die minuut die ze net heeft afgeteld helemaal niets is gebeurd. Je had de vogels en er vlogen insecten en zo rond. Kraaien of zo waarschijnlijk krasten in de warme lucht boven haar. Ze doen het nu ook. Je hebt die hoge witte plant achter de muur, beren-en-nog-wat heet hij. In die zestig seconden zal hij waarschijnlijk een beetje heen en weer hebben bewogen op de wind, en hij moet ook gegroeid zijn, maar op zo'n manier dat het voor het menselijk oog niet waarneembaar was. In de schaduw zijn overal bijen, die in en uit de bloemen schieten of op weg zijn naar hun korf, waar de werkbijen hun poten nog hebben omdat het nog zomer is, en dit alles vindt plaats in een eigen wereld die een eigen recht van bestaan heeft ook al weet iemand als Astrid er niet van of heeft ze hem nog niet ontdekt. Op een hartvormige steen naast de deur staat Gestorven 1681. Er ligt echt iemand onder die in 1681 gestorven is, d.w.z. hij of zij, wie het ook was (er staat geen naam op, alleen dit jaartal, geen maand, alleen het jaar), althans wat er van hem of haar over is, heeft daar al meer dan driehonderd jaar onder gelegen, en eens heeft hij of zij echt in dit dorp gewoond. De zon schijnt al die tijd al elke zomer op die steen, vanaf de eeuwigdurende zomers van vroeger helemaal tot aan de ecologische zorgen oproepende zomers van onze tijd. Het is Astrid tot nu toe nooit opgevallen hoe groen de dingen zijn. Zelfs de steen is groen. Het hout van de afgesloten kerkdeur is bruingroen, er ligt een soort groene glans op, alleen al doordat hij daar weer en wind heeft getrotseerd. Het is een heldere kleur. Als ze een camera had, zou ze gewoon die kleur een volle minuut lang hebben gefilmd zodat ze later zou hebben kunnen zien hoe hij er echt uitzag, die kleur.

Ze gaat in de schaduw bij de deur zitten en kijkt intens naar de groenheid van het groen. Als ze maar intens genoeg kijkt, zal ze iets te weten komen of iets begrijpen van de groenheid van het groen.

Maar als je denkt aan alle mensen die in de oorlogen van de vorige eeuw zijn doodgegaan en degene die daar onder die hartvormige steen ligt, denk je nou over hen hetzelfde als je denkt over die jongen die langs de bibliotheek van Peckham rende of dat meisje dat ze vorig jaar dood in een bos hebben gevonden? Of aan mensen nu op dit moment, op plekken in de wereld waar ze niet genoeg te eten hebben zodat ze op dit moment doodgaan, terwijl Astrid hier over een kleur zit na te denken? Of aan dieren in landen waar te weinig eten of regen is zodat ze doodgaan. Of aan mensen die in die oorlog betrokken zijn die nu aan de gang schijnt te zijn, hoewel daar niet veel mensen in doodgegaan schijnen te zijn, niet zo veel als in een echte oorlog.

Gestorven 2003.

Astrid probeert zich iemand voor te stellen, een kind bijvoorbeeld, of iemand van Astrids eigen leeftijd, die in de stoffig uitziende plekken op de tv stervende is door een bom of iets dergelijks. Ze stelt zich Rebecca Callow voor op een ziekenhuisbed ergens waar ze zo te zien geen apparatuur hebben. Het is moeilijk voorstelbaar. En op school hebben de leraren het altijd over het milieu en alle soorten die aan het uitsterven zijn en zo. Het gebeurt altijd en overal, het is heel ernstig, dieren met ribbenkasten en kinderen in ziekenhuizen op het nieuws met mensen die ergens staan te schreeuwen vanwege een zelfmoordaanslag of Amerikaanse soldaten die doodgeschoten zijn of zo, maar het is moeilijk om te weten hoe je ervoor kunt zorgen dat het er in je gedachten iets toe doet, hoe je het belangrijker maakt dan denken over de kleur groen. Het Curry Palace belangrijker maken dát was makkelijk, want d.w.z. dat staat hier, daar staan ze vlak voor. Maar toen zij en Amber erheen gingen en het aan de Indiër vroegen, schudde hij zijn hoofd en zei hij dat de haantjes uit de buurt gewoon wat lol hadden getrapt en dat het helemaal geen vandalisme was en zeker niet racistisch en dat er beslist niets was wat hij gefilmd wilde hebben, en toen vroeg hij hun om weg te gaan. De hele tijd stond hij over zijn schouder te kijken naar de jongens die hem van voor de patatzaak tegenover Curry Palace in de gaten hielden. Toen Amber naar hen keek, zei ze dat ze dacht dat dit de haantjes uit de buurt waren. De Indiër ging Curry Palace weer in. Vanuit de patatzaak kwam een man naar buiten die achter de jongens ging staan en naar haar en Amber keek.

Zal ik de parkeerplaats filmen? vroeg Astrid.

Nee. Film hen maar, zei Amber terwijl ze naar de mensen keek die aan de overkant van de straat met de armen over elkaar stonden.

Toen Astrid begon te filmen, maakte een van de jongens aanstalten om de straat over te steken, waarschijnlijk om haar te laten ophouden. Amber kwam pal achter Astrid staan en legde haar handen op haar schouders, maar de man riep hem terug en de jongens gingen de patatzaak in en deden de deur dicht.

Gestorven 1681. Astrid legt haar hand op het warme hart met het woord en het getal erin uitgehouwen.

We zijn die opnamen kwijtgeraakt toen de camera kapotging, zei ze op een avond fluisterend tegen Amber, zodat niet iemand het zou horen en weer aan de camera zou denken.

Welke opnamen? vroeg Amber.

De opnamen van die haantjes uit de buurt, fluisterde Astrid. Amber haalde haar schouders op.

Wilde je die weer zien? vroeg ze. Ik niet. Lelijke ettertjes.

Was dat niet ergens een bewijs van? vroeg Astrid.

Waarvan zou het een bewijs hebben moeten zijn? vroeg Amber.

Het bewijst dat wij daar geweest zijn, zei Astrid.

Maar wij weten toch dat we er waren, zei Amber.

Het bewees dat wij hen gezien hebben, zei Astrid.

Maar zij weten dat wij hen gezien hebben, zei Amber. En wij weten dat wij hen gezien hebben.

Het bewees dat we het echt gezien hebben, zei Astrid.

Aan wie? vroeg Amber, en ze klopte met haar hand op Astrids hoofd. Klop, klop, deed de hand.

Is daar iemand? vroeg Amber.

Amber is echt heel goed wat vragen en de antwoorden daarop betreft. Die dag in Norwich, toen Astrid de beveiligingscamera in het station voor de volle zestig seconden op de secondeteller van de camera filmde, had ze even opgekeken van de zoeker en gezien dat achter Amber, verderop op het perron, een man in een overhemd met korte mouwen en een stropdas uit een deur was gekomen en naar hen bleef kijken.

Hij keek ook naar hen toen ze de volgende camera, tegenover het station bij de boekwinkel van WH Smith filmden. Halverwege de derde opname, toen Astrid de camera in de hal van het station filmde, kwam hij vlak naast hen staan.

Ik moet u verzoeken daarmee op te houden, zei hij tegen Amber.

Waarmee? vroeg Amber.

Met filmen, zei de man.

Waarom? vroeg Amber.

Het is niet toegestaan onderdelen van ons beveiligingssysteem op te nemen, zei de man.

Waarom niet? vroeg Amber.

Om redenen die te maken hebben met de openbare orde en veiligheid, zei de man.

Waarom vraagt u het aan mij? vroeg Amber.

Ik vraag u om op te houden met filmen, zei de man.

Niet wat, zei Amber, ik vroeg waarom. Waarom vraagt u dit aan mij? Ik ben helemaal niet aan het filmen.

Hij sloeg zijn armen over elkaar en haalde ze weer van elkaar. Hij zette zijn handen op zijn heupen d.w.z. hij werd echt woedend.

Zou u zo vriendelijk willen zijn uw kleine meid te vragen om op te houden met filmen? zei hij.

Hij bleef maar naar de camera boven hen kijken, alsof hij wist dat ze werden opgenomen.

Ze is geen kleine meid, zei Amber. En ze is niet van mij.

Het is voor mijn buurtonderzoek en archief, zegt Astrid.

De man keek Astrid stomverbaasd aan, alsof hij niet kon geloven dat iemand die twaalf was kon praten, laat staan reden zou hebben om überhaupt iets hardop te zeggen.

Het is voor een schoolproject over beveiligingssystemen op stations, zei ze.

Amber glimlachte naar de man.

Ik ben bang dat u voor zoiets schriftelijke toestemming moet hebben van de eigenaren van elk station, denk ik, zei de man tegen Amber, Astrid negerend.

Bent u daar bang voor of denkt u het? vroeg Amber.

Wat? zei de man.

Hij keek verbijsterd.

Bent u bang of denkt u het? vroeg Amber.

De man wierp weer een blik op de camera en veegde met de rug van zijn hand over zijn nek.

En bent u door een aangeboren afwijking niet in staat om tegen haar te praten, zodat u voor alles mij moet aanspreken, alsof ik uw secretaresse ben of een speciale gebarentolk voor haar, alsof ze stom is of doof? vroeg Amber. Ze kan praten. Ze kan alles verstaan.

Hè? zei de man. Kijk, zei hij.

We kijken toch, zei Amber.

Luister, zei de man.

Wat wilt u nou eigenlijk? vroeg Amber.

U mag hier niet filmen, zei de man. Klaar.

Hij sloeg zijn armen over elkaar en bleef zo staan. Amber keek strak terug naar de man. Ze deed een stap naar voren. De man deed twee stappen achteruit. Amber begon te lachen.

Toen stak ze haar arm door die van Astrid, en samen liepen ze de hal uit, het stukje centrum van Norwich in.

Zag je dat die man echt zweette onder zijn armen? zei Astrid toen ze het zonlicht voor het station in liepen.

Ja, nou. Verbaast me niks. Knap warm vandaag, zei Amber terwijl ze haar arm losmaakte en in de richting van de brug beende.

Astrid loopt in de zinderende hitte vanuit het dorp weer terug naar huis. Onder het lopen zwaait ze haar armen iets van zich af heen en weer. Zo loopt Amber, met haar armen iets van zich af heen en weer zwaaiend, alsof ze precies weet waar ze heen gaat, dat het heel ver weg is en je misschien niet weet waar je op afgaat, maar dat het het waard is, dat het echt fantastisch zal zijn als je daar aankomt.

Het is een erg lange dag geweest als Amber terugkeert van waar ze die dag ook geweest mag zijn.

O ja, zegt ze terwijl Astrid die avond na het eten de tafel afruimt. Terwijl ik weg was, heb ik iets voor je uitgezocht.

Wat dan? zegt Astrid.

Dat zul je wel zien, zegt Amber.

In de warmste nacht tot nu toe ligt Astrid in bed in die verschrikkelijke kamer. Vanavond werd in het nieuws gezegd dat dit de warmste dag was sinds ze begonnen waren de temperatuur bij te houden. Alles in de kamer ruikt muf en warm. Het is vlak voordat ze gaat slapen.

Ze ziet in gedachten Amber in haar eentje in de trein naar Liverpool Street zitten, met het landschap dat zo snel aan haar voorbijschiet, waarna de trein het station binnenrijdt, Amber stapt uit de trein en gaat het tourniquetje door, steekt de stationshal over, gaat de trap en de roltrap af, stapt in de metro, rijdt daar een tijdje in, stapt uit en loopt verder van het station langs de delicatessenzaak en de winkels, gaat het park door en loopt de weg af helemaal tot aan Davis Road, tot aan de kruising, steekt die over tot voor de deur van het huis van de moeder van Lorna Rose. Maar stel dat Lorna Rose niet thuis was. Stel dat ze bij haar vader was. Amber klopt op de deur, maar er wordt niet opengedaan. Nou. Dan gaat ze maar naar het huis van Zelda Howe, ze belt aan en er wordt opengedaan door iemand, door Zelda Howe zelf, en dan geeft Amber haar een harde klap in het gezicht.

Een verrassing, zegt Amber.

Dan gaat Amber misschien naar het huis van Rebecca Callow en klopt daar aan, waarna een vrouw opendoet, waarschijnlijk hun au pair, en Amber zegt dat ze Rebecca's lerares is op school en over iets wil praten, zodat de au pair haar binnenlaat en door het huis leidt naar de grote achtertuin, waar Rebecca in de witte schommelstoel zit die ze in de tuin hebben staan, terwijl een ander meisje in de tuin, op het gazon, een handstand doet en niet ziet dat Amber eraan komt, waarna het eerste wat Amber doet is haar bij haar benen pakken alsof ze haar wil helpen overeind te blijven staan en het meisje vraagt wie ben je? Amber zegt dan tegen haar ben jij Lorna? Het meisje zegt ja waarop Amber zegt geloof mij maar ik ben de ergste nachtmerrie die je kan overkomen welkom in de hel en ze geeft haar een duw zodat ze omvalt. Dan gaat ze naar Rebecca die met open mond zit toe te kijken en ze pakt de schommelstoel aan beide kanten vast en duwt hem hard achterover zodat Rebecca eruit valt, op het gras. Terwijl Rebecca naar binnen rent pakt ze Lorna's mobiele telefoon uit Lorna's hand – ze zit versuft op het grasveld en probeert iemand te bellen – en zegt let nu heel goed op waarna ze hem op het pad legt en er hard op stampt zodat hij in stukken breekt. Volgende keer zal ik dat met je hand doen, zegt ze tegen Lorna Rose. Dan loopt ze het huis door, waar Rebecca Callow in de keuken huilend en in een echte paniektoestand met iemand zit te bellen. De au pair zit in de gang met een andere telefoon te bellen en Amber trekt een keer goed hard aan Rebecca's haar en vraagt hoe vind je dit nou, om zo behandeld te worden? De au pair zit intussen in de gang in het Kroatisch of wat voor taal het ook is te roepen en Amber loopt met een grote boog om haar heen, gaat de voordeur uit en slaat die met een klap achter zich dicht.

Dan gaat Amber naar een onderzoeksinstelling waar je erachter kunt komen waar mensen zijn als andere mensen dat willen weten. Ze zegt tegen de dame achter de balie: ik wil weten waar die en die is, en dan vult ze zijn naam in op het formulier.

De dame achter de balie knikt. Dat hoeft niet lang te duren, zegt ze, want dit is een heel ongebruikelijke naam. Mag ik vragen of u naaste familie bent?

Nee, zegt Amber, maar ik treed op namens iemand die naaste familie is en die wil weten waar hij is zodat ze op legale wijze contact met hem kan opnemen.

Dan schuift Amber de dame over de balie tweehonderd pond in keurig opgevouwen bankbiljetten toe, net als in een film of in een toneelstuk.

Het is een familiekwestie, zegt Amber.

De dame kijkt goed om zich heen of niemand dit heeft zien gebeuren.

Zeker mevrouw. Het is zo gebeurd, zegt de dame.

Ze verdwijnt naar achteren waar de computers staan waarin alle bijzonderheden van iedereen zijn opgeslagen, zoals waar ter wereld ze zich bevinden en wat ze daar doen.

Astrid droomt van een paard in een wei. Al het gras in de wei is dood, helemaal vergeeld, en van het paard zijn de ribben te zien. Achter het paard brandt een olieput of een stapel paarden of auto's. De lucht is vol zwarte rook. Een vogel die bijna niet meer bestaat vliegt aan haar voorbij. Ze ziet het glinsterend zwart van zijn oog terwijl hij voorbijschiet. Het is een van de laatste zestig exemplaren van zijn soort ter wereld. Over de hele wei liggen op het gele gras mensen aan Astrids voeten. Hun armen en hoofden zitten in het verband; sommigen hebben een infuus in. Een klein kind steekt zijn hand naar haar uit en zegt iets wat ze niet kan verstaan. Astrid kijkt naar haar eigen hand. Ze houdt er geen camera in.

Ze slaapt al bijna in deze verstikkende recordhitte als ze de deur aan de andere kant van de gang open en dicht hoort gaan, waarna ze haar eigen deur open hoort gaan, iemand haar kamer hoort binnenkomen en de deur weer dicht hoort gaan.

Ze doet alsof ze slaapt. Er staat daar iemand in het donker, iemand die niet beweegt zodat je het niet zeker weet, maar de kamer is vervuld van een ander soort stilte, dat is zeker.

Astrid kent de geur, schoon, als de geur van schoon leer en een beetje die van sinaasappels, schone huid, talkpoeder, hout misschien, potloodslijpsel, een potlood dat net geslepen is, zo ruikt ze.

Ze blijft lang voor het bed staan voordat ze beweegt. Het bed verschuift iets als ze erin stapt. Astrid houdt haar ogen dicht. Ze schuift dichter naar haar toe, komt tegen Astrids rug aan liggen. Ze blaast warme adem in Astrids haar, zo haar hoofd in. Ze slaat haar armen om haar heen, een om Astrids middel en de andere over haar schouder naar haar voorkant, en ze blaast nog steeds warme adem achter in Astrids nek.

Astrid voelt haar eigen botten onder de warme adem, dun en schoon zijn ze als aanmaakhoutjes voor een echt vuur. Ze denkt dat haar hart misschien wel uit haar borst zal losbranden dat wil zeggen het geluk midden onder het avondeten terwijl iedereen luistert zegt ze: *als je het iemand moeilijk wilt maken, neem dan mij.*

Dan geeft ze hem een knipoog, zomaar, direct, waar zijn moeder bij zit, waar Michael bij zit, die er geen benul van hebben. Moeilijk maken! Maak het mij moeilijk! Dan knipoogt zomaar tegen hem. Magnus voelt zijn roder wordende lul dikker worden tegen de stof van zijn spijkerbroek, zijn hart is een heet gat in zijn borst, zijn hoofd staat in brand, zijn gezicht, een brandend gevoel helemaal tot in zijn nek.

Magnus, zegt zijn moeder een tel later. Je bent flink verbrand vandaag.

Ja, ja, zegt Magnus. Hij hoort zichzelf mompelen. Hij klinkt als een stom kind. Te lang in de zon geweest, zegt hij.

Ha! zegt Michael alsof Magnus iets slims heeft gezegd. Zijn moeder zegt dat hij morgen mooi bruin zal zijn. Astrid zegt niets, houdt zich stil om niet de aandacht op zichzelf te vestigen. Magnus kent die tactiek, die heeft ze van hem geleerd. Kijk hen nou eens zitten. Ze weten van niets. Daarnet waren ze aan het ruziën over iets zinloos, dat Astrid een camera kwijt was geraakt die veel geld had gekost. Maar Amber heeft haar gedekt. Zo is Amber.

Amber = ongelooflijk.

Hij kan Amber niet aankijken, of anders zal hij een nog ergere kleur krijgen.

Dan kijkt hij maar naar zijn moeder, die Amber weer vertelt hoe het was toen zij een meisje was. Zijn moeder is de hele avond al aan het kwetteren als een van die vogeltjes die ze in landen aan de Middellandse Zee in een kooi voor het raam houden, van die zangvogels die beginnen te zingen als de zon aan het einde van de middag of vroeg in de avond op hun kooi begint te vallen. *We zongen 'I Love To Go A-Wandering', we zongen 'Had a little fight with my mother-in-law, Pushed her into the Arkansaw, Little old lady, she could swim, Climbed right out to push me in'. Wij meisjes van onze generatie kenden eigenlijk twee soorten liedjes. Het ene moment zongen we calypso-kerstliedjes, het volgende ging het over nimfen en herders of over Flora's vakantie, ik stelde me echt iemand voor die Flora heette en die haar koffer pakte om op vakantie te gaan toen we 'This is Flora's ho-li-day' zongen.*

Ha! zegt Michael weer, alsof alles één grote grap voor ingewijden is. Amber leunt op haar elleboog op tafel. Ze gaapt zonder een hand voor haar mond te houden. Zijn moeder = een vogeltje zo verblind door het zonlicht dat het vergeet dat het nog in een kooi zit.

Bij deze gedachte voelt Magnus iets. Het gevoel is te vergelijken met een soort medelijden. Hij voelt het ook, al weet hij niet waarom, voor Michael, die voorovergebogen op zijn stoel zit en heel voorzichtig de blaadjes van het bloempje in de salade trekt. Hij voelt het voor Astrid, die naast hem zit. Maar zij is helemaal niet verloren – zij is heel aanwezig. Met haar is niets mis. Maar het voelt alsof er iets verloren is. Hij kan het niet verklaren.

Hij stopt een stuk brood in zijn mond. Hij wilde wel dat hij een steen of zo in zijn mond kon stoppen, iets wat niet zomaar oplost, wat niet verandert in de spijsverteringssappen die mensen hebben en waarin alles vergaat, iets waarop hij zich zou kunnen concentreren zonder dat het verandert. Maar steen = club van stenenverzamelaars = door het medelijden voelt hij zich klein worden, het torent boven hem uit, zo groot als wat? als een vuurtoren op een rots waar een verblindend licht uit komt dat alle aanwezigen aan tafel beschijnt. Magnus moet wegkijken van wat hierdoor aan het licht wordt gebracht.

Zijn moeder = gebroken. De manier waarop ze zegt wat ze zegt heeft iets gebrokens, de manier waarop ze aan tafel zo enthousiast vooroverleunt en zegt *het is zo'n heerlijke avond, het is zo'n heerlijke dag geweest, het is zo'n heerlijke maaltijd.*
Michael = wat? Zijn bril staat scheef. Zijn lichaam is vreemd geknakt. Hij ziet er gedateerd uit. Hij ziet eruit als een Airfix-model in elkaar gezet door een jongen die zich niet goed concentreerde, zodat één vleugel er een beetje scheef aan is geplakt, een van de wielen er anders aan vastzit dan de andere, en met doffe bubbels overvloedige tiensecondelijm op de raarste plekken.

Magnus kijkt naar Astrid.

Zij kijkt terug naar hem, recht in zijn ogen.

Wat is er? zegt ze.

Astrid is nog niet helemaal gebroken. Maar als een raam een steen naar zichzelf kon gooien om te kijken wat er gebeurt, dan zal zij zichzelf breken, denkt Magnus, dan zal zij uitproberen hoe scherp ze is door zichzelf te bewerken met haar eigen scherven. Iedereen hier aan tafel is in stukken gebroken die niet meer aan elkaar passen, stukken die niets van doen hebben met elkaar, alsof ze afkomstig zijn uit verschillende legpuzzels, allemaal bij elkaar gegooid in één doos door een medewerker in een winkel van een liefdadigheidsinstelling of waar oude legpuzzels dan ook heen gaan als hun einde nadert. Alleen gaan legpuzzels niet dood.

Magnus' maag begint echt pijn te doen.

Wat is er? vraagt Astrid nog steeds, en ze trekt een gezicht naar hem. Wat is er? wat is er? wat is er? wat is er? wat is er? wat is er? wat is er? wat is er? wat is er? wat is er? wat is er? wat is er? wat is er?

Astrid, zegt Eve.

Wat is er? zegt Astrid.

Amber lacht. Eve lacht ook. Hou op, zegt ze.

Waarmee moet ik ophouden? vraagt Astrid.

Iedereen lacht behalve Astrid.

Ik deed eigenlijk niks, als het iemand wat kan schelen, zegt Astrid. Híj keek mij aan raar.

Keek mij raar aan, Astrid, zegt Eve.

Hoezo? zegt Astrid.

Keek mij raar aan, zegt Eve.

Dat doe ík niet, zegt Astrid. Híj was degene die naar míj keek.

Nee, niet *mij*, ik bedoel de manier waarop je het zei, zegt Eve. Je zei: keek mij aan raar. Je had moeten zeggen: keek mij raar aan. Vraag maar aan Michael.

Amber legt haar handpalm op Astrids hoofd en haalt hem weer weg. Astrid laat zich achteroverzakken op haar stoel, rolt even met haar ogen en zucht. Amber maakt alles goed. Als Amber ook een stuk van een legpuzzel is, denkt Magnus, dan bestaat ze uit een aantal stukjes blauwe hemel die nog aan elkaar zitten. Misschien is zij de hele resterende aan elkaar zittende hemel.

Idioom, zegt Michael ineens, als iemand die gek is, opkijkend van de bloem op zijn vingertop. Hij haalt zijn schouders op. Zolder, zegt hij. Weer haalt hij zijn schouders op. Amber kijkt met een scheef glimlachje over tafel naar Magnus, waardoor hij niet kan denken aan haar opengebroken mond boven hem, naast zijn ogen, en dan zijn eigen mond, ook open, totaal verbluft door wat de rest van zijn lichaam daar beneden doet, heet en helemaal in haar.

Je bent erg stil, heilige. Waar denk je aan? zegt Amber over tafel. (Waar iedereen bij is.)

Ik denk aan niks, zegt Magnus.

Wat dacht je daar dan over? vraagt Amber.

Waarover? vraagt Magnus.

Over niks, zegt Amber.

Iedereen lacht.

Nee, zegt Magnus. Ik dacht aan, eh... een vuurtoren. Stel bijvoorbeeld. Ik probeerde te bedenken hoe je de inhoud daarvan in kubieke meters kunt vaststellen, dat zou heel moeilijk zijn vanwege de veranderende afmetingen naarmate je daarin verder, eh... verder naar boven gaat.

Magnus heeft nu echt een rode kleur gekregen, zegt Astrid.

God, ja, lieverd, zegt zijn moeder hoofdschuddend. Brandt het? Ren jij eens naar boven, Astrid, en haal de zonnebrandzalf. Die ligt in mijn toilettas.

Nee, zegt Magnus. Ik heb nergens last van.

Volgens mij moet je die vanavond beslist opdoen, zegt Eve.

Niet nodig, zegt Magnus.

Het ziet eruit alsof het flink pijn doet, zegt ze. Had je je niet ingesmeerd?

Amber kijkt Magnus recht in zijn gezicht en trekt haar wenkbrauwen op. Ze begint hard te lachen. Magnus kan niet *niet* lachen. Hij lacht ook. Waar iedereen bij is, er is nog niemand die het snapt, niemand die het weet, niemand heeft zelfs maar het flauwste vermoeden. Toch lachen ze allemaal mee, al weten ze van niks. Ze lachen als een gezin waarin ze allemaal samen om iets lachen.

Amber = wat?

De stelling van Jordan. Elke enkelvoudig gesloten kromme heeft inwendige zowel als uitwendige gebieden. Ambers blote borsten hangen boven zijn hoofd naar beneden als twee volmaakte Gausscurven. Ze is een torus. In haar is gekromde ruimte. Het is laat in de middag. Hij kwam zijn kamer uit. Amber stond op de overloop boven te fluiten en naar het plafond te kijken als een soort huizendeskundige uit een televisieprogramma.

Wacht hier, zei ze. Niet weggaan.

Ze haalde een tak uit de tuin om het luik van de vliering te openen. Ze gaf hem een voetje om naar de vliering te klimmen. Zij klom op de balustrade om er na hem op te klimmen. Hij boog zich door het luik naar buiten en hielp haar naar boven. De vloer bestaat uit kale, niet gebeitste planken. Er is een klein bovenlicht, zwart van oud stof. Er staan een hoop spullen in dozen, heel stoffig. Het is er nog warmer dan in de rest van het huis. Amber veegde haar handen af aan haar shorts, knielde even neer en keek hem recht in zijn gezicht. Wat dacht je hiervan? zei ze. Hij wist niet wat ze bedoelde. Hij wist niet wat er van hem verwacht werd dat hij zou zeggen. Terwijl hij iets probeerde te bedenken om te zeggen, glipte zij door het luik weer weg.

Hij voelde teleurstelling in zich opwellen. Haar weggaan voelde alsof hij iets verkeerds had gedaan. Maar ze kwam meteen weer terug naar het luik met een soort dekenovertrek of zo uit een van de slaapkamers.

Ze had een behoorlijke conditie voor iemand die al zo oud was. Ze balanceerde weer op de balustrade, reikte naar zijn uitgestoken hand. Ze zette zich met blote voeten af tegen de muur. Met haar voet duwde ze het luik op zijn plaats. Ze strekte zich uit. Ze keek om zich heen met zijn hand nog in de hare.

Dit kan best, zei ze.

Donker, zei hij.

Ze liet zijn hand los. Maar toen deed ze haar T-shirt uit. De punten van haar borsten waren wit om de tepels. Ze deed haar shorts uit. Evenwijdigheidspostulaat. De x is niet te berekenen. Weer nam ze zijn hand. Ze legde hem op haar dij, toen verder naar boven op haar dij. Contactpunt. Ze maakte zijn riem los. Hij sprong eruit, vormde een parabolische kromme (ruwweg $y = x$ kwadraat). Ze kneep erin. Hij schoot overeind.

Kom hier maar liggen, zei ze toen.

Menigvuldig = samengesteld

Samengesteld = bestaande uit delen die samen het geheel vormen

Oneindigheid = nooit ophoudend

Een herhaling van gebeurtenissen met regelmatige tussenpozen, weer, weer, weer = periodiek.

Snijpunt. Ze zorgde ervoor dat hij op zijn rug ging liggen, zij loodrecht daarop. Ze ging op hem zitten.

De lijn van Ambers ogen naar de zijne had op één bepaald moment de fraaiste hellingshoek die maar denkbaar was.

In haar gaan was als een bokshandschoen ingaan of een kamer vol kussens of vleugels. Magnus explodeerde in ontelbaar veel witte veertjes.

De geur van de hete zomerzolder, de geur van hen beiden, plakkerig van wonderbaarlijk zweet. Hoe ze na afloop tegen hem aanleunt, tegen zijn oor lacht. Hoe haar hele lichaam leunt als ze loopt, als ze praat, als ze zit en helemaal niets zegt, tijdens het avondeten over tafel naar hem glimlacht terwijl niemand anders het weet. Haar wonderbaarlijke verborgen krommen.

Amber = een engel.

Ze doen het nog drie keer met elkaar op de vliering. Als er te veel mensen in huis zijn, doen ze twee keer een vluggertje (best pijnlijk) in de tuin, achter de dikke heg. Eén keer komt Amber als iedereen al naar bed is naar Magnus' kamer. Dit is een van de beste keren.

Het is ongelooflijk.

Dat het zo nat is en een beetje schokkend. Magnus had geen idee dat het zo was. Hoe vaak hij het ook ziet, hij is ook altijd een beetje geschokt dat Amber haar heeft daarbeneden. Het is gewoon nooit bij hem opgekomen dat vrouwen dat zouden hebben. Het is natuurlijk wel logisch als je erover nadenkt. Natuurlijk hebben ze het. Waarschijnlijk halen ze het weg met haarverwijderende producten voordat ze on-line gaan of foto's of films van zichzelf laten maken. Of misschien hebben sommige vrouwen het gewoon wel en andere niet, net als bij jongens of mannen. Misschien hebben oudere vrouwen het. Hij kijkt naar zijn moeder terwijl ze de tuin door loopt. Hij vraagt zich af of zij het weghaalt of dat ze het niet heeft of dat ze veel heeft. Hij vraagt zich af hoeveel vierkante centimeter. Dan moet hij vaak met zijn ogen knipperen, hij kan nauwelijks meer logisch denken.

Ik ga met de heilige Magnus een ommetje maken naar het dorp, zegt Amber tegen Eve. We blijven ongeveer een uur weg, dan heb ik genoeg tijd om hem seksueel tot een hoogtepunt te brengen en hem weer veilig thuis te brengen, is dat goed?

Magnus voelt alle kleur van zijn gezicht verdwijnen. Als hij weer kan horen, hoort hij Eve en ook Astrid lachen alsof ze denken dat het een geweldige grap is.

We zullen het niet al te veel in het openbaar doen, hoort hij Amber zeggen. We zullen de brave burgers van het dorp deze keer niet de stuipen op het lijf jagen, hè?

Mmphgm, zegt Magnus, die naar de grond kijkt.

Mag ik mee? vraagt Astrid.

Nee, zegt Amber. Maar als je je vandaag netjes gedraagt, mag je morgen mee uit stelen gaan.

Prettige wandeling, zegt Eve zonder op te kijken als ze vertrekken. Ga niet te ver.

Amber = een genie, denkt Magnus. Amber = een genie in het kwadraat om te bedenken dat ze op zoek zullen gaan naar een man die de sleutel van de kerk midden in het dorp heeft. De volgende keer dat ze naar Londen gaat zal ze de sleutel laten namaken. Dat maakt haar tot een genie tot de derde macht.

Ze gaan er de meeste dagen daarna ook naartoe. Ze worden geen enkele keer gestoord.

Waarom draag je altijd dat stilstaande horloge, vraagt hij op een middag in de kerk aan Amber. Amber, tussen zijn benen op de vloer neergeknield, heeft hem in haar mond gehad en hem weer buiten zichzelf weten te brengen. Terwijl ze het deed, zag hij in een flits haar arm met het horloge erom dat altijd zeven uur aanwijst, hoe laat het in werkelijkheid ook is. Het is nu bijvoorbeeld vijf uur.

Amber leunt achterover tegen de bank, veegt haar haren uit haar gezicht naar achteren.

Ik moet de tijd in de gaten houden, zegt ze.

Ja, maar het is altijd de verkeerde tijd, zegt Magnus.

Dat denk jij, zegt Amber.

Dan steekt ze haar hand met het horloge erom naar beneden. Door wat ze dan doet, verliest hij alle tijdsbesef.

Tijd betekent niets op zo'n moment.

Naderhand gaan ze op het dorpsplein zitten, op de dorpsbank. Er gaan mensen voorbij. Amber zegt iedereen gedag. Zij zeggen haar ook allemaal gedag, alsof ze haar kennen. Ze glimlachen allemaal. De dorpsmensen. Magnus zegt niet tegen Amber dat zij hen zo noemen. Eve laat zich om de een of andere reden nooit afkeurend uit over het dorp in de aanwezigheid van Amber, en Michael ook niet.

Kijk hoe lang hun schaduwen zijn, zegt Amber als twee fietsers passeren. Ze zwaaien naar de fietsers. Zij zwaaien terug. Magnus kijkt hoe op het wegdek de twee schaduwen onder een vreemde hoek met hun armen zwaaien.

Mensen zijn maar schaduwen, zegt hij.

Je neukt niet met een schaduw, hoor, zegt Amber. Of als dat wel het geval is, dan vindt deze schaduw het opperbest, al ben ik kennelijk niet meer dan dat, een schaduw.

Het kwelt hem dat hij haar misschien beledigd heeft. Maar zo te zien is ze in de verste verte niet beledigd. Zoals gewoonlijk heeft Amber een wonderbaarlijk andere kijk op de dingen. Dit geeft hem even moed.

Het wordt iedere keer donker als het licht is, zegt hij. Ik bedoel, als het niet donker zou moeten worden.

Is dat zo? zegt Amber.

Ze denkt erover na.

Nawerking van het oog, zegt ze. Je hebt vast iets gezien dat zo donker was dat het nog op je netvlies nawerkt ook al kijk je er niet meer direct naar.

Maar hoe dan? zegt Magnus.

Precies hetzelfde als wanneer je naar iets hebt gekeken dat erg licht was. God, wat ben jij dom voor iemand die doorgaat voor zo slim.

Magnus gaat rechtop zitten. (Situatie = mogelijk licht zowel als mogelijk donker.) Er gaat een oude vrouw voorbij.

Hoe is het vandaag met u? vraagt Amber. Warm, hè?

O, het is een warme zomer, zeg dat wel, zegt de oude vrouw. De rabarber is dood. De prei is dood. De geraniums zijn dood. Het hele gazon is dood. Dat komt allemaal door de hitte. Jij bent een goed meisje, hè? Altijd naar de kerk, dag na dag, en hij ook, hij is altijd bij je. Dat doet een mens goed, om dat te zien.

O, maar dat komt niet door mij. Dat ik erheen ga, komt door hem, zegt Amber. Hij is een heilige, weet u.

Je bent een goede jongen, jij, zegt de oude vrouw tegen Magnus. Er zijn niet veel jongens die in de vakantie in hun eigen tijd elke dag naar de kerk gaan. Jij wordt later vast een goede echtgenoot.

Waar is úw man eigenlijk vandaag? vraagt Amber.

O ja, mijn man, die is dood, meid, zegt de oude vrouw. Ik had er een, zesenvijftig jaar heb ik hem gehad. Hij was een beste man, hoor, toen hij nog leefde, maar nu is hij dood.

Amber wacht totdat de oude vrouw een flink eind is doorgelopen voordat ze zich tot Magnus wendt.

Het komt allemaal door de hitte, zegt ze in zijn oor.

Amber = een engel, alleen misschien niet op de manier zoals Magnus eerst dacht, toen hij haar helemaal verlicht zag in de badkamer, toen hij op de rand van het bad stond.

Ze had hem opgevangen toen hij zich liet zakken. Ze had hem gekalmeerd. Ze had hem op de rand van het bad laten plaatsnemen. Ze had omhooggekeken naar de mouw van het hemd dat boven hun hoofd om de balk was gebonden. Toen had ze haar shorts losgeknoopt en was ze op de toiletpot gaan zitten. Om te urineren. Urineren engelen? Het maakte veel lawaai. Hij had weggekeken, zijn ogen dichtgedaan. Toen hij ze weer opendeed, was ze haar broek aan het dichtknopen.

Je bent heel beleefd, zei ze.

Ze drukte op de doorspoelknop.

Je zou best een bad kunnen gebruiken, weet je, zei ze.

Ze draaide de kranen open. Het water kwam uit de douchekop.

Sta eens op, zei ze.

Ze maakte de knoop van zijn spijkerbroek los.

Waar heb jij gezeten? vroeg ze. In de rivier?

Ze wist alles. Hij draaide zijn rug naar haar toe. Hij stroopte zijn natte spijkerbroek van zijn benen. Toen die op de vloer lag, stapte hij eruit. Toen hij in het bad ging zitten, deed hij dat met zijn rug naar haar toe. Ze pakte de douchekop en stak die omlaag. Ze douchte hem. Toen zeepte ze zijn rug in en vervolgens zijn borst en zijn hals, waarna ze haar hand naar beneden deed en onder hem stak, ze zeepte zijn ballen in en zijn lul en eromheen. Hij schaamde zich toen ze dat deed.

Ze stelde de kranen bij, douchte de zeep van hem af met warmer water. Toen zeepte ze zijn haar in en spoelde de zeep eraf. Ze draaide de kranen dicht. Hij stond op. Hij stond te rillen. Ze hield een handdoek op. Terwijl hij zich met zijn rug naar haar toe afdroogde, ging zij op de rand van het bad staan, stak haar handen omhoog en maakte het hemd los van de balk. Ze sprong eraf. Ze was heel lichtvoetig. Ze bracht het overhemd naar haar neus, wrong het in haar handen en vouwde het in de spijkerbroek tot een vochtige bundel die ze in zijn armen stopte.

Misschien maar wat schonere kleren, zei ze.

Ze zat op de bovenste traptrede op hem te wachten toen hij de deur van zijn kamer weer uit kwam, schoon nu, met schone kleren aan, om te kijken of ze er nog was of dat hij, zoals hij eigenlijk verwachtte, haar alleen verzonnen had.

Op de televisie is steeds het nieuws over de dode zonen van Saddam. De Amerikanen hebben hen een paar dagen geleden bij een schietpartij gedood. Op de tv worden weer foto's van hen getoond, foto's die vlak na het doodschieten zijn gemaakt. Dan laten ze foto's zien die de Amerikanen genomen hebben nadat ze hen geschoren hadden om ze er meer uit te laten zien zoals ze eruit horen te zien, zoals ze eruitzagen toen ze nog herkenbaar waren. De foto's die daarna waren genomen bewijzen duidelijk dat het de zonen waren.

Dit is een keerpunt, zegt de tv. Hierdoor is de ruggengraat van de oorlog gebroken en is het nog maar een kwestie van weken voordat hij voorbij zal zijn.

Magnus kijkt naar de foto's van de dode gezichten op het scherm. Het waren tirannen = allerlei martelingen, verkrachtingen, systematische en willekeurige moorden. In een mens zitten gemiddeld honderd miljard neuronen. Een mens = een cel die zich in tweeën splitst, dan in vieren enzovoort. Het is allemaal een kwestie van vermenigvuldigen en delen.

De mensen op de tv praten zonder ophouden. Na het praten over de doden wordt er aan de hand van eigen marktonderzoek van de zender gepraat over de populariteit van de regering, waarna het gaat over een rapport over de huidige politieke stratificatie in Engeland, over de verandering in de steun na het doden van de zonen. Het woord midden valt vaak. Steun bij de middenklasse. Geen steun voor middenpositie. Nu het andere nieuws: verhoogde onrust in het Midden-Oosten. Magnus denkt aan Ambers middel, haar leest, haar buik, hij bedenkt dat het doen met haar ruikt naar was die in een opgewarmde vrucht aan het smelten is, dat haar kussen naar aquarium smaken.

Zoals iedere hippe vogel uit de swinging sixties met plezier zal bevestigen, zegt de vrouw op de tv, kun je als je zelf een swingende zestiger bent geworden nog steeds trendy zijn, omdat mensen die we vroeger van middelbare leeftijd vonden tegenwoordig bijna altijd nog ontzettend jeugdig zijn!

Er verschijnt een foto van Mick Jagger op het tv-scherm. Een swingende zestiger, volgens de ondertiteling.

Magnus schuift onrustig heen en weer op de bank, hij staat op, drukt op de afstandsbediening, schakelt het toestel uit. De kamer blijft echter uit zichzelf om hem heen voorbijgaan.

Hij loopt naar het dorp. Als hij daar aankomt, loopt hij er helemaal omheen om te zien hoe lang hij daarvoor nodig heeft.

Veertien minuten.

Hij loopt om de afgesloten kerk heen.

Het winkeltje met het postkantoor is gesloten. De luiken zijn voor de ramen.

Op de terugweg naar het huis blijft hij voor een langwerpig gebouw staan. Hij heeft het gevoel dat hij er eerder is geweest. Dan herinnert hij zich duidelijk: hij leunt tegen een muur, hij probeert over te geven, er komt een man naar buiten, de man is boos, staat tegen hem te schreeuwen, trekt hem ruw overeind, van achter een raam kijken mensen toe.

Magnus stapt over een muurtje dat om het gebouw staat de lege parkeerplaats op. Aan de voorkant ziet hij dat het gebouw een ouderwetse bingohal is. Van alle gebouwen in het dorp die geen huis zijn is het een van de grootste. Het moet ooit belangrijk zijn geweest voor de dorpelingen maar nu ziet het er behoorlijk vervallen uit.

Twee schilders zijn de buitenboel aan het opknappen. Ze schilderen het witter. Er hangt een sterke verflucht, met daardoorheen een etenslucht. In het gebouw schijnt een restaurant te zitten. Geen wonder dat die man schreeuwend op hem afkwam als hij vlak voor de mensen die in het restaurant zaten te eten aan het overgeven was.

Magnus herinnert zich hoe hij die avond als een gebroken jongen op de grond zat.

Zijn moeder, gebroken. Michael, gebroken. Magnus'
vader, zijn echte vader, zo gebroken als deel van de vorm van
het geheel dat Magnus hem, als hij bijvoorbeeld Magnus,
zijn zoon, zou passeren als hij nu in het verroeste bushokje
zou zitten wachten, Magnus hem niet zou herkennen hij zou
Magnus niet herkennen. Iedereen is gebroken. De man die
het restaurant heeft, hij is gebroken. Magnus herinnert zich
zijn geschreeuw. Die twee schilders zijn gebroken, hoewel je
er niet altijd zeker van kan zijn door alleen te kijken. Ze
moeten het zijn, nu Magnus weet dat iedereen op de hele
wereld het is. De mensen die op al die miljoenen televisies op
aarde praten, allemaal zijn ze gebroken. De tirannen zijn net
zo gebroken als de mensen die ze hebben gebroken. De
mensen die beschoten zijn of gebombardeerd of verbrand, ze
zijn allen net zo gebroken. De mensen die schieten,
bombarderen of verbranden zijn net zo gebroken. Al die
meisjes op het world wide web die zonder ophouden
gebroken worden in hun alledaags uitziende kamers op
het internet. Alle mensen die hun nummer draaien om
ze te mogen bekijken, ook zij zijn gebroken. Het doet er
niet toe. Alle mensen ter wereld die het weten, alle
mensen ter wereld die het niet weten. Allemaal zijn ze op
een of andere manier gebroken, de wetenden, de
onwetenden.

Amber is gebroken, een prachtig, glinsterend stukje van iets
op de zeebodem dat op wonderbare wijze aangespoeld is op
dezelfde kust waar Magnus zich toevallig bevindt.

Een vrouw passeert Magnus in een auto. Ze kijkt naar hem.
Het verbaast hem hoeveel oudere vrouwen zich omdraaien
naar hem. Even voelt hij zich trots dat hij weet wat hij moet
doen, dat Amber hem nu geleerd heeft hoe het moet.

Maar dan dringt tot hem door dat het maar de werkster was
die in hun vakantiehuis werkt. Ze keek naar hem omdat ze
hem herkende.

Hij heeft gezien hoe ze chemicaliën op hout spuit, over een

dressoir wrijft met een naar limoenen ruikende weggooistofdoek.

Ik heb iemand gebroken, zegt Magnus die avond tegen Amber als ze naar de kerk gaan.
    Nou, en? zegt ze. En?
    Ze zegt het vriendelijk. Ze maakt zijn riem los.

En toen.
    Een andere avond. De schaduwen buiten zijn langer geworden. Iedereen is in de zitkamer. Amber doet iets met zijn moeders knie. Zijn moeder vertelt Amber iets over de Franse expressionist Edgar Degas. Magnus vraagt zich af waarom zijn moeder de behoefte heeft om Amber dingen te vertellen. Alsof ze die niet weet, alsof Amber dom is of nooit iets geleerd heeft. Met Michael is het hetzelfde, hij is voortdurend aan het citeren, alsof ze daar iets van zou kunnen leren. Over de meeste dingen weet Amber van alles. Er is niet veel waar ze niets van weet. Hij en Amber hebben er discussies over gevoerd dat licht een deeltjesstructuur en tegelijkertijd een golfstructuur heeft, dat de tijd gekromd is en in snelheid toeneemt, zodat de minuten steeds korter worden, hoewel we dat niet merken omdat we nog niet weten hoe dat zou moeten. Amber heeft verstand van alles wat met Egyptische, Minoïsche, Etruskische en Aztekencultuur te maken heeft. Ze heeft verstand van auto-elektronica, de straling van de zon, de kooldioxidecyclus, onderwerpen uit de filosofie. Ze is een expert op het gebied van de wespen die andere insecten injecteren met een verlammend middel zodat hun eigen larven zich kunnen voeden met iets wat leeft. Ze heeft verstand van kunst, boeken, buitenlandse films. Op de vliering heeft ze een keer ellenlang gepraat over een Ierse toneelschrijver die in de kamer die hij had gehuurd aan de barsten in de vloer luisterde om de mensen in de keuken van het huis waarin hij verbleef te kunnen horen, zodat hij het

soort taal dat die mensen in de praktijk bezigden in zijn toneelstukken kon gebruiken.

Op dit moment knielt Amber neer op de vloer voor zijn moeder, terwijl zijn moeder tegen Amber doorpraat, maar eigenlijk tegen de hele kamer, alsof de kamer nooit gehoord heeft van het Franse impressionisme, niet weet hoe mooi de beelden van paarden van Degas zijn, hoe levensecht de danseressen van Degas zijn. Ze vertelt dat toen Degas doodging, hij opdracht gaf dat zijn beelden – die merendeels van klei waren maar in sommige gevallen gemaakt van de stelen van verfborstels en zelfs wel van vet uit de keuken van Degas – onder geen voorwaarde in brons gegoten mochten worden. Hij wilde dat ze weg zouden teren. Hij wilde dat ze een levenscyclus zouden hebben, zegt zijn moeder. Maar toen Degas dood was, heeft zijn galeriehouder zich niet aan zijn opdracht gehouden. De galeriehouder heeft ze toch in brons laten gieten. Zijn moeder probeert een discussie op gang te brengen over de vraag of dit ethisch gezien goed was of verkeerd. Intussen wrijft Amber zachtjes en in een rondgaande beweging met de wijzers van de klok mee over zijn moeders knie.

360 graden is het totaal aantal graden in een omwenteling, omdat herders, die de eerste sterrenkundigen waren, vroeger geloofden dat het jaar in totaal 360 dagen telde.

Anders, en daar komt het uiteindelijk op neer, zouden we ze nu niet meer hebben, zegt zijn moeder. De wereld zou kunstvoorwerpen van grote klasse hebben moeten missen als zijn galeriehouder niet zo hebzuchtig was geweest.

Magnus kijkt naar Ambers hand. 360. 360. 360.

Hij voelt steken in zijn lul.

Ze houdt op met haar ronddraaiende bewegingen. Ze drukt op plekken onder de knieschijf van zijn moeder.

Voelt het al wat beter? vraagt ze.

Zijn moeder knikt onzeker.

Zomaar ineens wordt Magnus overspoeld door een gevoel

van liefde voor zijn moeder, voor zijn zus, die vanaf de bank slaperig toekijkt, voor Michael, die aan tafel zit en met de krant knispert. Hij houdt zelfs van Michael. Michael is een goede vent. Op precies hetzelfde moment begrijpt Magnus dat, als hij ooit laat blijken dat hij überhaupt iets voelt, alles uit elkaar zal barsten, de hele kamer zal desintegreren, alsof hij opgeblazen wordt.

Er zijn dingen die niet gezegd kunnen worden omdat het moeilijk is ze te moeten kennen. Er zijn dingen waar je niet meer onderuit kunt als je ze eenmaal weet. Het is heel ingewikkeld om überhaupt iets te weten. Echt iets voor zijn moeder om geobsedeerd te zijn door alle rottigheid die mensen is overkomen; al die boeken over de holocaust die ze thuis in haar werkkamer in stapels heeft liggen. Want kun je ooit weer gewoon worden? Kun je het ooit weer níét-weten?

Bijvoorbeeld. Is zijn moeder onschuldig omdat ze niet weet wat hij iedere middag met Amber in de kerk doet? Is Astrid daarom onschuldig? En Michael? Wat voor een onschuld is dat? Is dat goed? Is dat wat onschuld is, gewoon ergens niet van weten? Om een extreem voorbeeld te nemen. Ben je onschuldig als je, in je goedheid of hoe dan ook, gewoon niet weet van al die mensen in de holocaust? Of is het gewoon naïef, dom? Wat heb je trouwens aan zo'n soort onschuld?

Het lijkt Magnus dat je er helemaal niets aan hebt, tenzij iemand zich machtiger wil voelen dan een ander omdat de een iets weet wat de ander niet weet.

Kun je ooit weer onschuldig gemaakt worden? Want dat daar boven op de vliering met Amber, of daar onder het oude houten dak van de kerk, de stoffige lucht snel ademend – vastgehouden, uitgerekt en dan gekromd worden door haar – Magnus kan niet geloven hoe gewoon, hoe schoon je je weer zou kunnen voelen zelfs na al het afschuwelijke wat hij van zichzelf weet, ook al is zogenaamd niets van wat Amber doet of wat hij doet, of wat ze samen doen, hoe dan ook onschuldig. In feite is het tegenovergestelde het geval.

Hij zou willen dat ze allemaal, alle mensen in deze kamer, alles over hem wisten. Een van de echt erge aspecten is dat dit niet het geval is.

Maar een van de redenen dat deze kamer nog niet uit elkaar gebarsten is, ook al is alles gebroken, is dat ze het niet weten.

Daar heb je zijn moeder, die Amber dingen vertelt. Daar heb je Amber, die niet luistert en de knie aan het 360'en is. Wat hen allemaal in deze kamer bij elkaar houdt, is iets wat met Amber te maken heeft, iets in het midden, een soort as, weerhoudt alles ervan om rond te gaan draaien, in stukken uiteen te vallen in een exploderend niets dat zich verspreidt tot in de verste uithoeken van het heelal voorzover bekend.

Amber is meedogenloos met Astrid. Ze is ongelooflijk brutaal tegen Michael. *Alsof het mij een reet kan schelen wat jij van boeken vindt.* Zijn moeder verveelt haar dodelijk, en ze doet geen moeite om dat te verbergen. *Mm-hm.* En dus: is Astrid idolaat. Michael lijkt iedere keer vastbeslotener. Zijn moeder probeert steeds enthousiaster 'interessante' dingen te bedenken om te vertellen. Het is net een demonstratie van de magnetische aantrekkingskracht. Het is als toekijken hoe het zonnestelsel werkt.

Wat Magnus zelf betreft, Amber = waar.

Amber = alles waarvan hij niet eens wist dat hij het voor mogelijk kon houden.

Hij zal zich dit zijn hele leven blijven herinneren, het verliezen van zijn maagdelijkheid bij een oudere vrouw, alles erover van haar leren; iets wat een jongen zou kunnen overkomen in een klassieke roman of zo, maar wat hem in werkelijkheid overkomt, iets waarover hij zal kunnen vertellen bij een glas bier in een stille kroeg, geleund tegen de tapkast, zachtjes pratend, ontroerd door zijn eigen herinnering, als hij veel ouder is, een man, achter in de twintig of misschien in de dertig.

Magnus neemt de trein naar Norwich. Daar neemt hij de

trein naar de stad met de universiteit waar hij ooit geacht werd zich te zullen aanmelden.

Hij vraagt de taxichauffeur hem van het station naar de bibliotheek te brengen. Maar waar de taxi hem naartoe brengt, bij vergissing of misschien omdat hij eruitziet als een student, is het hoofdgebouw van de universiteitsbibliotheek, waartoe hij, omdat hij niet ingeschreven is, geen toegang heeft. De man achter de computers aan de balie van de gigantische hal die naar ingewikkelde boenwas ruikt, behandelt Magnus alsof hij een idioot is dat hij dit niet weet. Nou ja, daar zit wat in. Alleen een idioot zou meer verwachten.

De stad is prachtig. Overal lopen toeristen video-opnamen te maken. Over een zwaar met toeristen beladen brug loopt hij terug de stad in. Hij kijkt hoe ze video-opnamen maken van de prachtige geelstenen muren, het exterieur van de 'colleges' waar hij ooit geacht werd zich aan te melden. Als hij bij de stadsmarkt komt, wijst een lomp uitziend meisje hem de weg naar de andere bibliotheek, de openbare, achter een aantal gemeentelijk ogende gebouwen, naast een uit verschillende verdiepingen bestaande parkeergarage.

In de bibliotheek hangt een onaangename mensenlucht. Zelfs in het trappenhuis ruikt het naar mensen.

Het enige boek waar hij wat aan heeft op de afdeling naslagwerken, die vol zit met mensen die geen lid zijn (oude mensen, mensen die er arm uitzien, mensen die eruitzien alsof ze werkloos zijn, mensen die eruitzien alsof ze uit het buitenland komen) die allemaal gebruik maken van de paar computers of erop wachten om er gebruik van te maken, is de *Penguin Dictionary of Saints*.

Magnus van Orkney. D. op Egilsay, 1116, 16 april. Deze Magnus was een zoon van Erling, heer van de Orkney-eilanden. Toen koning Magnus Barefoot van Noorwegen de Orkneys binnenviel, zocht Magnus Erlingsson zijn toevlucht bij Malcolm III van Schotland, en volgens de overlevering verbleef hij enige tijd in het huis van een bisschop. Na de dood van Magnus Barefoot keerde hij

terug naar de Orkneys, die in het bezit waren van zijn neef
Haakon; uiteindelijk doodde Haakon hem op verraderlijke wijze
op het eiland Egilsay. Magnus werd uiteindelijk begraven in de
kathedraal van Kirkwall, die naar hem genoemd is. En andere
kerken dragen zijn naam; hij werd aldus geëerd om zijn reputatie
van deugdzaamheid en vroomheid, maar er zijn geen redenen om
aan te nemen dat hij een martelaar genoemd zou moeten worden.
Er is nog een aantal andere heiligen met de naam Magnus,
voornamelijk martelaren, maar van geen van hen is veel bekend.

Magnus herleest de passage, maar niet omdat hij het
verhaal wil kennen, dat eigenlijk niet veel om het lijf heeft,
wat een beetje ergerlijk is nu hij die hele afstand speciaal heeft
afgelegd om het te weten te komen. Nee, hij blijkt volkomen
gefascineerd te zijn door één enkel woord. Dat woord is: en.

Deugdzaamheid en vroomheid.

En andere kerken dragen zijn naam.

En volgens de overlevering verbleef hij.

Het is zo'n eenvoudig woord, en zo belangrijk.

Hij bladert door het heiligenboek en laat zijn oog op
willekeurige zinnen vallen.

Alleen de namen van sommige mensen en plaatsen zijn bewaard
gebleven. Het was natuurlijk te verwachten dat er wonderen aan
hem zouden worden toegeschreven, en zijn reputatie als
wonderdoener nam dan ook toe. Ze verbrandde haar garderobe en
sieraden in het openbaar en werd toen naar een nonnenhuis
gebracht. Bij de plaats Dokkum werden hij en zijn metgezellen
gevangengenomen door de heidense Friezen en aan het zwaard
geregen. Maar ongeloofwaardig is het verhaal dat ze als christen
werd aangegeven door haar afgewezen minnaar en op
wonderbaarlijke wijze ontkwam aan opsluiting in een bordeel en
aan de dood door het vuur. Dit verhaal, dat grote populariteit
verkreeg, wordt vóór de zevende eeuw niet gehoord, en niets wijst
erop dat zij heeft bestaan, behalve in de fantasie.

Buiten de bibliotheek zijn wegwerkers of bouwvakkers de
weg aan het openbreken met een pneumatische boor. In de

bibliotheek staan de niet-leden nog in de rij om de computers te kunnen gebruiken.

In de bibliotheek staan de niet-leden nog in de rij, en buiten de bibliotheek maken wegwerkers gebruik van luchtdruk om het wegdek van steen en asfalt open te breken.

Lucht en steen! Het woordje 'en' is een kogeltje van zuurstof. En Magnus, die naar deze geleerde stad is gekomen om iets te lezen over zijn naamgenoot, om onderzoek te doen naar de bijnaam die hij heeft gekregen van de zeer ervaren oudere vrouw die de zomer doorbrengt met hem elke middag te verleiden op de houten banken van een oude kerk, en de doopnaam die hem oorspronkelijk gegeven werd door een vader die hij zich maar nauwelijks kan herinneren en om wie hij eigenlijk geen reet geeft (hoewel zijn zusje zich daar veel drukker om maakt en emotioneel reageert op hun gebrek aan contact), voelt zich ineens weer opperbest en ademt weer met zijn longen in hun geheel, alsof hij lang verkrampt in een kleine en donkere en verstikkende ruimte heeft gezeten die niet groot genoeg was om een woordje goed op waarde te schatten.

En?

En, zegt Magnus hardop.

Hij moet het te hard hebben gezegd, want een paar mensen in de rij draaien zich om en kijken. De man bij de dichtstbijzijnde computer staart hem aan. Een bibliotheekmedewerkster aan de lage balie kijkt of Magnus geen probleem zal gaan veroorzaken.

Magnus doet het boek dicht en kijkt de bibliotheekmedewerkster aan. Hij vraagt zich af of ze iets met hem wil. Hij vraagt zich af hoe ze in bed zou zijn. De eerste rekenmachine ter wereld werd in 1640 door Pascal bedacht, zegt hij bij zichzelf terwijl hij de bibliotheek verlaat, en Pascal was toen nog niet eens twintig jaar!

Magnus gloeit de hele weg terug naar het station door de straten van de gloeiende stad. Onderweg blijft hij staan om adem te halen, om de zomerlucht in te ademen, eventjes maar, omdat hij, als hij langer dan een ogenblik blijft staan, later die middag Amber zal mislopen in de kerk. Als ze daar tenminste is. Als ze tenminste komt opdagen. Hij zou best langer kunnen blijven staan, misschien gewoon maar wat langer blijven staan. Misschien mist hij dan de trein. Misschien zal Amber dan in de kerk op hem wachten en is Magnus vandaag degene die niet komt opdagen.

Hij is blijven staan naast een boom die voor winkels is geplant. Een onopvallende boom en Magnus. Magnus kan niet anders dan constateren dat de bladeren verbonden zijn aan takjes, de takjes aan grotere takken, de grotere takken aan de stam, de stam aan zijn wortels, en de wortels aan de grond. De boomsoort is verbonden aan de andere bomen van de soort door de soortnaam, en aan andere bomen door de soort en aan de andere bomen dankzij het feit dat het een boom is en aan andere planten en levende wezens dankzij het feit dat het wezens zijn die reageren op fotosynthese = alle voedsel, fossielen, brandstoffen zowel in het verleden als het heden: en als er een verleden en een heden is, dan zal er waarschijnlijk (en zeker mogelijk) een toekomst zijn, een gedachte aan een toekomst ook voor Magnus.

Het regent echt. Ze horen het op het dak van de kerk.

Magnus vertelt Amber wat Wittgenstein over regen heeft gezegd, dat het geen zin heeft om te proberen de afzonderlijke regendruppels te tellen en dat het juiste antwoord op de vraag hoeveel het er zijn niet een exact getal is maar gewoon veel. In de wiskunde is juistheid soms relatief. Een geringe afwijking is acceptabel. Dat is niet hetzelfde als fout.

Oké, zegt Amber. En sin, als ik het me juist en foutloos herinner, is de tegenoverliggende zijde gedeeld door de hypotenusa, hè?

Eh ja, zegt Magnus. Dat is juist. Maar je spreekt het uit als sinus.

Het ergert hem even dat ze zo veel weet van dingen waar hij verstand van heeft. En ze doet ironisch over iets, zonder dat hij kan bedenken wat of hoe.

Maar hij verschuift iets om comfortabeler in haar armen te liggen in de muffe geur van de kerk terwijl de regen neerklettert (met een toegestaan gebrek aan precisie) op het dak en zijn hoofd op het oud ruikende knielkussen en de kromme lijnen van de orgelpijpen boven hun hoofd als hij langs Amber naar links kijkt naar de sjofele kartonnen nummers ondersteboven aan de muur in hun nummerhouder, de aankondiging van gezangen tijdens een dienst god mag weten wanneer gehouden, in het verleden of in de toekomst, misschien in het verleden en in de toekomst, wie weet? 7. 123. 43. 208. Hij vraagt zich af welke gezangen het zijn. Hij weet van zijn en Ambers bezoeken op het middaguur, in de namiddag, laat in de middag, dat degene die de gezangen uitkiest de nummers op de daarvoor bestemde stapeltjes 1en, 2en, 3en, 4en, 5en, 6en, 7s, 8en, 9s en 0en legt, onder de uitstekende rand van de voorste bank. Hij kent de smaak en de geur van de kerk vanbinnen en vanbuiten, en van de oude banken, het wit van de muren en het bruin en wit van de preekstoel. Zonder te kijken heeft hij de afgelopen weken vele keren de gedenkplaat met de dode dominees aan de muur gelezen. Hij weet nu waarom mensen naar de kerk gaan. Het is een eenvoudig rekensommetje, maar je moet erin geloven. Want wat =0?

Ik geloof dat ik je liever wat donkerder heb, zegt Amber. Kun je jezelf misschien een beetje dimmen?

Magnus heeft geen idee wat ze bedoelt, maar hij knikt en duwt zijn hoofd in haar schouder en gaat in gedachten door met zijn berekening. 0 is een additieve grootheid zodanig dat 0 + a = a. Zo is 0 + 1 = 1, meer hoef je niet te weten van 0, je hoeft niet te weten wat het betekent, verder helemaal niets, alleen dat het beantwoordt aan bepaalde regels.

Hij voelt hoe Amber zich verveeld verplaatst, boven hem.

Ze schuift fysiek over hem heen, haast hem. Hij kijkt omhoog, in haar ogen. Hij kijkt onder een schuine hoek omhoog. Hij voelt zich weer stijf worden. Zo meteen zullen ze dus weer dat ademende geluid maken dat ze noodgedwongen moeten maken, dat geluid waarvan hij zich niet had gerealiseerd dat het eigenlijk een woord was, hetzelfde woord bij het uitademen en het inademen, steeds weer:

en

en

en

midden in de doodgewone nacht in Norfolk ging Michael rechtop in bed zitten. Eve sliep. Alles om hen heen was stil, heel stil, bedrieglijk gewoon, ten diepste prozaïsch – precies hetzelfde als elke andere nacht. Maar er was iets vreemds gebeurd met alles, iets wat zich voordeed als vorm, fluweelzacht, hooghartig als een kat. Er was verandering opgetreden. Alles rijmde nu. Ja, ab volgde op ab, en dan zoals cd volgde op cd, ef, gg... Omdat hij de hele dag dit soort dingen aan zijn studenten leerde, stemde hij er meteen op af, als op een radiofrequentie:

Michaels wereld was veranderd in een sonnetvorm.

Hooghartig als een kat is eigenlijk geen juiste omschrijving van wat er gebeurde. Knockout geslagen door een zwaargewicht. Door de borst geschoten. Ernstige chirurgen maken zijn onbewuste als een verwijde ribbenkast open. Hart een open bloem met prachtige blaadjes, kloppend, symmetrie. Schok, hitte en kunst hadden zijn hele huid verschroeid, waarna hij met metaal bekleed was: een nieuw ik en zes nieuwe zintuigen, en nieuwe tong die alleen nog kon spreken in regels die pentameters waren, intelligenties die zwoeren dat het alles poëzie en tekens was:

    hij zag een meisje door de kamer gaan
    en alles werd een vers, zojuist ontstaan.

Amber was een exotisch fixeermiddel. Amber bewaarde
dingen die niet bedoeld waren om te blijven bestaan. Amber
gaf dingen die dood en verdwenen waren een kans op het
eeuwige leven. Amber gaf toevalligheden een verleden. Amber
kon gedragen worden als een amulet. Zigeuners gebruikten
amber als een kristallen bol. Vissers trotseerden oceanen met
alleen een net om amber binnen te halen. (Amber, in de gang,
    passeerde Michael alsof hij onzicht
    baar was, een stuk niets, onbegonnen.)
    De Ouden wordt nog altijd toegedicht
    dat ze uit pis van lynxen amber wonnen.
    Ze glom, door hitte en de tijd gestaald.
    Zo schoon had kattenpis nog nooit gestraald!

Was de zon vergelijkbaar met haar ogen?
Goed, Michael werd erdoor overbelicht
als een Man Ray solarisatiefoto.
Hij gloeide, met haar blik op hem gericht,
om als een vuurvlieg in de nacht te schitteren
en daarna als een vuurwerkshow die 'Schat,
ik houd van jou' te zien gaf. Michael sputterde
een schokkend, flakkerend crescendo, dat
zij niet kon zien doordat ze zelf zó straalde
dat alles om haar heen onzichtbaar werd
wat niet haar eigen helderheid behaalde.
Ze ging, haar ogen wijd opengesperd,
de wereld door, en waar ze heeft gekeken
moest alles wat erin stond wel verbleken.

Sonnetten waren zo verdomd eenzijdig.
Er moest ten minste dialoog zijn. Hij
merkte dat nie-mand ooit iets terug zei, zich
het hoofd brekend met slechts zich-zelf erbij,
keek rond naar een gezin dat niet het zijne
was en zag enkel de verschoten kleur
en zittend in zijn auto steenwoestijnen,
gebleekt als hij, met hier en daar een scheur,
verdrogend in de hitte. Hij, de sukkel.
Hij kende haar gebaren, handen, lach.
Hij wist dat hem haar neuken nooit zou lukken.
Hij wist dat hij haar nooit zou hebben. Ach,
hij was een doodgewone vent. Nadat hij
van zand in glas veranderd was pas brak hij.

Miljoenen blokjes waren er uiteen
gespat en hij niet meer terug kon leggen .
Zij,zijkant van splintersgewijze geen
versplinterd zelf,echo van raam dichtzetten –
glas dat zo knalhard viel en uit kijk ! kut
op stenen de daar lag als een kwaadwillend
blote voeten voor achtelozen – wat ?
een klap hè ? stukjes in mens verspillend
expres in stukjes,hart,flard huid in plaats .
De toestand nieuw inramen ? deed hij ? weet je –
mozaïek betekent stukjes helaas.
Blokjes ook eer het werk gedaan is, beetje
samen maken ? zoiets ? doen een geheel
(ontkend verliefde man zijn ziel verdeelt) .

Minachtende   kattenpis   overal.
Een   gezin dat
                niet eens   stukjes ziel   was.
Zich ontgoochelend   verwijderende doodgegane dingen
                                                        ontkend.
Serieuze   zigeuners   zaten
                          in
                          zijn
                          auto,
                            gebaarden.
Een
     amulet staalde zijn crescendo.
Een   veld,   van een
          leeg   overblijfsel   bloem.
ZO HELDER opende zich zijn hart
                                        met een klap.
Een nieuw zelf veroverde   g e b r o k e n   de wereld –
                                        n i e m a n d.
Hart   flarden frag men ten metaalden   niemand praatte
                                                        terug.
In de diepte
                  ec lips eer de een nieuwe taal door de wereld.
Hij besefte dat hij niet geschikt was.
                          Een mooi kloppend sonnet brak.
Een hele   arch it   ectuur   was van zichzelf donker.
                          En na haar overbelichte poëzie.

Fuck kunst. Fuck leven. Fuck de poëzij.
Fuck Norfolk. Fuck zijn baan, zijn vrouw erbij.
Fuck tieners die het allemaal al weten.
Fuck meisje dat hem niet had aangekeken.
Was er verband: de liefde en een wip?
Was er verband: genomen en gegeven?
Een zin in alle boeken ooit geschreven?
Was er altijd een zin in wat dan ook?
Was er een puntje dat ooit kwam bij paaltje?
Was er ooit liefde door het dichterstaaltje?
Was er een zucht ter wereld ooit verstaan?
Was er een plaats waar popliedjes vergaan?
Was er een meisje dat nooit nooit meer zou?
Was er een bloedvat dat niet scheuren zou?
Fuckte het hart de geest door hem te pijnigen?
Zou Shakespeare vaak in e.e. cummings eindigen?
Sonnetten, was het eind daar 't einde van?
Ging Shakespeare altijd over in Don Juan?

't Werd tijd dat Michael eens de deur uit kwam.
Een eindje lopen, alsof het hem niets zei,
zoals men op vakantie doet, even het kam-
pement uit, losjes, zo van doe eens iets. Hij
ging zitten voor een kerk en schrok zich lam.
Groepszwoegen in de sportschool was er niets bij!
Dit was niet meer iets dat op neuken léék.
't Was het geluid van Michael in de steek.

Voor dr. Smart weerklonk daarin met name
het tragische, een bloedig bokkenlied.
Dat ergens mensen aan hun trekken kwamen
en anderen op dat moment dus niet,
dát, of zoiets, zei Sartre, was pas *drame*.
Zo dichterlijk te zijn als dynamiet
was Michael beu; de taal was afgesleten
Waarin dit Alles *midlifecrisis* heette.

Hij was bij hun vakantiehuis spontaan
op een passerend brok natuur gevallen.
Verkocht. Dat prijspaard kon hem niet ontgaan.
Hij zwol van valse hoop als Blairs Walhalla,
maar neukte met zijn vrouw. Niet veel meer aan,
net als de (fiasco qua bezoekaantallen)
Millennium Dome: onvindbaar op de kaart,
en het gebodene geen stuiver waard.

Het werd New Labour tussen hem en Eve, die
met hem (in maatpak) nipte van haar wijn,
een retoriek rond haar eigen motief, die
slechts op een leugen gebaseerd kon zijn:
geloven in elkaar was hun religie.
Dat dat zo zinloos was deed Michael pijn.
Hij was een land in puin, hij was verderfelijk,
niets zei wat het betekende nog werkelijk.

Walgend hield hij zijn oor dicht met zijn hand
Om voor het seksgeluid zich af te sluiten.
Hij liep naar huis en belde, nonchalant,
maar kreeg geen antwoord van zijn therapeute,
voelde zich oud, deed wat hij onderhand
altijd deed om zijn somberheid te uiten:
per auto weg uit dit gevoelsinfarct,
op naar de dichtstbijzijnde supermarkt.

Nadat hij druiven in zijn mandje mikte
keek hij langs de caissières, speurend naar
de voor zijn doel waarschijnlijk meest geschikte.
Hij koos er een met honingkleurig haar
van vijftien. Terwijl hij zijn mond aflikte
legde hij 't ooft met een galant gebaar
alsof het parels waren, op haar lopende
band, met een lach die elke kassa opende.

Ze glimlachte terug. Charmant bewoog
hij haar met hem te daten in haar pauze,
waarbij hij over zijn verbazing loog
en over haar bekoorlijkheid, mee zou ze,
en hield brutaal zijn 'dokterspas' omhoog
naar klemgezetten. Het kwartiertje rauzen
erna vond plaats in het nabije woud
op de bijrijdersstoel. Ze was heel stout

en alles leek niets meer gewaar te worden
behalve hij. Hij voelde zich gesloopt.
'Miranda'. Ha. De nieuwe wereldorde.
Toen zij haar nylon pak had dichtgeknoopt
frommelde hij zijn geld erin. Ze morde.
Hij zette haar, zoals ze had gehoopt,
af bij, maar niet recht voor haar werk. Ze zwaaide.
Brave new world. De haan die victorie kraaide

had zijn hoofd huilend op zijn stuur gevlijd
in een of ander gat, van god vergeten.
Met open ramen reed hij na een tijd
tegen de rode ogen en voor 't eten
terug. Astrid was mooi haar Sony kwijt.
Ambers haar was, toen ze aan de dis gezeten
was, waarlijk prachtig. Prachtig. Het was waar.
Amber had echt een prachtige bos haar.

Het spel dat Amber na het eten speelde
was: 'Geef me wat, een sleutel of zoiets,
iets waar je vaak een handeling mee deelde,
zeg, huissleutel. Daarmee kan ik dan iets
over je zeggen op spiritueel ge-
bied, al verplicht de deelname tot niets.'
(Hij stuurde Astrid weg om zonder dralen
zijn sleutels uit het nachtkastje te halen.)

Ze sloot haar ogen en nam Magnus' ring.
Ze zei iets over waarheid en ontluiken.
Van Astrid kreeg ze slechts een weigering
en zei: 'Je moet je ogen gaan gebruiken.'
Eve gaf haar een voor hem onzichtbaar ding
en kreeg raad die ze wijs vond. Even ruiken
volstond toen Michael aan de beurt was. Hij
voelde haar adem, ze stond erg dichtbij.

'Jij zult nooit krijgen wat je ooit zult willen
totdat je zult beseffen wat je wilt.
Wat jij eigenlijk wilt zul je nooit willen
omdat je wat je niet kunt krijgen wilt.
Je wilt het blind. En wat je denkt te willen
heeft niets te maken met wat je echt wilt;
denk er eens over na wat je zou willen,
en de ware betekenis van willen.'

Ze wierp zijn sleutels op de tafel. Nooit.
Hij moest zich voor het niet krijgen deemoedigen
waardoor hij haar juist wou. Zijn kans vergooid?
Ze bleef als schim het najagen bespoedigen
door onbereikbaarder te zijn dan ooit.
Hij kreeg haar wel. Hij liet zich niet ontmoedigen.
Hij liep de tuin in onder luid getier.
Ontmoedigd, hij? Welnee, hij kréég die klier.

Dat zij door 't spel wist waar zijn sleutels lagen
besefte Michael maanden later pas,
tegen de tijd dat hij zich af ging vragen
waarom zijn hartstocht zo vol schaamte was
geweest voor haar, en 't hem niet wilde dagen
dat hij blindelings voer op het kompas,
alsof hij bij een mijnenveld in wezen
de waarschuwingen weigerde te lezen.

de middeleeuwen zou ze in grote moeilijkheden zijn geraakt met al die uitstraling; de geschiedenis leert dat je met zo'n dierlijk magnetisme wel eens risico liep, en in andere tijden zou ze er misschien in het openbaar voor gegeseld zijn of op vernederende wijze door het dorp gesleept en op de brandstapel gezet zijn, of anders aan een paal voor de kerk geketend zijn en kaalgeschoren, zoals het meisje in die film van Bergman, de film waarin de dood de middeleeuwse ridder achtervolgde en de pest iedereen tot waanzin dreef. (God, voor die films van Bergman moest je echt moeite doen. Ze waren prachtig, maar ze waren ondoordringbaar en zo duister. De tijden waar die films over gingen waren duister, veronderstelde ze. En de tijd zelf moest ook duister zijn om zo'n film te produceren. Die film in het bijzonder was bedoeld als een allegorie op de paranoia na het ontploffen van de atoombom, als Eve het zich goed herinnerde. Kreeg je in duistere tijden vanzelf duistere kunst? En was kunst altijd veel meer een afspiegeling van de eigen tijd dan van elke andere tijd? Eve was lid van een leuke leesclub in Islington, bestaande uit zes of zeven vrouwen en één belaagde man, die bij elkaar kwamen in elkaars huizen – een van de leuke dingen was dat je een hele serie huizen van anderen vanbinnen te zien kreeg. In het afgelopen halfjaar had de leesclub genoten van twee geheide historische romans – beide over de Victoriaanse tijd en vooral over seks – van schrijvers uit die tijd zelf, het boek dat vorig jaar bekroond was met de Booker Prize over de man in de boot met de dieren, een roman van Forster, de grote, multiculturele bestseller die het merendeel van de leden van de leesclub niet verder dan tot op de helft had gelezen, en een mooie roman over Southwold. Michael had niet veel op met de leesclub. Hij vond het ongelooflijk burgerlijk. Maar Eve genoot enige faam in de leesclub omdat ze zelf boeken schreef. Hieraan ontleende ze een zekere autoriteit, wat voor de helft van de groep reden was haar naar de ogen te zien en wat de meesten van hen haar heimelijk kwalijk namen, voelde ze.)

Ze keek hoe Amber, die naast Michael zat, zichzelf opschepte uit de slakom en bedacht hoe Amber eruit zou zien met een kaalgeschoren hoofd. Ze zou waarschijnlijk nog steeds mooi zijn. Dat was echte schoonheid, dacht Eve, schoonheid die bestand was tegen vernedering of kaalheid, en dan niet de kaalheid van een David Beckham, maar kaalheid uit wrok, de kaalheid van een slachtoffer, kaalheid uit gewelddadigheid, kaalheid opgelegd door een woedende menigte. Ze stelde zich Amber voor met gebogen hoofd, kaal als een ei, de handen vastgebonden om een houten paal, dorstig, de mond gesnoerd en mooi krankzinnig, buiten voor een middeleeuwse kerk, uitgejouwd door alle dorpelingen.

Astrid, vlug, zei ze in plaats daarvan. Je moet ons bij het eten vanavond allemaal filmen. Het is zo'n mooie avond, het is zo'n mooie dag geweest, en het is zo'n mooie maaltijd, daar moeten we een aandenken aan hebben.

Maar omdat Astrid zo typisch Astrid is, en bovendien Eve gek maakt door het eten op haar bord op een bepaalde manier te rangschikken en in een krankzinnige, puberale volgorde op te eten – het vlees eerst, afzonderlijk, dan de stukjes sla gegroepeerd naar de soort slablaadjes, de komkommer gescheiden van de tomaat – verklaarde ze dat ze haar camera die een waarde van wel bijna tweeduizend pond vertegenwoordigde, 'ergens' was kwijtgeraakt. Amber probeerde haar te dekken door te doen alsof het haar schuld was geweest, wat meer iets was voor een puberale schoolvriendin dan voor een volwassen vrouw; met dezelfde lieve bitsheid probeerde Amber hen na het eten af te leiden door zo'n psychologisch spelletje te spelen waarbij ze beweerde dingen te 'weten' van iemand door alleen maar haar hand op een voorwerp te leggen dat gedurende een aanmerkelijke periode aan die persoon had toebehoord.

Jullie kunnen me vertrouwen, zei Amber. Dankzij dit talent heb ik praktisch zonder geld drie continenten kunnen bereizen en 's avonds toch altijd redelijk goed kunnen eten.

Iedereen lachte, behalve Astrid, die geen zin had om mee te doen. Amber vroeg Magnus haar de ring te geven die hij droeg (de ring die Eve eerverleden jaar voor zijn verjaardag had gekocht). Magnus liet de ring van zijn vinger glijden. Amber hield hem in haar hand, stak haar hand omhoog en hield die als een echte waarzegster voor haar gezicht.

Deze ring, zei ze na een korte stilte, is je heel veel waard. Dat komt doordat je moeder je deze ring heeft gegeven.

Krankzinnig! zei Michael. In één woord geweldig!

Eve hield haar hand op om Michael tot stilte te manen.

Het was een kerstcadeau, zei Amber met gesloten ogen, alsof ze luisterde. Nee, een cadeau voor je verjaardag. Een verjaardag, ja. Op de dag af zestien jaar na je geboorte heeft je moeder je deze ring gegeven.

Tja. Magnus moest het haar hebben verteld. Maar Magnus bezwoer dat dit niet het geval was.

Sst, alsjeblieft, zei Amber. Je had een moeilijke geboorte. De navelstreng zat om je hals toen je geboren werd.

Magnus' mond viel open. Hij draaide zich naar zijn moeder en staarde haar aan.

Amber stak haar vuist met de ring erin weer omhoog tot aan haar voorhoofd. Iemand moest het haar hebben verteld. En als Magnus het niet had gedaan, zou het Michael wel geweest zijn. Niet dat Eve zich kon voorstellen dat Michael iets dergelijks zou onthouden. Maar Michael was op het ogenblik een beetje raar. Hij was vreemd, veranderlijk. Eve had hem er al een paar keer op betrapt dat hij voor zich uit zat te staren. Laatst had ze in zijn broekzak (toen ze die binnenstebuiten keerde voor de was) tussen de gebruikelijke condooms een stukje papier gevonden waar het alfabet op was gekrabbeld, met daaronder een lijstje betekenisloze woorden: bluf duf suf juf muf duf nuf puf tuf.

Amber gaf een goede voorstelling. Ze deed het echt heel goed. Bijna volstrekt overtuigend. Ze maakte een aantal briljant geformuleerde en passend vaag klinkende opmerkingen tegen Magnus over trouw zijn aan jezelf en jezelf ontrouw zijn.

Eve sloop naar buiten, de tuin in. Onder een rozenstruik lagen een paar steentjes. Ze raapte er een op. Ze veegde de stoffige aarde eraf en wreef ermee over haar been. Deze was wel geschikt. Hij was geel-wit van kleur, als een steen uit zee, met hier en daar een glinstering.

Toen ze terug was in het huis en het haar beurt was, gaf ze de steen aan Amber. Amber hield hem even in haar hand. Toen begon ze te lachen.

Echt waar? zei ze.

Eve knikte.

Weet je het zeker? vroeg ze.

Ja, zei Eve. Ik heb hem al jaren. Hij is me heel dierbaar.

Oké, zei Amber nog lachend.

Wat heb je haar gegeven? Wat heeft ze? vroeg Michael.

Dat is privé, zei Eve.

Ja, we kunnen het onder vier ogen doen als je wilt, zei Amber. Ze pakte Eves hand en liep met Eve door de zitkamer naar de bank aan de andere kant van de kamer, en wat ze naar aanleiding van de toevallig opgeraapte steen uit de tuin die ze in haar hand hield tegen Eve zei, terwijl ze zich als een zigeunerin vertrouwelijk vooroverboog, was het volgende:

Je bent in een goede tijd op een goede plek geboren, op het

moment dat de duistere decennia overgingen in lichtere. (Dit was natuurlijk waar, en niet moeilijk te raden.)

Je hebt een goede eerste liefde gekend en een goed eerste verlies. (Ook dit was waar.)

Je hebt een leven geleid dat ondenkbaar was voor de meeste generaties vrouwen en mannen die jou het leven hebben geschonken in een wereld die vrijheden en rijkdommen kent die voor hen onvoorstelbaar waren. (Tja, dit is voor bijna iedereen wel waar.)

Je heb geluk gehad.

Je bent gezegend.

Je bent goed opgeleid, meer dan je zelf denkt.

Echt waar? Eve lachte.

Amber negeerde haar en ging door.

Je hebt altijd een plek gehad waar je veilig kon slapen en je hele leven heb je goed te eten gehad.

Dus wat zou je eigenlijk over jezelf te weten willen komen?

En wat denk je dat ze jou zouden vragen, wat denk je dat ze zouden willen weten als zij vanavond hier waren geweest, al die talloze vrouwen en mannen die ervoor nodig waren om ten slotte jou te maken, jou het leven te geven op die dag dat je als een razende tekeerging en schreeuwde en je helemaal bedekt was met het bloed van je moeder?

Nou, zei Eve, want haar hoofd was vol beelden van haarzelf als een pasgeboren kindje dat onder het bloed zat. Amber was opgestaan, stond op het punt haar achter te laten, op het punt terug te lopen door de kamer en Michael iets over zichzelf te gaan vertellen, hij hield al iets in zijn hand, een sleutelring of zo. Maar je kunt niet weggaan zonder me de antwoorden te geven, zei Eve zachtjes tegen Amber terwijl ze haar bij haar pols pakte.

Waarop? zei Amber met een frons.

Op die vragen, zei Eve.

Ik weet de antwoorden niet, zei Amber.

Maakt niet uit, zei Eve, die haar niet losliet.

Amber nam Eves hand en opende die. Ze legde het witte steentje dat nog warm was van haar eigen hand in de palm van Eves hand en vouwde Eves vingers eroverheen. In één beweging pakte ze toen Eves hand in haar beide handen en schudde die hartelijk, alsof ze Eve feliciteerde.

Je bent een perfecte bedrieger, zei Amber. Heel goed gedaan. Topklasse. Een tien!

Hier was een vakantiekiekje uit de zomer van 2003 waarop je Eve Smart in haar donkergrijze linnen pakje op een zomeravond in de door de maan verlichte tuin van het vakantiehuis ziet. Kalm en beheerst. Beheerst en kalm.

Hier een vakantiekiekje uit de zomer van 2003 waarop je Eve Smart (42) in het vakantiehuis van Eve en haar man dr. Michael Smart hard ziet werken aan haar laatste boek, en kijk eens hoe het licht op de natte vulpeninkt valt op de bladzijde waarop ze in een gestaag tempo regel na regel neerschreef, hoe ze even pauzeerde om na te denken, hoe de fotograaf precies dat moment heeft vastgelegd, hoe hij ook die ondefinieerbare krans van rook of stoffige lucht in een baan zonlicht heeft vastgelegd, en hoe dit de toevallige manier waarop de zon die dag door het raam van het zomerhuisje viel karakteriseerde.

Hier een vakantiekiekje uit de zomer van 2003 waarop het gezin voor de voordeur staat van het vakantiehuis dat ze in de zomer van 2003 in Norfolk huurden. Eve Smart en Astrid Smart staan voor het huis met de armen om elkaar, Magnus Smart en Michael Smart zijn daarachter aan het ravotten, Michael heeft zijn hand op Magnus' schouder gelegd.

Een gezin, en allemaal glimlachen ze. Voor wie glimlachten ze? Deden ze het voor henzelf, ergens in de toekomst? Was het voor de fotograaf? Wie heeft de foto genomen? Wat was er te zien? Was er te zien dat Michael thuis was gekomen met een glimlach, weer, voor weer iemand anders? Was er te zien dat Magnus een jongen was die zo op zijn vader leek dat Eve het bijna niet kon verdragen met hem in dezelfde kamer te zijn? Was er te zien dat Astrid Eve razend maakte, dat ze het verdiende om geen vader te hebben, zoals Eve het grootste deel van haar leven, en dat ze blij mocht zijn dat ze überhaupt nog een moeder had?

Eve dwaalde door de maanverlichte tuin, geschrokken van zichzelf en van hoe heerlijk het voelde om zo boos te zijn, ze rookte maar een halve sigaret om de muggen uit de Fens weg te houden, nou ja, dat was haar excuus. En wat had je dan voor een leven als je al een excuus nodig had om een halve sigaret te roken? En lagen de Fens in Norfolk of lagen de Fens ergens anders? Eve wist het niet. Was ze daardoor een bedrieger, doordat ze het niet wist? Toen het meisje haar hand vasthield, had ze haar een bedrieger genoemd. Was Eve een bedrieger? Was ze overal ter wereld een bedrieger of was ze het alleen in Norfolk? Een Norfolkbedrieger! Eve had een gevoel alsof ze dronken was. Haar hart ging als een gek tekeer. Eve Smart had een gek hart. Dat klonk goed. Het klonk buitengewoon. Het klonk alsof het een hart was van een heel ander iemand.

Het idee alleen al dat Eve Smart (42) iets anders zou kunnen zijn dan wat ze leek te zijn deed haar hart sneller kloppen dan het in jaren had gedaan, door wat ook, zelfs niet door Quantum.

Een paar dagen hiervoor was Eve op zoek geweest naar Amber om haar over een droom te vertellen die ze net had gehad en haar te vragen wat zij dacht dat hij betekende. Eve had gedroomd dat Michael liefdesbrieven kreeg toegestuurd door een studente met wie hij naar bed ging en dat die liefdesbrieven in een heel klein, precies handschrift op zijn vingernagels waren geschreven, net als die piepkleine bladzijden van de alle records brekende Kleinste Bijbel Ter Wereld, waarin de woorden zelfs kleiner zijn dan Je Naam Op Een Rijstkorrel. Je kon de nagels lezen, maar alleen met behulp van een speciaal leesapparaat, dat heel duur was om te huren, en Eve was wakker geworden voordat ze erin was geslaagd alle bladzijden van de formulieren daarvoor in de winkel in te vullen.

Eve had tijdens het ontbijt een versie van de droom bedacht waarin Michael niet betrokken was, en zijzelf evenmin. Astrid had haar tijdens het ontbijt verteld dat Amber goed was in het uitleggen van dromen. Maar Eve kon Amber niet vinden. Amber was verdwenen. Ze was niet in de tuin. Ze was niet in haar auto. Haar auto stond er nog wel, voor het huis, dus ze kon niet ver weg zijn.

Ze was niet bij Magnus, die in de voorkamer met zijn neus in een boek zat. Ze was niet bij Astrid, die Eve onder een boom verveeld zag rondlummelen. Michael was naar de stad. Eve had hem zien vertrekken. Ze was zeker niet in het gezelschap van Michael.

Eve rende de trap op. Ze riep Ambers naam. Ze ving een glimp op van iets wat beneden bewoog. Maar nee, het was alleen maar de werkster die de stofzuiger de voorkamer in sleepte, met het snoer en de stekker erachteraan, de onhandige plastic slang onder de ene arm en de losse onderdelen als borstel enzovoort dicht tegen zich aan onder de andere.

Katrina, luister eens, riep Eve naar beneden.

De stofzuiger zweeg. Ze bleef met haar rug naar Eve gekeerd staan.

Jij hebt onderweg zeker niet mijn vriendin die bij ons logeert gezien, hè? vroeg Eve. Amber, je weet wel.

Met haar rug naar haar toe schudde de werkster haar hoofd en schuifelde verder door de gang. Maar onder het lopen zei ze iets. Eve kon het niet goed verstaan.

Wat ze had gezegd klonk ongeveer als; haar naam is hamer. ?

Het betekende niets herkenbaars. De werkster was, beladen met het apparaat, doorgelopen naar de zitkamer.

Het was niet dat Eve bang was om de werkster te vragen wat ze gezegd had. Helemaal niet. Het was niet dat Eve zich op enigerlei wijze geïntimideerd voelde door de jonge vrouw, die er arm uitzag, die er vroegoud uitzag, die eruitzag alsof ze een beetje simpel was, die altijd naar beneden of naar opzij keek, die Eve eigenlijk nooit rechtstreeks aankeek, die de gewoonte had om met haar rug naar Eve tegen haar te praten of die van haar wegkeek, wat er duidelijk op wees dat ze haar verantwoordelijkheid niet nam, wat betekende dat de gordijnen in de grote slaapkamer nooit verwisseld of gewassen zouden worden, hoe vaak Eve het ook vroeg, die eruitzag als een stripfiguur, een fantasiebeeld van een wrokkige werkster in een soap op tv, maar die er op de een of andere manier (hoe deed ze het?) in slaagde Eve het gevoel te geven dat Eve de stripfiguur was, zoals Eve ook het gevoel had dat ze er op deze mooie zomerdag op de een of andere manier minder mooi uitzag dan Katrina de Werkster zoals zij zich haar in het vergrijsde bestaan voorstelde, in een huiskamer met een saai behangetje of een willekeurige goedkope supermarkt waar de spullen niet echt goed waren, en die, met haar schaamteloze manier van reageren met de rug naar haar toe, haar onverstaanbare antwoord op een vraag die Eve niet eens had gesteld, Eve een gevoel gaf van uit het lood geslagen zijn, alsof ze was uitgedaagd en verslagen door iemand die verondersteld werd, en toch ook betaald werd, om het leven voor Eve makkelijker te maken.

Eve stond boven aan de trap, en de stofzuiger loeide onder haar.

Eve werd midden in de nacht wakker. Michael sliep met zijn kussen over zijn hoofd. Door de maan was het heel licht in de kamer. Aan het voeteneinde van het bed stond een groepje mensen.

Wie zijn jullie? vroeg Eve.

Ze pakte Michaels kussen. Michael werd niet wakker.

Er stonden twee mannen en drie vrouwen. Een van de vrouwen zat op het voeteneinde met in haar armen een klein, volstrekt bewegingloos kind. Een van de andere vrouwen hield iets omhoog dat er in het donker uitzag als een kapot bekerglas. De mannen achter de vrouwen zagen er sjofel uit, ruig. Eén glom, was van voren en in zijn gezicht nat. De laatste van de vrouwen had een ouderwets kapsel zoals in een televisiestuk over het verleden. Ze had een stokje in haar hand, een soort buisvormig stokje waar aan één kant licht uit kwam. Met dit licht scheen ze precies in Eves ogen. Eve hield haar handen voor haar gezicht. Toen ze weer kon kijken, waren de mensen weg. Waar de vrouw met het kind had gezeten, aan het voeteneinde van het bed, zat een andere, oudere vrouw. Het was Eves moeder. Ze had haar ochtendjas aan, alsof ze net uit bad was gekomen.

Hallo, zei Eve. Waar was jij nou?

Zeg, hou op. Dat kan ik niet. Ik ben dood, zei Eves moeder.

Eve schudde nog eens aan Michaels kussen. Michael werd wakker.

Ja, zei hij, alsof hij een verklaring aflegde.

Mijn moeder was hier, zei Eve.

O ja? zei Michael nog waziger. Waar? Waar was ze? Waar is ze?

Ze is er niet meer, zei Eve.

Zal ik iets voor je halen? vroeg Michael. Thee misschien?

Oké, zei Eve. Dat zou lekker zijn.

Michael stond op en ging naar beneden. Eve bleef alleen op het bed zitten luisteren naar de ongeheimzinnige geluidjes van het huis. Na een tijdje hoorde ze Michael weer op de trap. Hij kwam binnen met twee bekers thee en reikte haar er een aan met het oortje naar haar toe, zodat ze zich niet zou branden.

Dank je wel, zei Eve. Dat was lief van je.

Och, zo lief is het niet. Had je een nare droom? vroeg hij.

Nee, zei Eve. Volgens mij was het een goede droom.

Ze dronken hun thee op, praatten een tijdje en gingen toen weer slapen.

Was een droom realiteit? Was de realiteit een droom? Eve liep naar het dorp, waar een kerk was, wist ze. Ze vroeg zich af of ze iets aan een kerk zou hebben.

Maar de kerkdeur was op slot. Op een bordje stond aangegeven hoe je erin kon komen.

Eve ging op zoek naar het huis van de man met de sleutel. Een vrouw kwam aan de deur, waarschijnlijk zijn vrouw.

Bent u echt op bezoek in het dorp? vroeg ze.

Het was een gedrongen vrouw met een schort voor. Ze had dezelfde inteeltkaak als Katrina de Werkster. Ze keek Eve aan met mogelijke kwaadaardigheid.

Ja, zei Eve. Ik woon in het huis van de familie Orris. Mijn man en ik hebben het voor de zomer gehuurd.

Nee, wat ik bedoel is, bent u een echte toerist? Hebt u ergens anders een vast adres? vroeg de vrouw.

Natuurlijk, zei Eve.

Hebt u een energienota? vroeg de vrouw. Of een ander soort rekening waar uw naam en adres op staan?

Nou, nee, nu niet, zei Eve. Niet bij me. Ik wist niet dat ik die nodig zou hebben om in de kerk te mogen.

Nou, die hebt u dus wel nodig, zei de vrouw.

Maar u zou mevrouw Orris kunnen bellen, zei Eve. Ik weet zeker dat zij voor mij in zal staan. Kent u mevrouw Orris?

Of ik de familie Orris ken? zei de vrouw. U bent zeker die met het gezin, hè?

Ja, dat zal wel, zei Eve.

Ze vroeg Eves naam en huisadres. Ze deed de deur dicht. Drie minuten later kwam ze terug met een oude sleutel aan een stuk touw.

Is het om te bidden of gaat u er alleen wat rondkijken? vroeg ze.

Allebei een beetje, denk ik, zei Eve.

Nou, u krijgt de sleutel, maar geeft u hem aan niemand anders als ze u erom vragen, zei de vrouw, want die woonwagenbewoners willen in de kerk hun bivak opslaan, dus als u hem aan iemand anders geeft en we krijgen ze er niet meer uit, dan is het uw schuld en zult u moeten betalen om het allemaal weer geregeld te krijgen en de schade te vergoeden die ze hebben veroorzaakt.

Oké, zei Eve. Ik snap het. Ik zal er goed over waken.

En breng hem terug als u klaar bent, riep de vrouw haar na over het tuinpad, tussen de verzorgde anjers en rozenstruiken.

Eve liep in de moordende hitte door het dorp terug naar de kerk.

Het terrein eromheen was in elk geval heel interessant en verwilderd, en de deur was traditioneel en geruststellend van gewicht. Maar vanbinnen stelde de kerk teleur. Het was niets bijzonders. Hij was kaal, modern en op gebruiksgemak ingericht, al waren de stenen muren oud. Hij was lelijk. Het rook er niet spiritueel, hoe spiritueel dan ook mocht ruiken. Het rook er naar onbruik, het rook er een beetje naar verval. Er was geen enkele verwijzing naar iets wat op een mogelijk hiernamaals leek, alleen nog maar meer kleine, fantasieloze details, meer van dezelfde kleur bruin. Bruin was de werkelijke kleur van het Britse rijk, bedacht Eve, de kleur van Great Britishness – het sepia dat in de Victoriaanse tijd als een vochtplek was opgekomen. Ceremoniële bruinheid. De Britse vlag zou uit de kleuren bruin, wit en blauw moeten bestaan. Het kruis van de Engelse vlag zou niet rood moeten zijn maar bruin op wit, als HP-saus op een wit bord, of een witte boterham met HP-saus erop. In alle kleine stadjes en dorpen wapperde die vlag. Op weg hiernaartoe waren ze talloze keren langs uit bruine baksteen opgetrokken bungalowtjes, terraswoningen, huizen en winkels gekomen die eruitzagen als decorstukken van naoorlogse volkstoneelstukken, huizen bruin als haveloze honden die zo op hun laatste benen liepen dat iemand zich er eigenlijk om zou moeten bekommeren en ze zachtjes zou moeten laten inslapen. Dat tijdperk was ten einde. Het was het bruine einde van een tijdperk.

Eve ging op de achterste bank zitten en kreeg het gevoel dat ze iets illegaals deed door dit soort dingen te denken. Ze probeerde over grote onderwerpen na te denken, maar nu kon ze een liedje uit haar kinderjaren niet uit haar hoofd zetten, gezongen door een groep waarvan ze de naam vergeten was die maar beweerde dat het beton en de klei onder haar voeten zouden vergaan maar dat de liefde het eeuwige leven had, dat ze de bergen zouden zien vergaan vooraleer ze afscheid van elkaar zouden nemen. *My love and I will be. In love eternally. And that's the way. That's the way it was meant to be.* Zo was het bedoeld, zoals in alle Amerikaanse tv-series, waarin de Waltons vlak voor de deur hun houtzagerij hadden, waar alle meisjes trouwden en alle jongens de houtzagerij draaiend hielden of ten oorlog trokken en terugkeerden uit de oorlog, waar de oudste zoon uiteindelijk alleen nog maar een commentaarstem was en plechtig het leven bijhield van iedereen op de Waltonberg, de berg die naar de familie was vernoemd, en Laura en haar zus Mary en pa en ma het stadje hadden gebouwd met slechts hun blote handen en de goedheid van hun familieleden, en waar iedereen elke week naar de kerk ging die zij hadden helpen bouwen. Als de mooie, blonde Mary blind werd, dan kreeg ze na een paar episodes het gezichtsvermogen weer terug, natuurlijk kreeg ze dat terug, want het kon toch niet dat zulke ogen niets meer zouden zien? Pa en ma keken elkaar veelbetekenend aan toen Laura de hele boomgaard wist te redden van iets – was het een droogteperiode of een kwaadaardige houthakker? Eve wist het niet meer. Ma hielp de meisjes (en zichzelf) te begrijpen wat zwangerschap was door hen in te schakelen bij de bevalling van een kalf; ma en de koe hadden een speciale verstandhouding met elkaar. Keer op keer rende Laura tijdens de aftiteling uit pure vreugde met gespreide armen als een vogel de berg af. Maar op haar zeventiende moest ze de harde werkelijkheid hebben leren kennen, net als in de song van Janis Ian, want het meisje dat de kinderrol speelde zou na de beëindiging van *Het kleine huis op de prairie* waarschijnlijk nergens meer een rol aangeboden hebben gekregen. Eve kon zich niet herinneren dat ze haar ooit ergens anders in had zien spelen, terwijl ze toch makkelijk herkenbaar moest zijn geweest, tenzij ze misschien iets aan haar gebit had laten doen.

Ze zette haar voeten op het hout van de bank en haalde ze toen weer weg, veegde op de plek waar ze ze had neergezet met haar hand het stof af. Ze probeerde zich de tekst van 'At Seventeen' te herinneren: aan de telefoon vriendjes verzinnen tegen wie je vage obsceniteiten kunt murmelen omdat het meisje in de song te lelijk is om een vriendje te krijgen en alleen nog maar vriendjes kan verzinnen. En dan die song van Marianne Faithfull, die op haar zevenendertigste niets meer van het leven verwacht omdat ze nooit in een sportauto door Parijs heeft gereden en de wind door haar haren heeft voelen gaan. Op je zeventiende was het allemaal voorbij. Dan was het weer allemaal voorbij op je zevenendertigste. Tweeënveertig, dacht Eve. Ik heb het echt gehad. Dan was er nog het bandje dat de Duitse onderwijsassistente, blond, klein van stuk, die nauwelijks tweeëntwintig geweest moest zijn, mee naar de les had genomen zodat zij de tekst konden vertalen, een song van een Duitse popster. *Sie ist vierzig, und sie fragt sich, war es nun schon alles?* Want in Californië zou ze toch nooit meer terechtkomen, die vrouw van veertig, omdat ze al zo oud was. Nooit zou ze in zee uitbundig plezier maken met Jimmy Dean en al die andere filmsterren over wie ze had gedagdroomd. Laat alle hoop varen, gij die hier binnentreedt. Eve (15) keek in de Duitse les op van haar tafeltje naar Eve (42), tropenjaren later, en knipoogde. Eve (42) zat in de kerk met al die doden buiten onder de grond, onder het gras en de tegels, en ze vroeg zich af hoe haar boeken het deden op Amazon. Ze vroeg zich af of er in het dorp ergens een plek was waar ze het op het internet kon opzoeken.

Toen vroeg ze zich af hoe haar boeken het zouden doen op de Amazone, als ze die van een boot in de rivier zou laten vallen.

Het beeld van hoe ze van een boot haar boeken in het water liet zakken verraste haar, ze moest er hardop om lachen. Het eenzame gelach galmde door de kerk. Het was niet eerbiedig. Toen ze ophield met lachen, bleef ze de echo van haar gelach nog horen.

Ze sloot de kerk weer af. Ze bracht de sleutel terug naar de rechtmatige bewaarder.

Wat heb je aan je knie? vroeg Amber op een avond zomaar zonder aanleiding aan Eve.

Aan mijn knie? Niets, zei Eve. Hoezo?

Als je gaat zitten, hou je je rechterknie altijd zo, onder een hoek, zei Amber.

Nee, zei Eve. Maar ja, wel grappig dat je dat vraagt, trouwens, want ik heb die knie ooit ernstig bezeerd, jaren geleden alweer. Maar nu heb ik nergens last van. Grappig. Het is me nooit opgevallen dat ik hem zo hield. Ik doe het waarschijnlijk om hem te ontzien.

Hij is niet helemaal genezen, weet je, als je hem zo blijft houden, zei Amber.

Ik heb nergens last van, zei Eve.

Het ziet eruit alsof hij pijn doet, zei Amber.

Ze was de kamer door gelopen en voor Eve neergeknield. Nu hield ze Eves knie met beide handen vast en drukte ze met haar duimen op de spieren eromheen. Eve voelde de paniek uit haar knie schieten en door haar lichaam heen en weer gaan.

Nee, echt, ik heb nergens last van, zei ze.

Amber hield niet op. Ze drukte heel hard. Haar handen waren heet.

Hij is wel gevoelig, zei Eve.

Ja, zei Amber.

Ze begon met haar hand draaiende bewegingen te maken op Eves knie, en Eve had het merkwaardige gevoel dat ze anders alleen maar had als ze in een vliegtuig zat dat tijdens het opstijgen in een luchtzak terechtkwam en ze haar hart in haar keel voelde, zodat haar lichaam opsprong en ze zich met haar voeten schrap zette op de vloer en haar armen hard tegen de armleuningen van de stoel drukte.

Eve begon te praten. Ze zei het eerste wat in haar opkwam.

Later, toen ze aanstalten maakten om naar bed te gaan, reageerde Michael vreemd beledigd.

Je hebt me nooit verteld dat je iets aan je knie had, zei hij. Al die jaren lang heb je er niets over gezegd, althans niet tegen mij. Waarom niet?

Je hebt er nooit naar gevraagd, zei Eve en ze ging op haar rug in bed liggen.

Michael: Wat heb je gedaan waardoor je hem bezeerde?

Eve: Ik ben van een paard gevallen.

Michael: Een paard? Wanneer heb jij ooit paardgereden?

Eve: Voordat ik jou leerde kennen.

Michael luisterde niet, en het kon hem ook eigenlijk niet schelen wanneer het was. Hij liep hangerig door de kamer, als een mokkend kind op zoek naar zijn lievelingskussen. Eve tilde het laken op en liet hem zijn kussen zien, dat ze onder haar knieholte had liggen.

Eve: Ik wil het vannacht van je lenen.

Michael: Je weet dat dat niet kan. Je weet dat ik het zelf nodig heb.

Eve: Kun je niet een ander kussen gebruiken? Het zou me erg helpen bij het slapen. Ik moet iets onder mijn knie hebben nu er zo lang mee gesold is, en dit kussen heeft precies de juiste vorm.

In feite had ze helemaal geen last van haar knie, maar dat wilde ze niet aan Michael vertellen. In feite voelde de knie beter aan dan in jaren het geval was geweest. In feite was ze geïrriteerd, hoewel ze wist dat het irrationeel was, dat het Michael op geen enkel moment in de meer dan tien jaar dat ze bij elkaar waren was opgevallen dat het überhaupt mogelijk was dat ze ooit last had gehad van haar knie. En een meisje dat haar niet eens kende, viel het nu wel op. Hoeveel andere dingen waren hem niet opgevallen? Voor hoeveel andere dingen was zij zelf blind geweest, als gevolg van zijn tekortschieten?

Ze gaf Michael zijn kussen terug, en hij deed het licht uit en legde het kussen op zijn oor.

Eve lag in het donker met haar handen keurig gevouwen op haar buik. Terwijl ze daar zo lag, werd ze almaar bozer.

Heel stilletjes stond ze op en trok haar ochtendjas aan. Heel stilletjes ging ze naar beneden.

Amber lag op de achterbank van de auto. Toen ze door het openstaande raampje Eve zag, schopte ze een van de achterportieren open. Ze trok haar benen op tot op haar borst, zodat Eve op de rand van de bank kon gaan zitten.

Kon je niet slapen? vroeg ze.

Eve schudde haar hoofd.

Wil je een stukje rijden? vroeg Amber.

Als je het niet te druk hebt, zei Eve.

Amber lachte en haalde haar schouders op. Tot over mijn oren, zei ze.

Ik bedoel natuurlijk niet druk, ik bedoel moe, zei Eve. Als je niet te moe bent.

Ik ben helemaal niet moe, zei Amber. Ze knoopte haar shorts dicht. Ze klauterde tussen de voorstoelen door naar de bestuurdersplaats en opende het portier aan de andere kant voor Eve.

Met zeventig kilometer per uur ging het over de landweggetjes van Norfolk, de koplampen beschenen duizelig geworden insecten en de kleurloze zijkanten van hagen. Eve en Amber hielden hun ellebogen uit de naar beneden gedraaide raampjes in de warm-koele nachtlucht. Eve stak een sigaret aan en reikte die, aangestoken, aan Amber aan.

Ik heb het gevoel dat dit heel afkeurenswaardig is, zei Eve.

Ik hou ervan om gewoon nergens heen te rijden, zei Eve. Het is veel beter dan wel ergens heen rijden.

We zijn net Thelma en Louise, zei Eve.

Jippie, zei Eve.

Ik was drieëntwintig, zei Eve, en ik zat in de metro in Londen, en tegenover me zat een jongen, heel knap om te zien. Hij zat een boek te lezen. Dat was het bijzondere, hij zat een intelligent uitziend boek te lezen, maar hij had een naambordje op dat toonde dat hij bij Curry werkte. Er stond Curry op, en daaronder stond zijn naam, Adam. Ik wachtte totdat hij opkeek en mij naar hem zag kijken, en toen zei ik, je zult me niet geloven, maar ik ben Eve. En toen zei hij, het is echt waar, je zal niet geloven hoeveel mensen er naar me toe komen en tegen me zeggen dat ze Eve heten. Toen glimlachte hij, keek weer in zijn boek en ging door met lezen alsof ik er niet was. Ik had nog nooit zoiets gedaan, ik had bij wijze van spreken nog nooit boe tegen een koe geroepen, laat staan dat ik iemand zo rechtstreeks had aangesproken die ik nog maar dertig seconden had gezien. Toen ben ik maar opgestaan, maar voordat ik uitstapte, heb ik me over zijn boek heen gebogen, het was een boek over een Poolse regisseur, Adam zocht altijd dingen om in geïnteresseerd te zijn voordat ze in de mode raakten en iedereen erin geïnteresseerd was. Ik leunde over het boek heen en zei: ja, maar wat jij niet beseft, is dat ik de echte Eve ben, de oorspronkelijke, en toen ben ik uitgestapt, het was mijn station niet, maar ik wilde laten zien dat ik wegging. Toen ben ik de roltrappen opgegaan naar de straat, en daar in de frisse lucht werd ik boos op mezelf, maar tegelijkertijd was ik opgewonden, ik was het allebei. Ik zei steeds maar tegen mezelf dat hij het niet waard zou zijn geweest omdat hij bij Curry werkte, weet je, en ik bleek gelijk te hebben, want ik ontdekte dat hij vrijwel geen ambitie had, Adam, je zou zelfs kunnen zeggen dat hij negatieve ambitie had. Maar daar stond ik dus, op een plek waar ik helemaal niet moest zijn, ik had geen idee waar ik was, en ik moest weer een kaartje voor de metro kopen, want ik was het station uit gegaan, dus draaide ik me om en wilde de trap weer afgaan

– en daar stond hij, hij stond vlak achter me, het was net als in een film, het regende zelfs, wat ook in een film hoort, ik zei hallo, en hij zei hallo, en ik vroeg heb je me helemaal vanaf de trein gevolgd, de roltrappen op? Hij zei nee, ik moest er hier uit, ik woon hier, ik woon vlak om de hoek. En toen zei hij, ben jij echt Eve? Ik zei ja. En toen zei hij, nou, wil je misschien een kopje koffie of zo? En toen zei ik ja.

Toen Eve klaar was met haar verhaal, leunde ze achterover op de passagiersplaats.

Is dat niet wonderbaarlijk? zei ze. Dat hij zei *ben jij echt Eve?*

God, wat zeur je, zei Amber.

Ik... ik wat? zei Eve.

Is dat het? zei Amber. Is dat nou het allerhoogste, het hou-en-trou, het geheim-dat-nooit-verklapt-mag-worden, het ultieme, het alles overstijgende, het alles in de schaduw stellende levensverhaal van jou? God, jezus nog aan toe, je moet me wel wat interessanters vertellen, anders val ik verdomme nog in slaap hier achter het stuur.

O ja? zei Eve lachend.

Shit, zo meteen ga je me nog vertellen hoe je je kinderen hebt gebaard en hoe zwaar of hoe makkelijk dat was, zei Amber.

Nou, de geboorte van Magnus was een gecompliceerde aangelegenheid, zoals je weet, maar met hem was alles in orde, en met mij ook. Maar eerlijk gezegd voelde ik me na de geboorte van Astrid helemaal gebroken. En nog steeds, in zekere zin. Maar baby's ruiken zo lekker. Ik geloof dat ik er alles voor over zou hebben om mijn eigen nieuwe baby nog eens te kunnen ruiken.

Amber smeet haar peuk met kracht uit het raampje. Misschien was het niet grappig bedoeld. De auto begon sneller te rijden. Het leek alsof ze haar hele lichaam gebruikte om haar voet nog zwaarder op het gaspedaal te drukken. Met elk woord dat ze zei wist ze nog meer snelheid uit de motor te trekken.

Jezus fuck godverdomme, al die eindeloze, egoïstische, stomme rotverhalen, zei ze voor zich uit.

Rij alsjeblieft wat langzamer. En hou alsjeblieft op met vloeken, zei Eve.

Ik zou je godverdomme een stoot in die stomme rotmaag van je moeten geven, zei Amber. Dan zou je pas echt een reden hebben om zo'n kloteverhaal te vertellen.

Ze liet het stuur los en gaf toen met haar beide handpalmen een klap op het stuur. De auto maakte een zwenking en schokte.

Niet doen, zei Eve.

De auto rammelde en week te ver naar rechts uit toen Amber de linkerbocht te snel nam.

Eve begon voor haar leven te vrezen.

Eve ging naar Londen om haar uitgever te spreken. Vergeleken met Norfolk was Londen ongelooflijk lawaaiig en druk.

Amanda, haar uitgever, nam haar mee uit lunchen bij Alastair Little in Soho, dat konden ze zich nu bij Jupiter veroorloven. Op weg ernaartoe bleef Eve staan en gaf een bedelaar een munt van een pond. Amanda tastte in haar tasje om ook een munt te pakken en hetzelfde te doen. Tussen het kantoor van de uitgeverij en het restaurant hield Eve steeds in en gaf aan iedereen die het vroeg een munt, alleen om te zien of Amanda het ook zou doen.

Hier, zei Eve, en ze gaf een verweerd uitziende man een briefje van vijf pond.

De man keek verbaasd. Toen keek hij blij. Toen schudde hij Eve de hand.

Amanda keek weifelend, keek toen in het bankbiljettenvak in haar portemonnee. Ze haalde er een briefje van tien uit, mooi nieuw en bruin.

God nondeju, dacht Eve.

De man maakte een luchtsprongetje.

Dank u wel, dames, zei hij. Ik wens u een prettige dag.

Het restaurant zat vol met mensen die keken wie er nog meer in het restaurant waren.

Amanda praatte altijd alsof ze een lijst met dingen die ze met Eve wilde bespreken had gememoriseerd en dat ze die tijdens het gesprek een voor een in gedachten afvinkte, alsof het vanzelf ging. Zevenenzestigeneenhalfduizend, en het aantal stijgt nog steeds, zei ze nadat ze de onderwerpen gezinsleven en vakantie had afgevinkt. Het is geweldig, zei ze. En de vraag naar de eerste vijf is ook hartstikke goed. Natuurlijk wil iedereen met wie ik het erover heb maar één ding weten. Hoe staat het met de nieuwe Authentieke?

Die zit eraan te komen, zei Eve.

Wat dacht je van april? vroeg Amanda met een blik in haar agenda.

April is uitstekend, zei Eve.

Mooi, zei Amanda.

Ik dacht dat ik deze keer eens zou schrijven over iemand die doodgaat, zei Eve.

Nou, natuurlijk, zei Amanda.

Neen, ik bedoel doodgaan en verder niks, zei Eve. Afgelopen. Uit. Morsdood. Einde verhaal.

Nou, ja, interessant idee, zei Amanda. Hoewel dat in de Authentieke Teksten over het algemeen niet zo gaat, hè? Ik bedoel, de formule is er toch levensbevestigend, nietwaar?

Een Palestijnse jongen, dacht ik, net als die jongen van twaalf die door de soldaten is doodgeschoten, zei Eve.

Wanneer? vroeg Amanda. Ik bedoel, in welk jaar, zo ongeveer?

Ze keek verward.

Vorige maand, zei Eve.

Vorige maand? zei Amanda. Tja, dat maakt het wel een stuk minder aantrekkelijk voor de markt.

Omdat ze stenen gooiden naar hun tank, zei Eve. Of stel dat ik wil schrijven over iemand die nu leeft maar die morgenochtend dood zal zijn, bijvoorbeeld. In Irak.

In…? zei Amanda. Ze keek nu nog verschrikter.

Irak, zei Eve. Je weet wel.

Nou, dat is wel veel duidelijker eigentijds dan we gewend zijn, zei Amanda. Maar waarom je het historische aspect wil veranderen, dat toch het voornaamste kenmerk is van de serie, als je het mij vraagt, en volgens mij ook als je het de lezers vraagt, waarom die het zo goed doen, waarom ze zo populair zijn, waarom de lezers de formule gewoon hebben opgepikt, dat is omdat dat historische aspect…

Ik heb nog geen besluit genomen, zei Eve. Misschien besluit ik wel om helemaal geen boek te schrijven.

Als het een kwestie is van een voorschot, zei Amanda.

Soms denk ik wel eens dat ik misschien genoeg boeken geschreven heb, zei Eve.

Maar net zei je, je zei net dat april uitstekend was, zei Amanda Farley-Brown van Jupiter Press mistroostig terwijl ze haar wijnglas neerzette.

Het hangt natuurlijk af van de erosie van de golfstroom, en van de gedragingen van de relevante meteorologische fronten, zei Eve.

Wat? zei Amanda zwak.

Of april uitstekend zal zijn, zei Eve.

Amanda kreeg een blos en keek verloren. Eve voelde zich er schuldig om. Ze kende Amanda niet erg goed. Ze wist niet wat voor soort leven ze leidde, onder welke druk ze leefde, welke redenen ze had om zo vriendelijk te zijn als ze was. Onder wat voor een druk leefde een vrouw van zesentwintig met een baan als redacteur bij een kleine uitgeverij die net was overgenomen door een veel grotere uitgeverij? Amanda had de blik van iemand die net had gehoord dat ze bij zonsopgang zal worden geëxecuteerd.

Het is goed, hoor, zei Eve. Weet je, ik plaag je maar een beetje.

O ja? zei Amanda.

Ik ben al een eind gevorderd, zei Eve. April is uitstekend.

Amanda keek zichtbaar opgelucht.

O, zei ze. Mooi. Uitstekend. Perfect.

Ze schudde haar hoofd en krabbelde toen wat in haar agenda.

Het is een Schotse deze keer, zei Eve. Volgens mij wordt hij heel populair. Zonder nou meteen te veel te willen zeggen, het gaat over een plattelandsmeisje. Op een boerderij.

Een plattelandsmeisje, heel goed, zei Amanda met een hoofdknikje terwijl ze in haar agenda schreef.

In de trein vanaf Londen keek Eve hoe haar spiegelbeeld in het raam in het voorbijsnellende landschap van met kreupelhout begroeid land, kleine plaatsjes en bomen veranderde en weer tot haarzelf terugkeerde, en ze raakte ten slotte vervuld van ontzetting, hoewel ze – als iemand tegenover haar, iemand die haar interviewde bijvoorbeeld, of God, met een kleine DAT-recorder en microfoon, het haar zou hebben gevraagd – niet precies zou hebben kunnen zeggen waarom.

Ze keek weg van zichzelf. Ze probeerde zich voor te stellen dat Amber niet bestond. Als ik thuiskom is het zomer, zei ze tegen zichzelf. Dan ga ik verder met het project van het plattelandsmeisje voor de volgende Authentieke Tekst. Dan ben ik al halverwege.

Maar het was net zoiets als proberen te doen alsof het vraagteken niet bestaat, of een deuntje proberen te vergeten als je het al uit je hoofd kent. Volgens de laatste onderzoekingen schijnen deuntjes echt in je hersenen gegrift te worden, alsof het met een klein mesje gebeurt, had Eve ergens gelezen.

Michael haalde Eve op van het station.

Hij praatte over Petrarca en Sidney, structuren en afwijkingen. Hij was duidelijk ook verliefd op Amber, en deze keer gleed het niet van hem af als water van een eendenrug. Nee, de eend, gewond door een jager en in de war omdat zijn kop er half af was geschoten, stond langs de rand van de vijver nog op zijn vliespoten te wankelen. Van de ene kant gezien zag hij eruit zoals een eend er normaal uitziet. Van de andere kant gezien was het een ander verhaal.

Toen ze thuis waren, kwam ze in de zitkamer meteen oog in oog te staan met Amber, met zo te zien haar hand in Magnus' kruis. Magnus stond op.

Niks aan de hand, zei Amber. Wettelijk is hij volwassen.

Amber hielp me alleen even met mijn rits, zei Magnus.

Astrid kwam vanuit de tuin binnenstormen, en het eerste wat ze deed, was zich op Amber op de bank werpen en haar stevig omarmen.

Amber gromde.

Hoi, zei Astrid tegen Eve, opkijkend vanuit haar omarming van Amber. We hebben het vandaag hartstikke fijn gehad. Amber en ik zijn gaan vissen.

Vissen, zei Eve. Wat leuk.

Nou, zei Amber.

We zijn naar de rivier gegaan en we hebben expres geprobeerd niks te vangen, zei Astrid. We hebben lijntjes uitgegooid zonder haken eraan.

Was dat niet zinloos? vroeg Eve.

Ja, volkomen, zei Astrid.

Letterlijk, zei Amber.

Zij en Amber begonnen te giechelen, en terwijl Amber opstond, hield ze Eves dochter in haar armen, draaide zich een halve slag om en liet Astrid een pirouette draaien in de lucht.

Ondertussen verstreken de dagen. Ze verstreken onherroepelijk, alsof een hittegolf omlaag was gedonderd en alles bedekt had en vaag, mistig en troebel had gemaakt, als onder water, dag na nacht na dag.

Hoe is het nu voor je, als je eraan denkt wat er met het kind is gebeurd? vroeg Eve aan Amber vlak voor het begin van het einde.

Welk kind? zei Amber.

Het kind, zei Eve. Het kind. Het kind dat je. Je weet wel. Het ongeluk.

Welk kind? zei Amber. Welk ongeluk?

Wat zou je over jezelf ooit te weten willen komen? Droom of werkelijkheid? War es nun schon alles? Ben je echt Eve? Hoe is het met de nieuwe Authentieke Tekst? Welk kind? Welk ongeluk?

Amber, die zo mooi in de deuropening van de schuur stond, werd donker door het zonlicht achter haar. Ze kwam op Eve af, die achter haar laptop zat, op de stoel bij het bureau, ging voor haar staan en legde haar handen op Eves schouders, alsof ze haar eens goed door elkaar wilde rammelen.

Toen kuste ze Eve op de mond.

Eve was tot in het ongelooflijke ontroerd door de kus. Maar voorzover het ongelooflijk was, was het angstaanjagend. In het ongelooflijke was alles anders, leek het alsof ze begiftigd was met een nieuwe blik, alsof onstoffelijke handen haar een soort koptelefoon hadden opgezet die haar alle onbenoemde onzichtbare kleuren buiten het elementaire menselijke spectrum onthulden, en alsof de wereld buiten haar gezichtsveld moedwillig zijn tempo had verlaagd om de tussenruimten te tonen tussen dat wat ze meestal zag en de wijze waarop de dingen in deze tussenruimten tijdelijk met dun draad aan elkaar zijn vastgeknoopt.

Amber liep terug door de tuin. Ze liep te fluiten. Ze had haar prachtige handen in haar zakken gestoken, waar ze in het donker gebald waren tot prachtige vuisten.

Eve zette haar laptop uit en deed de klep dicht.

Michael stond in de keuken met een mes etenswaren in gelijke blokjes te hakken. Astrid kwam vanuit de zitkamer aanrennen. Magnus had de deur van zijn kamer opengedaan en was via de trap op weg naar beneden. Eve wachtte totdat ze allemaal binnen gehoorsafstand waren. Ze hield Amber staande in de gang.

Tot ziens, zei ze.

Hè? zei Amber.

Het is tijd, zei Eve. Tot ziens.

Waar ga je heen? vroeg Amber.

Ik ga nergens heen, zei Eve.

Mam, zei Astrid.

Astrid was als aan de grond genageld blijven staan. Magnus bleef stokstijf op de trap staan. Het gehak in de keuken hield op; Michael stond daar met zijn mes midden in een hakkende beweging, zijn hand omhooggeheven.

Dat is in elk geval waar, zei Amber. Jij gaat nergens heen.

En dat betekent? zei Eve.

Dat je dood bent, zei Amber.

Mijn huis uit, zei Eve.

Het is jouw huis niet, zei Amber. Je huurt het maar.

Mijn huurhuis uit, zei Eve.

Ik ben geboren bijna een eeuw na de geboorte van de Fransman wiens naam in vertaling meneer Licht luidt, die als hij in de dertig is, laat in het jaar 1894, een slechte nacht heeft, niet kan slapen, zich niet goed voelt, overeind gaat zitten in bed, door het huis dwaalt, en... eureka! Natuurlijk! Het principe van de op en neer bewegende voet! Zoals bij een naaimachine de stof wordt getransporteerd! Hij geeft zijn hoofdingenieur op de fabriek een opdracht. Hij gaat zelf zitten om gaatjes in zijn fotografisch papier te prikken. Hij en zijn broer maken het ontwerp: een houten kist met een oog. De kist neemt op wat hij ziet in zwart-, wit- en grijstinten, steeds 52 seconden lang.

De exprestrein uit Parijs komt aan. Het publiek op de voorste rijen duikt in elkaar! Arbeiders verlaten hun fabriek. Het publiek verwondert zich! Een jongen houdt een tuinman voor de gek met een tuinslang. De toeschouwers vallen van hun stoel van het lachen! Mensen spelen een kaartspel. Het publiek roept dat de blaadjes aan de bomen achter de mensen op de wind bewegen! Honderden treinen arriveren in honderden stations. Honderden arbeiders verlaten honderden fabrieken. Honderden tuinlieden worden voor de gek gehouden door honderden jongens met een tuinslang. Honderden blaadjes bewegen op honderden achtergronden. *Speciale Boodschap voor Arbeiders en Arbeidsters. Waarom in Koude en Regen blijven staan als u voor 5cts. een Plezierig Uur kunt beleven, tussen 12 Uur en 14 Uur behalve des Zaterdags.*

*Komt en Ziet de Gebeurtenissen van den Dag weergegeven in
Levende Beelden.* Man aangevallen door leeuw. Een kussend
paartje. De Uitvaart van Koningin Victoria. Voetbalfinales. De
Grand National, de Beroemde Luchtschepen van de Wereld,
Begeleiding door de Befaamde Warwick's Cinephone. De
Music Hall wordt het Central Hall Picture House, gedreven
door de MacKenzies van de kermis. Ze contracteren een
pianiste om het theater een respectabel aanzien te geven.
Alladin en zijn Wonderlamp. Waartoe Vrouwen In Staat
Zijn. De Kist van de Maharadja. Een vrouw rijst op uit een
kist in een grot en roept met toverkracht danseressen om zich
heen op. Een censor heeft op elk beeldje de lichamen met
rode inkt overgeschilderd. Boven de te blote halzen en benen
van de danseressen bibbert het rood.

Rood staat voor passie of voor iets dat brandt. Groen staat
voor idyllisch. Blauw staat voor nacht en donker. Amber staat
voor lamp aangestoken in het donker.

Gered uit een Adelaarsnest. De Dichter die Zelfmoord wil
plegen. *Bombastus Shakespeare probeert twaalf nieuwe manieren
uit om zelfmoord te plegen. Geen van alle lukken ze, maar hij gaat
toch dood. Een giller van begin tot einde.* Een man staat op het
toneel en vertelt het publiek het verhaal waar ze naar kijken.
Een meisje wordt gekidnapt door zigeuners die haar
wegvoeren in een ton. De ton valt in de rivier. Hij drijft op de
waterval af. Een graanspeculant sluit een lucratief contract dat
tot gevolg heeft dat honderden van zijn arbeiders arm blijven.
Hij valt per ongeluk in zijn eigen graanelevator, het scherm
krijgt een goudgele kleur terwijl het graan hem verstikt. De
Central Hall ondergaat een naamsverandering en heet
voortaan het Alhambra Picture House. *Dit Huis is speciaal
ontworpen, in volledige overeenstemming met de Kinematograph-
wet van 1910, met het oog op zo groot mogelijk comfort en
veiligheid en zal iedere vergelijking met de modernste en beste
huizen te Londen of Glasgow met glans doorstaan.* Er wordt een
tearoom aan toegevoegd. Er is een volledig orkest met een

pianist, een cellist, een violist en een slagwerker. Er zijn
duizend zitplaatsen. Er is een tien meter breed toneel, aan
weerszijden versierd met oosterse motieven. De bedrijfsleider,
de heer Burnette C. MacDonald, rammelt tijdens de
vertoning van de wagenrennen van Ben Hur met kettingen in
een ton. Elke donderdagavond komen er van Black Isle twee
broers met hun honden per pont over om de film te zien, en
elke week zitten ze op dezelfde plaatsen. Als de mannen er
een keer niet zijn, blijkt een van de honden, een grijze
hazewind die Hector heet, wel aanwezig te zijn; hij zit op zijn
gewone plaats en blijft tot de voorstelling is afgelopen.

Vechtpartijen, branden, opstootjes, stormen: Beethoven,
Willem Tell, Wagner. Samenzweringen, inbraken, etc.: Grieg,
Liszt, Beethoven. Liefde of zwijmelarij: *Dear Old Pal of Mine,
Sunshine of Your Smile, O Dry Those Tears*. Kussen: op de
goedkope plaatsen wordt gefloten naar het scherm. Je weet dat
een film goed is als hij vol schrammen zit alsof het hard
regent. Chaplin is de koning van een regenachtig land. Aan
zijn stok zitten knobbeltjes als de uitstulpingen van een
ruggengraat. Hij tikt aan zijn hoed voor alles wat op straat ligt
en waar hij net over gestruikeld is. Hij blijft staan om een gat
in zijn schoen te bekijken. Een auto passeert en hult hem in
grote stofwolken. Een andere auto in de tegengestelde richting
gooit hem weer ondersteboven. Hij staat op. Hij borstelt zich
af met een klerenborsteltje. Hij gaat onder een boom zitten.
Hij wrijft over zijn nagels voordat hij een stuk oud bruin
brood opeet. *Verscheidene bioscoopdirecties hebben gemeld dat men
na twee weken Chaplin-comedy's de bouten van de theaterstoelen
heeft moeten vastdraaien aangezien het publiek zo hard had
gelachen dat ze door de vibraties los getrild waren.* Tot ziens,
Charlie, roepen de jongens in het publiek aan het einde van
een korte Chaplin-film. Dan gaat de heldin vastgebonden op
de lopende band gestaag in de richting van de cirkelzaag.
Mannen zijn niets anders dan groot geworden jongens. Het
verleden verschijnt daar in de zaal vlak voor je, de open plek in

het bos, de dode is er gewoon nog. *Lafaard dat je bent. Je rende weg hoewel je de waarheid kende!* Als het aan mij ligt zal je zoon je nooit leren kennen. Jezus redt het blinde kind. O – o ja – ik geloof dat ik het licht zie. Het licht van de liefde. Mary Pickford zegt tegen de non dat ze het kind terug wil. De non schudt haar hoofd. *Ik weet het, zuster Lucia, u denkt dat ik krankzinnig ben. Maar dat ben ik niet.* De politie schiet stakende mijnwerkers dood. *De heidense spleetoog krijgt een proefje te zien van wat tweeduizend jaar beschaving vermag.* Lillian Gish zal zo meteen onthoofd worden, tijdens de Franse Revolutie. *Een vrouw die bemint, vergeeft.* Constance Talmadge leeft in de bergen en weigert te trouwen. *Blue Blood and Red. The Ten Commandments. The Campbells Are Coming. The Pride of the Clan.* Een vrouw gaat in bad in een productie van Cecil B. De Mille. Badkamermodes veranderen van de ene dag op de andere over de hele wereld. *Puritan Passions. Enticement. Playing With Souls. Don Juan. The Adventures of Dorothy Dare, a Daughter of Daring. Ruth of the Rockies. Pearl of the Army.* De aartshertog stapt uit zijn staatsieautomobiel. De chauffeur van de aartshertog loopt om de auto heen om de schade van de bomaanslag op te nemen. Een natie verdwijnt. Grenzen weggevaagd. *Vruchtbaar land verandert in een woestijn. Een koning in ballingschap – de cameralieden van het Pathénieuws zijn erbij.* Zeven of acht mannen klauteren uit een loopgraaf. Een glijdt naar beneden, valt dood. Het Alhambra Picture House, lunchroom, tearoom en parkeerplaats. *If I Had A Talking Picture – Of You.* Als het afgelopen is, blijft het publiek als verstomd zitten. Het orkest is werkloos geworden. Europese films worden niet meer gemaakt. Amerikaanse films drie keer zoveel. Er zijn zes bioscopen. Het is maar een kleine plaats. Bij elke bioscoop sta je twee uur in de rij. De Empire de Palace de Playhouse de Queens de Plaza de Alhambra. Ze hebben houten stoelen met zachte kussens. Ze hebben art-decomuren. Ze hebben pilaren. Boven aan de pilaren staat in golvende, gouden letters A P H. Ze hebben gouden gordijnen met weelderige ruches die keer op keer met onvoorstelbare sensualiteit omhooggaan. Ze hebben lampen die zo hoog in het plafond met de dubbele koepel zitten dat alleen God een peertje kan verwisselen. Een gepensioneerde sergeant-majoor uit de Eerste Wereldoorlog loopt met een pneumatische, verchroomde Scentinel Germspray door het middenpad op en neer *om de lucht antiseptisch schoon en fris te houden, voorstelling na voorstelling, dag na dag. Wees modern. Gebruik Scentinel frisheid overal. Scentinel Sales New Hygiene Ltd., 266–268 Holloway Rd, London N7.*

Boven is het duurder. Beneden roept met een Amerikaans accent naar het scherm. Boven en beneden roepen samen naar de Britse films terwijl mensen in avondkledij met afgeknepen stemmen dingen tegen elkaar zeggen. Cartoons, korte film, nieuws, aankomende attracties, B-film, grote film, volkslied. Mensen nemen brood mee. *Around the World in Sound and Vision on the Magic Carpet of Movietone.* 20 cts om *The Good Earth* te mogen zien, zelfde prijs als een brood. *The World Changes. I Am A Thief. Lady from Nowhere. Woman Against Woman. Let's Get Married,* voorstelling samen met *A Dangerous Adventure. March of Time. International Settlement.* Alle zes bioscopen zijn twee weken dicht voor het geval de invasie komt. Een week later gaan ze weer open. Alle zes hebben hun neonlichten gedoofd. *The Great Dictator. Boy Meets Girl.* De directeur van de Alhambra, de heer O.H. Campbell, loopt midden onder een Sinatra-film het toneel op. Victorie in Europa. Iedereen juicht. Japan verslagen. *Great Expectations. Gone With the Wind.* Tijdens de bosbrand in *Bambi* worden huilende kinderen naar buiten gedragen. De mensen kopen zelf een tv-toestel en kijken thuis naar de kroning van koningin Elizabeth. Het scherm wordt drie keer zo groot. Cinerama. Cinemascope. Widescreen. NaturalVision. Een leeuw springt in het publiek. *The Greatest Show On Earth. Ben Hur,* opnieuw. *The Ten Commandments,* opnieuw.

Een mier kruipt omhoog op een grassprietje dat uit een barst in het graf van Cecil B. De Mille steekt. De Plaza houdt op met het vertonen van films. De Queens brandt af. De Empire sluit zijn deuren. In de Playhouse komt een bingohal. *Barefoot in the Park. Far From the Madding Crowd.* Natalie Wood en Robert Redford lachen op weg naar huis van de bioscoop in *This Property Is Condemned.* Afgebroken. Afgebroken. Bingohal. Afgebroken. Bingohal. Kerk van de zevendedagsadventisten. Afgebroken. Afgebroken. Autoverkoop in de open lucht. Afgebroken. Supermarkt. Afgebroken. Meubelhal. Afgebroken. Kerk. Afgebroken. Nachtclub. Afgebroken. Afgebroken. Nachtclub. Afgebroken. Restaurant. Gevel op monumentenlijst. Bingohal. Afgebroken. Afgebroken. Afgebroken. Afgebroken. Steve McQueen verongelukt met zijn Porsche op het circuit. Zal hij het redden? De Empire in Bradford. De Empire in Plumstead. De Empire in Willesden. De Empire in Penge. De Hippodrome in Colchester. De New Savoy in Glasgow. De Rivoli in Aigburth. De Picturedrome in Dingle. De Phoenix in Kirkwall. De Scala in Harrogate. De Scala in South Shields. De Coliseum in Leeds. De Rialto in Kircaldy. De Majestic in Clapham. De Alhambra in Darlington. De Alhambra in Perth. De Palace in Luton. De Palace in Largs. De Palace in Stroud. De Palace in Bristol. De Palace in Maida Vale. Fade-out tot cirkel. Fade-out naar zwart. Ze breken de muren af, en alle films staan op van hun dode planken, even transparant als de zielen van de doden die erop staan en die opstaan uit het lijk dat ze zijn.

Burt Lancaster kust Gina Lollobrigida op de trapeze hoog boven het publiek.

Een zaal met societypubliek in een mooi, oud theater ademt een slaapverwekkend gas in dat door de ventilatiebuizen naar binnen wordt geblazen. Ze gaan allemaal onderuit.

Een man die een vliegtuig uit de Eerste Wereldoorlog vollaadt met bommen houdt er een omhoog om hem ons te tonen. Aan hun zwaarste kant zijn de bommen rond als blote vrouwenborsten.

Op alle slagvelden staan de doden op en lopen weg. Een en al lopen, een grote massa. Strompelend, bleek, in het verband, elkaar ondersteunend, niet als zombies, maar als mensen die echt kapot zijn lopen ze naar de huizen van de levenden waar ze door de ramen naar binnen staren.

Een vrouw dirigeert een orkestje met muzikanten die niet groter zijn dan haar hand.

Het regent gouden munten op een plattelandsmeisje. Een minuut geleden was ze te arm om te eten. Vóór haar gaat een deur open. Hij geeft toegang tot een betoverd landschap.

De mensen van het makelaarskantoor verschijnen als uit het niets midden in de kamer. Hun wordt verteld wat de eigenaar wil – alles verhuizen naar een ander huis, aan de andere kant van de stad. Ze knikken – en lossen weer in het niets op, het ene moment zijn ze er, het volgende niet meer. De huiseigenaren zijn in verwarring. Ze schudden hun hoofd en krabben eraan. Maar dan komen de boeken uit zichzelf van de planken. Ze springen op de vensterbank. Ze werpen zichzelf uit het raam. Op straat gaan ze er met wapperende bladzijden vandoor. De borden klauteren uit het dressoir. Achter elkaar aan paraderen ze naar het raam en springen. De kopjes volgen. Ze werpen zichzelf naar buiten. Geen van alle breken ze. Het bestek komt overeind en loopt weg. De stoelen springen uit het raam. De kleren zweven de kasten uit. De schoenen lopen zelfstandig het huis uit, de grote voorop, gevolgd door de andere, tot en met de laarsjes van de kinderen. De vloerkleden rollen zichzelf op en vertrekken. Het huis ontledigt zichzelf.

Palais de luxe, Alhambra, de plek waar ik verwekt ben, waarnaar ik vernoemd ben.

De arbeiders gaan de fabriekspoort door op weg naar huis. Het is het einde van een lange, lange dag.

HET
EINDE

van de wereld. Al is hij maar 1 km breed, wat maar heel klein lijkt, en beweegt hij zich met maar 20 km per seconde voort, wat maar heel langzaam lijkt, dat zal toch nog het einde betekenen, het absolute einde. Stel dat hij bijvoorbeeld ergens in Amerika inslaat en het de mensen elders niet kan schelen omdat ze helemaal niet in de buurt van Amerika wonen. Stel dat hij in Amerika inslaat en dat dan de brandende korsten van het grote gat dat hij in Amerika maakt de lucht in geschoten worden en dan neerkomen op andere plaatsen, onder andere in Engeland. Heel Engeland, niet alleen Londen of Islington, zal dan in brand staan. Norfolk zal branden. Stratford zal branden. Richmond en Kew, en die plaats bij Bedford waar ze soms heen moeten omdat de ouders van Michael daar wonen, zal branden, en ook Hebden en al die andere plaatsen waar Astrid nooit geweest is, zullen branden. Asteroïde is maar drie klinkers langer dan Astrid. Astrid de asteroïde. De asteroïdengordel bevindt zich tussen Jupiter en Mars. Een asteroïde is een hoop ruimtestenen door de eigen zwaartekracht aaneengesmeed tot één grote rotsklomp die een km of meer breed kan zijn. Een asteroïde is een ster op steroïden. Zo is het met de dinosaurussen gegaan. Waarschijnlijk was het er maar één, van maar 10 km breed, meer was er niet nodig om ze te reduceren tot wat ze sindsdien zijn, dinosaurussen. Maar veel recenter dan toen, maar vijfennegentig jaar geleden om precies te zijn, wat historisch gezien niet erg lang is, maar een relatief korte periode geleden, is een asteroïde van bijna verwaarloosbaar kleine afmetingen in Siberië ingeslagen, waarbij wonderlijk genoeg maar zes mensen zijn omgekomen, al bezat hij dezelfde explosiekracht als 1000 massavernietigingswapens. Het was een krankzinnig geluk voor de mensen dat hij maar in Siberië terechtkwam.

Ze is niet bang om zich het einde voor te stellen. Er zullen eekhoorns branden en stinkdieren zullen door de lucht vliegen, rood opgloeiend in het donker alsof het brandende kolen zijn ter grootte van een stinkdier, er zullen stinkdier-vuurbommen vallen en brandende stukken van die brug in San Francisco of stukken van filmstudio's, van dat kasteel en die nagemaakte toestanden in Disneyland en het Empire State Building, ze zullen opgloeien als gigantische sintels, duizenden kilometers omhoog geschoten worden en dan weer duizenden kilometers omlaag vallen, met steeds toenemende snelheid, en dan inslaan in de wijzerplaat van Big Ben, inslaan in de parlementsgebouwen en op Waterloo Bridge, het grote rad van de London Eye zal omvallen, en alle mensen in de neerstortende capsules zullen heen en weer geworpen worden alsof ze in sneeuwbollen zitten en alle gebouwen zullen branden, het Tate Modern zal branden, de kunst zal branden, het restaurant zal branden, de museumshop zal branden.

Astrid geeuwt.

Ze is al heel vroeg op.

Het is ochtend, maar buiten is het nog donker. Ze kijkt uit het raam naar de hemel boven de huizen. Hij heeft de kleur van de straatlantaarns, en daarboven is het donker. De verwarming is nog niet aangeslagen. Het is koud. Ze draagt een van haar drie nieuwe rode pyjamasjes. Ze draagt twee van haar nieuwe rode truien en het nieuwe rode vest, allemaal over elkaar heen over de pyjama, en het vest is dichtgeknoopt.

Je mag niet alles in het rood hebben, had haar moeder gezegd. Je mag niet alles in dezelfde kleur hebben.

Het zijn verschillende tinten rood, had Astrid gezegd.

Nou, in elk geval weet ik niet zeker of rood je wel staat, had haar moeder gezegd.

Astrid had haar neus opgehaald en had het rode vest omhooggehouden. Haar moeder had gezucht en was ermee naar de kassa gelopen.

Maar Michael ziet niet wat voor kleur Astrid kiest, of het kan hem niet schelen, en hij zal tot haar moeder terugkomt alles betalen, en tegen die tijd zal bijna haar hele garderobe rood zijn.

De pyjamabroek hangt over haar voeten, want gelukkig is die een beetje te groot voor haar. Hij is op de groei gekocht.

Hoewel het nog zo vroeg en zo donker is, zijn er al veel mensen op, mensen die zich klaarmaken om aan het werk te gaan of wat dan ook. Het is 6:35 op de nieuwe digitale wekkerradio die een signaal uitstuurt naar Greenwich en dan de exact juiste tijd retour ontvangt. Haar kamer ruikt naar het nieuwe bed en alle andere nieuwe spullen. De geur van de nieuwe spullen is in het begin opwindend, maar dan een beetje irritant. Alles ruikt zo. Bijna alles is inmiddels nieuw, letterlijk bijna alles in deze kamer, en bijna alles overal in het huis.

Het was wonderbaarlijk om de vloerdelen te zien. Het was wonderbaarlijk om de muren te zien. Het is nog steeds wonderbaarlijk als je erover nadenkt. Thuiskomen en door de voordeur naar binnen gaan en alles kaal aantreffen was net zoiets als jezelf voor het eerst horen ademen. Alsof iemand binnen in je je ademhaling op volle sterkte had gezet.

Astrid mist de oude spullen niet echt, een paar dingen maar. Ze vond het het leukst toen er in het huis helemaal geen spullen waren en ze terugkwamen na drie nachten in het hotel en in geleende slaapzakken op de grond sliepen totdat de bedden kwamen. Het was wonderbaarlijk dat haar moeder uiteindelijk pas moest huilen omdat de deurknoppen weg waren en niet om iets groters of meer voor de hand liggends zoals het fornuis of de computer of de eerste drukken van haar manuscripten. Haar moeder is nu drie weken en drie dagen weg. De datum dat ze terugkomt staat niet vast. Het is een soort wereldreis, schijnt het. Het schijnt heel urgent te zijn. Astrid vindt het uiterst onverantwoordelijk.

Toen ze thuiskwamen van vakantie en het lege huis binnen waren gegaan, was haar moeder blijven staan en had alleen maar gekeken, net als zij allemaal, eerst in de gang en toen waren ze doorgelopen naar alle kamers. Zowel haar moeder als Michael had eerst gelachen, ze waren maar zo'n beetje blijven staan of langs elkaar heen gelopen en hadden hun ogen opengesperd alsof ze het niet konden geloven, alsof ze dachten dat iemand hun een enorme poets had gebakken. Toen wilde haar moeder de deur opendoen om naar beneden te gaan en te kijken hoe het daar was, maar ze kon de deur niet openen omdat er geen deurknop was.

Toen ging ze huilen.

Het waren ambachtelijk gemaakte deurknoppen, zei ze. Ze bleef het maar zeggen, als een krankzinnige. Het waren ambachtelijk gemaakte deurknoppen.

De deurknoppen betekenden voor haar het einde. Het einde is waarschijnlijk voor iedereen anders. Astrid vindt het nu nogal weerzinwekkend om dat het einde te noemen, deurknoppen. Dat is het einde, zei haar moeder daarna steeds maar. Het absolute einde.

De bedden, de stoelen, de keukenkastjes, de deuren van de muurkasten, de klerenkasten, alles wat in alle keukenkastjes, de muurkasten en de klerenkasten had gestaan of gelegen. Zelfs de plaatjes van Busted etc. die bij Astrid aan de muur hadden gehangen. Zelfs de blauwe kleefgom waarmee ze vast hadden gezeten. De ladekastjes, dingen als de schaar en elastiekjes en zo, en stukjes touw die in de laden hadden gelegen. Er was niets meer. Niet eens een los knoopje. Het was alsof alle verdiepingen schoongeveegd waren. Niet eens een losse paperclip in een barst in het hout. Het enige wat de dieven niet hadden meegenomen was het antwoordapparaat.

Het stond op de vloer bij de muur van de eetkamer te bliepen, en het lampje flitste aan en uit. Ze hadden het al gehoord toen ze de voordeur openden, zoals meestal het geval was: je hoorde het altijd als je thuiskwam en de voordeur opendeed, dus het was geen grote verrassing om het te horen, behalve dan dat het deze keer onnatuurlijk hard klonk. Het klonk veel harder omdat al het andere weg was. Maar ze hadden wel de telefoon meegenomen, dus belde Michael de politie met zijn mobieltje. Het hele huis, zei Michael. Letterlijk kaalgeplukt. Toen belde hij een hotel. Zijn stem klonk vreemd omdat ze de vloerkleden hadden meegenomen, en zelfs de traplopers, waardoor in het hele huis het geluid volkomen anders klonk. Als je maar gewoon wat zei, het maakte niet uit wat, klonk het al vreemd.

Dus toen ze terug waren uit Norfolk, hadden ze eerst de auto neergezet. Toen had haar moeder de deur opengedaan. Zodra ze binnen waren, had Astrid het bliepen gehoord. Pas toen was het haar opgevallen dat er iets abnormaals was. Toen had ze zich gerealiseerd dat er iets vreemds was aan de plek waar de kapstok normaal stond. Omdat de kapstok weg was. En toen zag ze dat er nog iets weg was, en toen herinnerde ze zich wat dat was, het was een boekenkast, want ze herinnerde zich de vorm van een boekenkast in de gang. En toen zag ze de plekken op de muur die er vreemd uitzagen omdat het de plekken waren waar schilderijen hadden gehangen. Het is gek dat het toch een moment duurde voordat je het je herinnerde, denkt Astrid, en soms was het eigenlijk heel moeilijk om je weer voor de geest te halen wat er ook alweer op een lege plek was geweest nadat daar iets was weggehaald.

Toen waren ze de voorkamer in gegaan, de zitkamer, de speelkamer, de keuken, en hadden ze naar alle dingen gekeken die daar verdwenen waren.

Enzovoort.

Het enige wat er dus nog is, natuurlijk met uitzondering van het antwoordapparaat, is datgene waar zij en Magnus en haar moeder mee thuis zijn gekomen, wat zich in de 4wd bevond en wat ze bij zich hadden in het vakantiehuis in Norfolk. De dieven hebben de kranen van de wasbakken meegenomen. De knoppen van de centrale verwarming hebben ze eraf gehaald, wat enigszins problematisch is omdat het nu bijna november is en ze nog niet vervangen zijn terwijl het soms best heel koud is maar wel te warm om de verwarming de hele tijd op volle kracht aan te hebben maar er bij geen van de radiatoren in huis het warmteniveau veranderd kan worden zonder een combinatietang.

Het had ook voordelen, want Astrid kon nu geen probleem meer krijgen over haar mobiele telefoon, want ze had gezegd dat die in haar nachtkastje lag, dat natuurlijk net als al het andere meegenomen was.

Haar moeder ging bij alle buren langs, maar niemand had iets ongebruikelijks gezien of gehoord. De familie Moor had twee weken geleden een verhuiswagen zien komen en gaan. We hebben er niets achter gezocht, zeiden ze tegen haar moeder en Michael. We dachten dat jullie aan het verhuizen waren. We waren al benieuwd naar het bord van de makelaar, omdat we erover dachten zelf ook ons huis te laten taxeren.

Haar vaders brieven en de foto waren meegenomen. Ze hadden in de reistas onder het bed gelegen, met de schoenen, de plastic tassen en de posters, ook onder het bed, ook allemaal meegenomen.

Astrid kijkt de straat door. Dan kijkt ze naar de andere kant de straat door. Er lopen maar weinig mensen rond, ze stappen in een auto en zo, maar niemand die ze kent. Niet dat ze iemand verwacht te zien die ze kent. Dat doen je ogen gewoon. Die kijken naar mensen die je niet kent om te zien of je ze wel kent.

Een blad waar het straatlicht op valt, valt van een boom. Ze ziet hoe het de grond raakt. Ze kijkt weer naar de strook hemel boven de huizen. Er zijn meer dan 1.000.000

asteroïden, en dat zijn alleen nog die waar de wetenschapsmensen en sterrenkundigen weet van hebben. Er kunnen er met gemak nog een heleboel meer zijn. Dat wil zeggen.

Ze is er zowat helemaal mee opgehouden om dingen als dat wil zeggen hardop te zeggen. Het is een beetje stom om het te doen. Over drie maanden wordt ze dertien. Over drie maanden zou ze haar oude speelgoed, haar poppen en poppenhuis en zo in de twee kasten hebben uitgezocht en hebben weggegeven aan jongere kinderen zoals de Powells en de Packenhams en de kinderen van gezinnen die niet op dat van Astrid lijken en die in ziekenhuizen terechtkomen zoals Magnus met zijn speelgoed heeft moeten doen, maar nu zijn ze bij wijze van spreken al door een ander uitgezocht en uitgedeeld. Hoewel ze zich bijvoorbeeld wel afvraagt waar Harry het konijn en de verzameling pluchen pony's en al die beren en zo in hun respectieve toestand van versletenheid en nieuwheid nu zijn.

In de hemel, zegt Magnus, als ze zich dat hardop afvraagt.

Luister eens, had Astrid een paar weken geleden tegen Magnus gezegd toen ze buiten in de tuin waren omdat er allemaal mensen van de vloerbedekking in huis waren die bezig waren de trappen opnieuw te bekleden en de kamers waar oorspronkelijk vloerkleden hadden gelegen. Soms doe ik dingen, en nu vraag ik me af, waarom zou ik dat nou steeds doen?

Wat doe je dan? vroeg Magnus.

Magnus hangt de laatste tijd veel in huis rond zonder iets te doen. Hij is nog eens voor twee maanden geschorst in afwachting van het onderzoek. Dat was een van de boodschappen die op het antwoordapparaat stonden toen ze thuiskwamen. Hij en Michael zitten de hele dag in aparte kamers. Astrid denkt dat als zij geschorst was of haar baan kwijt was of wat dan ook, dat ze dan tenminste toch naar de bibliotheek of een boekwinkel of het zwembad zou gaan in plaats van de hele dag te verspillen door maar rond te hangen en niets te doen, wat een beetje walgelijk is.

Stel dat ik een dier zie dat dood is, zei Astrid. Waarom wil ik daar dan in prikken met een takje?

Om te zien of het leeft, zei Magnus.

Maar waarom zou ik iets willen doen dat misschien gemeen is als het dier niet dood is en nog leeft en er alleen maar uitziet alsof het dood is?

Om te zien of het leeft, zei Magnus weer.

Astrid had bij het uitpakken van haar koffers van de vakantie de twee disks gevonden. Ze had de bus naar Dixons genomen, waar ze haar type camera hebben met een aansluiting op een beeldscherm. Hij stond aan. Ze had hem opengeklikt, de eerste disk erin gedaan, waar toevallig dat dode beest op de weg op stond, en had in de winkel staan kijken naar het dode beest van toen. Daar lag het, dood. Astrid draaide het volume hoger. Je hoorde het geluid van het platteland, gezoem, de lucht en vogels. Toen zag ze een hand die haar eigen hand moest zijn die een soort klink aan een deur optilde. Toen de bovenkant van het hoofd van de vrouw die werkster was in het huis en het geluid van de stofzuiger, toen Astrids stem die iets vroeg en die van de werkster die antwoordde. Toen het aflopen van de trap, het camerawerk was niet erg goed, van het soort waar je niet naar kunt kijken zonder onpasselijk te worden, toen een of andere vloer, toen het verblindende zonlicht in dat weerkaatste in de lens. Toen verder niets op de disk, alleen maar ruis. Dit was grotelijks ergerniswekkend want Astrid had gehoopt wat opnamen van Amber te zien van die dag, die een van de eerste dagen was.

Ze mag niet over Amber praten. Ze mag haar naam niet eens noemen.

Dat is nu voorbij, heeft haar moeder gezegd. Die tijd is voorbij. Laat het los, Astrid. Ik waarschuw je. Zo is het genoeg.

Dit was voor Astrid aanleiding om de rest van de tijd die ze in Norfolk doorbrachten en de hele weg naar huis, iedere keer als de auto bij een kruising met verkeerslichten kwam, een rijtje op te dreunen: rood, amber, groen, of: groen, amber, rood (afhankelijk van de manier waarop de verkeerslichten veranderden natuurlijk). Toen haar moeder had bedacht waarom ze dat deed, werd ze woest op Astrid en klonken er allerlei uitroepen en eisen. Toen ging Astrid ondergronds. Als haar iets gevraagd werd, zei ze bijvoorbeeld: amb, ik weet het niet, of zoiets. Waar haar moeder bij was, vroeg ze bijvoorbeeld aan Magnus wat ambivalent betekende. Als ze toevallig een ziekenauto zagen rijden, kon ze niet nalaten hardop te zeggen dat daar een ambulance reed. Ze vroeg aan haar moeder wat het betekende als iemand in een winkel vroeg wat het verschil was tussen lampen van veertig amb en zestig amb. De vrouw achter de toonbank had gezegd dat die van zestig tien amb meer licht gaven dan die van veertig amb.

Astrid, zei haar moeder.

Wat is er? zei Astrid.

Je moet me niet uitdagen, zei haar moeder.

Ik walg van je, zei Astrid binnensmonds. Ze veranderde het woord amber in gedachten in het woord rood als er een rode auto voorbijging. Wat een mooie rode auto, zei ze dan hardop. En als ze er nog een zag, zei ze: mooie rode kleur heeft die auto.

Nu zijn haar kleren rood, haar beddensprei is rood, haar tandenborstel in de nieuwe beker in de badkamer is rood, haar vloerkleed is een bepaald soort rood. Etc.

Astrood Smart.

Haar moeder begreep dat ze iets in haar schild voerde, maar niet wat.

Maar nu haar moeder weg is, heeft Astrid het niet meer over amb of over rood of wat dan ook. Dat met het rood heeft geen zin tegenover Michael. Astrid is van plan om tegen Magnus iets over Amber te zeggen, maar de paar keer dat ze op het punt stond het te doen heeft ze het om de een of andere reden niet gedaan. Ze weet nog steeds niet waarom. Het heeft iets gemeens, iets vreemds, net als met een tak in dat dode dier prikken. Toch is ze van plan er op een gegeven moment iets over tegen Michael te zeggen en te kijken wat er dan gebeurt.

Ze heeft de ene disk uit de camera laten floepen en de andere erin gedaan, want met een beetje geluk is dit de disk met de ochtendschemeringen erop, de disk met de beginnen. Ze heeft op Terugspoelen gedrukt, en vervolgens op Afspelen.

De jonge verkoper in de winkel was achter haar komen staan en had haar een duw in haar rug gegeven.

Hé, jij, zei hij. Kun je niet lezen?

Boven op het beeldscherm stond een bordje waarop stond U wordt verzocht de apparatuur niet aan te raken. Ons personeel is u desgewenst gaarne van dienst.

Astrid drukte op Pauze.

Noem eens drie goede redenen om te doen wat erop staat, zei ze.

Omdat het erop staat, zei de jongen.

Zwak, zei Astrid.

Omdat ik het zeg, zei de jongen. En omdat hij niet van jou is. Hij is voor de verkoop. Als je hem koopt kun je ermee doen wat je wilt.

Je hoeft er niet zo bazig over te doen, zei Astrid.

Hè? zei de jongen.

Een: de redenen die je tot nu toe noemt zijn eigenlijk stomme redenen, zei Astrid. Twee: het is het demonstratiemodel, toch? Dat betekent dat het een camera is die het bedrijf afschrijft. Dus je kunt best wat aardiger tegen me zijn en me naar mijn film laten kijken. Ik weet heus wel wat ik doe en ik maak niks kapot. En punt drie: als je me nog een keer een duw in mijn rug geeft, zal ik je aangeven bij de directie van deze winkelketen en zeggen dat je een meisje van dertien bedreigt en in haar rug duwt, wat feitelijk aanranding is, maar ik wil niemand waar dan ook aangeven want het is stom om dat te doen.

Wat ga je? zei de jongen van de winkel. Hij keek helemaal verbluft. Toen begon hij te lachen.

Jij bent snel voor iemand van dertien, zei hij. Maar als je dertien bent, ben je voor mij te jong om je mee uit te vragen.

Alsof ik daarop in zou gaan als je het wel deed, zei Astrid terwijl ze de camera bekeek.

Hij was de kwaadste niet. Hij liet haar de volgende disk op de camera bekijken zonder haar nog verder lastig te vallen of wat dan ook. Maar er stond niets op de disk, alleen een serie snel doorgespoelde donkere hemels die licht werden, de een na de ander. Bij elke overgang naar een volgende dag werd het scherm ineens weer zwart. Dan verbleekte het tot een soort wit, hoewel Astrid zich de dagen herinnert als heel lichtblauw.

Er waren geen opnamen van Amber in de ochtendschemering. Helemaal niet. Het was alsof Amber zichzelf had weggewist of dat ze er zelfs nooit was geweest en Astrid het zich maar had ingebeeld.

Astrid controleerde het nog een keer. Toen liet ze de disk eruit springen en maakte aanstalten om de winkel uit te gaan.

Zo gauw al klaar? zei de jongen.

Hij was een stuk ouder dan Astrid, ongeveer van Magnus' leeftijd.

Je laat je spullen liggen, zei hij. Wil je ze niet hebben?

Ik ben er klaar mee, zei ze.

Wat staat erop? vroeg hij. Sta jij erop?

Nee, zei ze.

Als je mij je mobiele nummer geeft, krijg je van mij drie nieuwe disks voor niks, zei de jongen.

Ik hoef geen nieuwe disks, zei ze.

Die heeft iedereen toch nodig.

Ik heb geen camera meer, zei ze.

Iets anders dan? zei hij. Batterijen? Een koptelefoon voor je walkman? Voor je iPod? Wat heb je, een walkman of een iPod?

Nee dank je, zei Astrid.

Nou, geef me dan maar gewoon je nummer, zei de jongen. Geef maar. Ik zal je niet bellen voordat je vijftien bent. Ik beloof het. September aanstaande over twee jaar gaat je mobiele telefoon en dan zegt er iemand hé hallo, is dat het meisje met die ontzettend blauwe ogen? Ken je me nog? Heb je zin om vanavond met mij naar de megabioscoop te gaan en een filmpje te pakken?

Ik kan je mijn nummer niet geven, zei ze.

Waarom niet? riep de jongen haar door de geopende deur van de winkel na. Wat is er mis met mij?

Ik heb geen mobiele telefoon, riep Astrid terug.

De jongen riep over de hoofden van de mensen op straat heen. Hé, riep hij. Ik kan je een goede aanbieding doen voor een mobiele telefoon.

Hierdoor was bij Astrid, tegen de tijd dat ze eraan dacht dat ze teleurgesteld moest zijn dat er niet veel op de disks stond, tegen de tijd dat ze bij een etalage verderop was stil blijven staan en in haar spiegelbeeld daarin probeerde vast te stellen hoe blauw haar ogen eigenlijk waren, de teleurstelling erom niet zo groot als die wel had kunnen zijn als al dit andere niet was gebeurd toen ze naar de winkel ging.

Ze kan zich trouwens een heleboel herinneren zonder die op de band te hebben staan. D.w.z. laatst herinnerde ze zich ineens weer die keer dat ze met Amber langs een boerderij liep of zo en die enorme hond naar buiten kwam rennen en naar hen blafte alsof hij het echt op hen voorzien had, vreselijk gromde, en dat Amber hem had toegeschreeuwd, gewoon op hem af was gebeend en naar hem had geschreeuwd, waarna hij achteruit was gegaan, zowaar was opgehouden met blaffen alsof hij verbaasd was en achteruit was geweken van Amber, die daar midden op de weg stond.

Astrid wist niet eens dat ze die herinnering nog had.

Het is moeilijk je precies te herinneren hoe Amber eruitzag. Het is irritant dat er opnamen zijn van die werkster maar geen enkele van Amber.

Ze herinnert zich dat Amber iets heel grappigs deed, iets waardoor ze niet meer bijkwam van het lachen, waardoor ze over de grond rolde van het lachen, maar ze kan zich niet precies herinneren wat het was. Ze herinnert zich de sensatie van het lachen. Ze kan zich wel precies herinneren hoe het voelde om daar te staan, bijvoorbeeld tegenover die flinke jongens en die een rotgevoel te bezorgen omdat iemand het oog op hen gericht hield, en het gaat erom je dit te herinneren, niet hoe hun gezichten of hun kleren eruitzagen of waar ze stonden of met hoeveel ze waren. Niemand zal haar ooit vragen te bewijzen wie het precies waren; dat is de verantwoordelijkheid van iemand anders, dat moet iemand anders maar doen. Haar verantwoordelijkheid is een andere. Dat is er een van het zien, van het werkelijk aanwezig zijn.

Astrid kan bijvoorbeeld niet geloven dat haar moeder net zomaar is vertrokken, zoals ze gedaan heeft. Het is zo'n beetje het tegenovergestelde van gewoon er zijn. Het is ouderschap van inferieure kwaliteit. Het zal gevolgen hebben. Het is verantwoordelijkheid van inferieure kwaliteit. Het is een van die dingen, zoiets als dat ouders uit elkaar gaan of dat een grootouder bij een gezin intrekt omdat hij of zij Alzheimer heeft, zielig is, mensen niet meer herkent en niet meer zonder hulp netjes kan eten en zo, en daar krijgen kinderen op school dan weer eetstoornissen van of ze gaan in zichzelf snijden, iets wat Astrid nooit zal doen omdat het zo onorigineel is; Astrid kan zo al drie meisjes bedenken van wie bekend is dat ze in zichzelf gesneden hebben en daar is er maar een bij die een beetje intelligent is, en er zijn nog wel twee of drie andere die het doen en het een beetje meer geheim houden, en er zijn ook drie meisjes bij van wie iedereen weet dat ze een eetstoornis hebben. Ze mogen dus hier in huis en in dit gezin allemaal van geluk spreken dat Astrid niet het soort mens is dat dit soort dingen doet.

Zelda Howe is een van die meisjes die duidelijk een eetstoornis hebben.

Het is wonderbaarlijk hoe snel je dingen vergeet, zelfs dingen waarvan je denkt dat je ze weet, zelfs dingen die je je echt wilt blijven herinneren. Het is wonderbaarlijk hoe het geheugen werkt en niet werkt. Een gezicht kan zomaar een lege plek zijn. Maar net als dat ze zich herinnerde wat er met die hond gebeurde, komen soms ineens gezichten of herinneringen zomaar bij je op en zie je dingen zo duidelijk voor je die je niet zou zien als je het probeerde. Het is krankzinnig. Astrid kan zich niet echt herinneren hoe ze eruitzag. Ze heeft in de vakantiefoto's gezocht, maar haar moeder moet voordat ze wegging de foto's waar Amber op stond eruit hebben gehaald. Astrid heeft een van die foto's in de zak van haar pyjamajasje, die ene van haar en Magnus en hun moeder en Michael, staande voor dat huis van inferieure kwaliteit, omdat het Amber was die hem gemaakt heeft.

Interessant dat je dit zegt van foto's, dat een foto genomen wordt. Het is interessant dat je kunt zeggen dat Amber de foto genomen heeft, maar dat Astrid hem nog heeft. Hier is hij, in haar zak.

Astrid ziet voor zich hoe Amber hem neemt, nu op dit moment nu ze eraan denkt. Ze stond op de tegels van de oprit met haar voeten uit elkaar, de camera aan haar oog, en ze zei: klaar? en daar stonden ze allemaal, klaar.

Het is trouwens een heel goede foto van Astrid, wat zeldzaam is omdat ze niet erg fotogeniek is en foto's van zichzelf meestal afschuwelijk vindt. Haar ogen zijn erg blauw op deze foto, dat is waar. Een soort in het zonlicht oplichtende blauwe flikkeringen op haar gezicht.

Ze haalt hem uit haar zak en buigt zich voorover om hem beter te kunnen zien in het licht van de straatlantaarns. Ze zorgt ervoor dat ze niet naar haar moeder op de foto kijkt, alleen naar Magnus, Michael en zichzelf. Je ziet ook de vorm van de deur en een stukje van de oprit. Het is een moment van wat Amber werkelijk zag door het venster van de camera. Je verbaast je dat je er zo over kunt denken, dat ze er allemaal gefixeerd bij staan daar voor het huis, voor eeuwig vastgelegd, maar dat het eigenlijk niet meer is dan een fractie van een seconde in Ambers gedachten. Wonderbaarlijk dat een foto er voor eeuwig is, maar dat hij eigenlijk bewijst dat niets langer duurt dan een fractie van een seconde.

Op dat eeuwigdurende moment van de foto kijken ze allemaal naar Amber, en Amber kijkt terug naar hen.

Als Astrid er zo over denkt, als aan iets dat niet met haar eigen ogen gezien is, kan ze ook naar haar moeder kijken.

Haar moeder staat leuk op de foto. Ze glimlacht. Het is echt een blije glimlach.

Die glimlach begint Astrid steeds meer te ergeren. Ze stopt de foto weer in haar zak. Ze weerhoudt zich ervan nog langer het gevoel te hebben dat ze wil huilen. Dit is niet al te moeilijk.

Als haar moeder terug is, zal Astrid weer naar het filiaal van Dixons gaan om te kijken of die jongen er nog is en of hij zich haar zal herinneren zoals hij gezegd had. Ze zal zeggen dat ze naar de mobiele telefoons komt kijken. Als hij haar weer mee uit vraagt, zal ze ja zeggen en met hem uitgaan. Haar moeder zal zich daaraan ergeren; ze heeft het vreemde vooroordeel dat Astrid later niet met een verkoper uit een winkel mag trouwen. Op een avond heeft Amber haar dit in het donker in het oor gefluisterd, in het bed in de kamer in het vakantiehuis in Norfolk.

Ze mocht hem niet omdat hij in een winkel werkte toen ze elkaar ontmoetten, zei Amber.

Geen kans, zei Astrid.

Kans, toch wel, zei Amber.

Ze trok aan Astrids haar, één keer, en hard.

Dat deed pijn, zei Astrid.

Je verdient het dat ik het nog harder zou doen, zei Amber. Zo walgelijk als jij zijn er niet veel. Wat wil je liever? Ik weet het. Hij heeft zijn carrière als veelbelovend hersenchirurg en ondanks zijn jeugdige leeftijd al befaamd natuurkundige opgegeven. Nee, ik weet het. Hij was een computergenie, veranderde steeds van baan, verdiende heel veel geld en had grote invloed op de wijze waarop de mensen elektronisch met elkaar communiceerden. Hij heeft bijvoorbeeld een fortuin verdiend aan de uitvinding van spam. En toen heeft hij een fortuin verdiend aan de uitvinding van een manier om te voorkomen dat spam op het e-mailadres van de mensen terechtkomt. Maar omdat het zo zinloos was, begon het hem algauw te vervelen en heeft hij een baan in een winkel genomen.

Wat voor een winkel? vroeg Astrid.

Een milieuvriendelijke, op de alternatieve consument gerichte winkel in door eerlijke handel verkregen natuurlijke producten in een plaats ergens in het noorden die Hebden heet, zei Amber.

Astrid knikte.

Hij houdt van het noorden, zei Amber. Daarom hebben jij en Magnus namen die uit het noorden komen.

Astrid haalde haar schouders op, verlegen, warm onder Ambers arm.

Eigenlijk niet, zei Amber. In werkelijkheid had hij zijn talent van huis uit meegekregen. Zijn talent was een talent om dingen schoon te maken. Vanaf heel jonge leeftijd had hij een uitzonderlijke gave om de dingen te laten glanzen. Daar kreeg hij een goed gevoel van, van het schoonmaken van dingen. Toen hij volwassen was, nam hij een baan als schoonmaker, dat was het enige wat hij eigenlijk altijd al had gewild. Nu maakt hij overal in Engeland huizen van mensen schoon, steeds weer in een andere plaats. Hij verdient bijna niets. Hij kan de eindjes maar net aan elkaar knopen. Maar hij maakt de dingen zo prachtig schoon dat het leven er beter van wordt. De dingen en het leven gaan ervan glanzen.

(Astrid Berenski.)

Geloof geen woord, geen enkel woord, van wat die vrouw jullie allemaal gezegd heeft, had haar moeder daar in dat huis gezegd, onmiddellijk daarna en later nog een keer in de auto, daarna nog af en toe in het lege huis en toen het huis weer volgepropt werd met spullen.

Je moeder heeft gelijk, zei Michael. Helaas is het waar. Ze was een charlatan, een bedrieger en een leugenaar. Ze was eigenlijk net een rondreizende kwakzalver die aan zieke mensen medicijnen verkoopt die niet werken. Ze was een gladakker.

Magnus knikte en keek verdrietig.

Alleen Astrid zag rood. In haar fantasie zag ze Amber uitgesmeerd en gladgestreken op een akker.

Het is goed dat rood zien ook de betekenis van boos zijn heeft. Stel je voor dat alles wat je zag rood was, alsof je in infrarood kon zien. Toen Astrid in september weer naar school ging, durfde Lorna Rose haar midden onder de Engelse les zo'n blik van je bent een malloot toe te werpen, en was Astrid, in plaats van het te negeren of zich er in stilte over op te winden, van haar plaats opgestaan, waarop de oude mevrouw Himmel opkeek van haar poëzie, het was een gedicht over het laatst overgebleven konijn in Engeland waar alle mensen een reis voor maakten om hem te zien. Mevrouw Himmel zei Astrid wat doe je, ga zitten, maar Astrid was gewoon doorgelopen, was langs de rij tafeltjes gelopen tot aan de plek waar Lorna zat, ze ging voor haar tafeltje staan en keek haar aan, Lorna lachte alsof ze bang was, keek alsof ze het niet kon geloven, en Astrid stond voor haar tafeltje en zei, zachtjes en binnensmonds zodat alleen Lorna het kon horen, ik hou je in de gaten. Mevrouw Himmel zei, Astrid, ga nu meteen zitten. Astrid zei ik zeg alleen maar even iets tegen Lorna wat ze moet weten, en mevrouw Himmel zei wat je tegen Lorna te zeggen hebt doe je maar in je eigen tijd, niet in mijn tijd of die van de klas, tenzij je tegen de hele klas wil zeggen waar het over gaat en het ons allemaal uitlegt. Astrid zei ik vind het niet erg om het aan iedereen te vertellen, mevrouw, tenzij Lorna het liever privé houdt. Mevrouw Himmel zei, nou? Lorna? Waar gaat het over? En Lorna zei, het is privé, mevrouw. Mevrouw Himmel zei, goed, Astrid, voor de laatste keer, ga zitten. Astrid keek Lorna nog één keer recht in het gezicht. Toen ging ze weer op haar plaats zitten. Ze gingen allemaal verder met het gedicht en sindsdien hebben ze niets meer tegen haar ondernomen, Lorna Rose, Zelda en Rebecca hebben zelfs op een soort bijna besmuikte manier pogingen gedaan om vriendelijk te doen en Zelda belt haar steeds thuis op en vertelt dan van alles over haar grootvader die bij hen inwoont en hoe moeilijk het is dat hij daar nu woont en dat ze van zijn manier van eten hartstikke misselijk wordt en hoe schuldig ze zich daar dan weer over voelt.

Maar het gekke is dat wanneer Astrid zich die ochtend in de klas herinnert, het allemaal in haar hoofd lijkt te gebeuren in een soort vreemde film met vreemde kleuren, allemaal heel licht en vervormd, alsof de kleuren ook helemaal op het maximale volume zijn gedraaid.

Het verbluffende is ook dat ze haar vaders brieven niet meer nodig heeft. Die bewezen eigenlijk niets. Het doet er niet toe dat ze weg zijn. Eigenlijk is het zelfs wel een opluchting dat ze er niet meer over na hoeft te denken of zich af hoeft te vragen wat het verhaal precies was of is. Haar vader kan van alles zijn, kan overal zijn, dat zei Amber.

Bang of denkt u het.

Het is vreemd om van Amber te bedenken dat ze iemand uit het verleden is.

Maar dat is ze wel.

Maar het is niet Amber die tot het verleden behoort, denkt Astrid terwijl ze naar de foto kijkt van Michael met zijn hand op Magnus' schouder, allebei lachend, en haar moeder die ook zo glimlacht met haar arm om Astrid, Astrid met haar arm om haar moeder.

Dat is nu voorbij. Die tijd is geweest. Ik waarschuw je.

(Ambers auto op de oprit. Amber start de motor. Haar moeder blokkeert de toegang tot het huis. Het geluid van de auto die achteruit over de stenen rijdt, het geluid van de autowielen die van de stenen af gaan en de straat op gaan, het wegstervende geluid van de auto. Haar moeder, die wegloopt van de deur en weer naar binnen gaat. De lege plek op de oprit voor het huis, waar de auto van Amber enkele ogenblikken geleden nog stond.)

7.31 op de nieuwe digitale radiowekker, tot op de milliseconde nauwkeurig.

De ochtendschemering komt rood opzetten. Avondrood, mooi weer aan boord. Morgenrood, water in de sloot. Als de avondschemering rood is, zal het de volgende dag mooi weer zijn. Als de ochtendschemering rood is, zal het die dag regenen. Oude volkswijsheden om het weer te voorspellen. Herders geloofden daar bijvoorbeeld in. En dat is ook iets wat Astrid verbaast, dat herders van oudsher de mensen waren die op de schapen pasten, waarbij ze 's zomers onder een boom lagen en op hun panfluit speelden terwijl de schapen om hen heen liepen te grazen. Ze bepaalden dan welke schapen uit hun kudde geslacht zou worden en welke niet. Op school zingen ze van De Heer is mijn herder en de lezingen gaan allemaal over God die voor de kleine kinderen en de lammetjes zorgt, maar alleen bepaalde lammetjes, alleen de lammetjes die in Hem geloven, en trouwens, de mensen gaan gewoon door met lam eten, en het duurt maar een paar maanden voordat de lammetjes schapen worden en dan worden ze afgeslacht.

Blaat-bij-schaap speelden haar moeder en Michael om iets aardigs te doen, allebei vóór in de 4wd.

Er waren schapen op de weilanden om het vakantiehuis. Het moeten nieuwe schapen zijn geweest, ergens anders vandaan gehaald na alle brandstapels door het mond- en klauwzeer.

Als Astrid aan het dorp denkt, komen de gekste details bij haar boven, zoals die lantaarnpaal naast het weiland aan de weg van het huis naar het dorp met die hoge grashalmen aan de voet ervan. Waarom zou je geheugen zich nou net zo'n lantaarnpaal willen herinneren?

Astrid weet het niet.

Het is een feit, het is officieel volgens de krant, dat het donkerder wordt op aarde, dat het op de meeste plaatsen 10% donkerder is dan het er bijvoorbeeld dertig jaar geleden was en op sommige plaatsen wel 30%. Het heeft mogelijk te maken met milieuvervuiling. Niemand weet het. Het is net zoiets als dat de ochtendschemering achteruitgaat, zoals de schemeringen op haar disks met beginnen, maar dan alsof je hem heel lang, heel langzaam terugspoelt, zodat het elke dag met een klein percentage donkerder wordt, zo langzaam dat niemand het merkt.

Het is net als het vallen van het doek in een theater.

Alleen is dit niet het einde. Hoe kan er aan iets een einde komen? Het is maar het begin. Het is het begin van de eeuw, en dit is beslist de eeuw van Astrid, de eenentwintigste eeuw, daar heb je haar, daar komt ze aan, door de lucht komt ze aanrazen, met de taak om op de stralingswarmte afgaand alle walgelijkheid en krankzinnigheid op te sporen. Asterid Smart de slimme asteroïde raast op de aarde af, nadert steeds meer het moment van inslag, en haar moeder, waar ter wereld ze zich ook bevindt, zal misschien wakker worden en uit haar hotelraam kijken, zoals Astrid op dit moment uit haar raam kijkt, en uit de hemel iets naar beneden zien komen dat op een bovennatuurlijk soort regen lijkt. Als ze dan uit haar raam kijkt, zal ze misschien op het moment voor de inslag een groot gat van 10 km breed voor zich zien, alle deurknoppen zullen van de deuren worden geblazen, alle meubels en alle andere dingen uit haar kamer, alle andere kamers en alle huizen in de buurt zullen worden weggeblazen, hij kan overal neerkomen en dat zal overal gevolgen hebben, niet alleen in Amerika of Engeland, en op dat moment zal haar moeder bedenken dat ze stom bezig is, dat ze al die tijd al had moeten opletten en dat ze al die tijd al ergens anders had moeten zijn, niet daar.

Razend is ook woedend, maar als er buitenaardse wezens op de aarde afrazen, zijn ze niet woedend, maar roepen ze juist de mensen op die een beetje gekwetst zijn.

Breng me naar je aanvoerder, gekwetste.

De hemel is rood, er is storm op komst en al die grappige eekhoorns waar ook ter wereld zijn potentiële vuurbommen. Maar voorlopig staat Big Ben nog overeind, een toren die laat horen hoe laat het is, en ook de parlementsgebouwen, ook het Tate Modern en The Eye, en de rivier is nog steeds hetzelfde oude grijze water met de rood schemerende hemel daarboven, boven de hele stad Londen, rood door het raam van Astrids kamer het eindresultaat = Magnus is uitgenodigd om weer op school te verschijnen als het nieuwe schooljaar begint op de vijfde. De brief waar dat in staat is gisteren gekomen. Wat er gebeurd is noemen ze 'de kwestie'. In geen van de brieven wordt haar naam genoemd of wordt gezegd wat 'de kwestie' behelst. Er was een brief geadresseerd aan Eve en Michael en een brief geadresseerd aan Magnus zelf. In de brief die Michael openmaakte stond bijna precies hetzelfde als in die aan Magnus. We verzoeken u inzake de kwestie omzichtigheid en vertrouwelijkheid in acht te nemen. Het verheugt ons u te kunnen mededelen. De kwestie officieel als gesloten te beschouwen.

Het eindresultaat = ze zijn de dans ontsprongen.

Het eindresultaat = niemand wil het werkelijk weten.

Het is vandaag woensdag. Het is de laatste dag van het jaar. Buiten wordt het al donker, en het is pas lunchtijd. Magnus heeft rondgedwaald in het oogpijnigende licht van het winkelcentrum. Inmiddels staat hij in de gehoorzaal waar de lichten gedoofd zijn, de reclame voorbij is en de film afgespeeld wordt. Daar op het scherm heeft de acteur die doet alsof hij de premier is gedaan alsof hij verliefd werd op de actrice die doet alsof ze de theedame is. De film stond net op het punt om te beginnen, dus had hij een kaartje gekocht. Het gaat over Kerstmis. De film zit vol glimmend uitziende mensen en huizen, het is net alsof je zit te kijken naar een lange reclame van een hypotheekbank of een reclame voor iets wat Magnus niet goed kan bedenken. Ernaar kijken is net als honger hebben en niets te eten hebben, behalve dan het soort voedsel dat ze in bioscopen verkopen. De lucht in de bioscoop ruikt naar bioscoopvoedsel, naar hotdogs en popcorn. Natuurlijk is dat zo. Iedereen die maar een beetje hersenen heeft weet dat ze die lucht er expres in blazen om je te stimuleren dat voedsel bij de balie te kopen. Het werkt. De meeste mensen om Magnus heen stoppen zonder hun ogen van het scherm te halen dat voedsel in hun mond.

De roltrappen buiten zullen nog doorgaan met het maken van hun omwentelingen. Het was Magnus opgevallen, en toen kon het hem niet meer *niet* opvallen. Hij was blijven staan om te kijken hoe de mensen op de neergaande roltrap naar beneden kwamen en te kijken hoe elke trede netjes verdween in de gleuf onderaan, alsof hij zich in het niets opvouwde nadat de mensen eraf waren gestapt, hun toekomst in, waarna de volgende trede hetzelfde deed, en dan de daaropvolgende. Op één trede zat tussen de metalen groeven vooraan een sticker of een stukje papier of zo. Deze trede was hierdoor opmerkelijker dan de andere, ongemerkte treden. Hij bleef even staan kijken hoe de trede een paar keer terugkwam en weer verdween. Hij ging op de opgaande roltrap naar boven en keek hoe de treden voor hem in de gleuf aan de bovenkant van het apparaat verdwenen en hoe de trede waar hij op stond hetzelfde deed. Hij keek er zo geconcentreerd naar dat hij van de roltrap af werd gegooid en tegen de mensen vóór hem opbotste, waardoor hij uit balans raakte en de mensen die achter hem kwamen ook tegen hem aan vielen.

Het spijt me, zei Magnus.

Het was waar. Het speet hem echt.

Hij wachtte boven aan de neergaande roltrap totdat hij de trede met de sticker erop weer voorbij zag komen. Het was het etiket van een fles water, gehavend door het steeds maar rondgaan in het tredmolensysteem dat onder de voeten van de mensen door ging. Maar toen moest hij wachten totdat hij nog een keer voorbijkwam omdat een oude man hem voor was en erop ging staan. Toen de trede weer langskwam, ging hij erop staan en liet zich zo naar de verdieping eronder brengen. Toen nam hij de opgaande roltrap weer om het nog een keer te doen. Maar boven aan de neergaande roltrap begon hij te denken dat het een beetje gek was wat hij deed, en toen hij zich omdraaide en zag dat hij zich op de verdieping bevond waar de bioscoop was en dat er een film letterlijk op het punt stond te beginnen, kocht hij een kaartje.

Misschien is het echt een goede film, maar omdat hij zich gedraagt als een gelobotomiseerde roltrapjongen kan hij niet echt zeggen of hij goed is of niet.

Het eindresultaat = hij zou zich opgelucht moeten voelen. Michael zwaaide met de brief die hij en Eve hadden gekregen naar Magnus. Het is in orde, zei hij. Het is voorbij. Een abc'tje. Ik zal je moeder bellen, haar op de hoogte brengen van de goede afloop.

De roltrappen gaan gewoon door met ronddraaien in hun vaste richting, ze vouwen zich automatisch in en uit elkaar en dragen de mensen naar boven en naar beneden totdat de dag voorbij is en het winkelcentrum zijn deuren voor de nacht sluit en ze de elektriciteit uitschakelen tot de volgende ochtend, wanneer ze de elektra weer aanzetten en het allemaal weer begint. Als het centrum dicht is, zal het in deze bioscoop donker en leeg zijn, alle stoelen zullen leeg in hun rij staan en het zal er een donker hol zijn, zo donker als aan de binnenkant van een steen op de maan, zo donker als aan de binnenkant van menselijke hersenen binnen in een hoofd.

Je kunt het nu gaan vergeten, zei Michael, de brief omhooghoudend. Je kunt het loslaten.

Het is een abc'tje. Hij kan het nu loslaten, nu er aan het oude jaar een einde komt en het nieuwe jaar begint, want het zal bij dat oude jaar horen, en in dit nieuwe jaar zullen er nieuwe dingen gebeuren. Hij kan het loslaten alsof het een speelgoedballon gevuld met helium is die hij met de koppigheid van een klein kind aan een touwtje vasthoudt, hij kan zijn hand openen en dan zal hij omhoogvliegen, de lucht in, en dan kan hij kijken hoe hij kleiner en kleiner wordt en verder en verder wegdrijft, totdat hij hem nauwelijks nog kan onderscheiden. Hij kan het vergeten. Een eenvoudige aftreksom is het. Hij minus het. Hij kan zijn geheugen laten wissen door een speciale laserpen, zoals in *Men in Black*. Magnus houdt van *Men in Black*. Over het algemeen houdt hij van alle soorten en genres van films. Zo was het tenminste vroeger, toen hij wist wat hij was en waar hij van hield. In een klassengesprek over kunst heeft hij nog eens gezegd dat film een zeer slecht begrepen kunstvorm was en dat *Citizen Kane* waarschijnlijk de beste film was die ooit gemaakt is vanwege de geniale manier waarop hij vanuit diverse hoeken geschoten en opgezet is (hoewel het niet zijn persoonlijke favoriet van alle tijden is, want dat was *Bladerunner, the Director's Cut*). De film waar hij nu naar kijkt is een Britse film. Een acteur op het scherm heeft net gedaan alsof hij verliefd wordt op een actrice die doet alsof ze zijn Portugese werkster is, omdat hij gezien heeft dat ze haar kleren uittrok om een duik in een meer te nemen en hij haar naderhand helemaal verfomfaaid en met natte haren heeft gezien, veel mooier dan ze de eerste keer was toen hij haar zag. Magnus kijkt naar de randen van het scherm, waar de rand van het licht van de film de duisternis raakt. Hij vraagt zich af waarom het ding waar films op getoond worden een scherm heet. Waar staat het dan voor?

Achter dit scherm staat waarschijnlijk gewoon een blinde bakstenen muur.

Hij denkt na over de manier waarop mensenogen de buitenwereld opnemen en als een omgekeerde film terugflitsen op het netvliesscherm achter in de ogen, waarna de hersenen het beeld automatisch omkeren zodat de goede kant bovenaan is.

Een paar plaatsen bij hem vandaan zitten twee meisjes die er helemaal in op lijken te gaan, ze genieten er echt van. Het

is tenslotte ook een meisjesfilm, dus Magnus zou er geen hoge
verwachtingen van moeten hebben of mogen verwachten dat
de film hem zal boeien. Het is het genre film waar je geacht
wordt een meisje mee naartoe te nemen.

Hij stelt zich voor dat Astrid hier naast hem naar de film zit
te kijken. Astrid zou niet alleen denken dat de film shit was,
ze zou het zeggen ook. Ze zou lucht geven aan haar verveling
en de mensen zouden zich omdraaien en tegen haar zeggen
dat ze stil moest zijn. Ze is nog niet oud genoeg om te doen
alsof ze dit soort dingen waardeert. Hij glimlacht in het
donker. Vlak voor Kerstmis heeft ze een hoop bladeren die
tegen de schuur aan lagen in brand gestoken en toen is de hele
schuur in vlammen opgegaan. Michael kwam in actie, hij
kwam bijna rennend de tuin in lopen met een brandblusser.
Toen heeft hij nog met hen staan lachen om de
zwartgeblakerde schuur. Michael is wel in orde. Toen hebben
ze allemaal nog om de tafel in de keuken gezeten en koffie
gedronken, iets wat ze nooit eerder hadden gedaan, in elk
geval niet om deze tafel in het bijzonder. De tafel is anders
van vorm dan de oude tafel, rond, niet rechthoekig. Dat
maakte die avond wel verschil, dat de tafel een cirkel vormde.
Magnus vraagt zich af of Eve de nieuwe tafel mooi zal vinden
als ze thuiskomt. Astrid weigert nog steeds iets tegen Eve te
zeggen als ze opbelt. Ze wilde zelfs niet met Eve spreken toen
ze op eerste kerstdag opbelde. Magnus heeft Astrid er echter
meer dan eens op betrapt dat ze de (inmiddels behoorlijk
dikke) stapel ansichtkaarten zat door te kijken.

Ik dacht dat je die uit principe niet las, zei Magnus de
tweede keer.

Ik lees ze niet, zei Astrid. Ik moest ze van de koelkast halen
om de deur open te kunnen doen en de melk eruit te pakken,
en toen ik ze in mijn hand had, keek ik er toevallig naar, dat is
alles. Dat is niet hetzelfde als ze lezen.

Het eindresultaat kwam gisterochtend. Gistermiddag was
Astrid aan het kijken naar een programma dat *Moordlustige*

horzels uit de hel heette. Magnus was naast haar op de bank gaan zitten en zij had hem verteld dat die moordlustige horzels, die tien keer zo groot zijn als bijen, ergens in Zuid-Amerika hun verkenners vooruitsturen om bijenkorven op te sporen en dat dan te komen melden. De horzels overvallen de korf, doden de bijen en eten de honing op. Maar sommige bijen waren slim en bedachten dat deze horzels bij een bepaalde temperatuur doodgaan, bij 47 graden. Bijen gaan ook bij een bepaalde temperatuur dood. Bij 48 graden. Dus toen er de volgende keer een verkenner van de horzels werd gesignaleerd, wisten de bijen die op de een of andere manier te omsingelen en hebben ze samen zoveel trillingen gemaakt dat het precies − luister goed − 47 graden werd. Gehaaid, hè? zegt Astrid.

Astrid, zou je ouwe rukker tegen me willen zeggen? vroeg Magnus.

Wat? zei Astrid.

Zou je het gewoon tegen me willen zeggen?

Je bent een ouwe rukker, zei Astrid.

Zou je het nog eens willen zeggen, een paar keer? vroeg Magnus.

Je bent een ouwe rukker, je bent een ouwe rukker, je bent een ouwe rukker, zei Astrid zonder haar blik van het televisiescherm te halen.

Is er een wiskunde van de bedroefdheid? In de wiskunde kun je het juiste antwoord berekenen zonder dat het nodig is dat je weet waarom. Is er een wiskunde die je laat begrijpen hoe je aan het verkeerde antwoord gekomen bent? De brief was gekomen. Het was het eindresultaat. Er was iets mis mee.

Dat is geweldig, lieverd, had Eve gezegd toen ze terugbelde en haar stem af en toe zwakker werd en wegviel. Dat is (onverstaanbaar) nieuws. Heerlijk nieuws. Godzijdank. We (niets) vertrouwen in je. (niets) de school is heel verstandig. Nu kun je dit allemaal (onverstaanbaar) en de draad weer oppakken. Je echte leven. Met werken (onverstaanbaar) examen. Het is (niets) dit komende jaar (niets) weerslag (onverstaanbaar) rest van je leven.

Kun je me niet uitmaken voor iets ergers? zei Magnus tegen Astrid terwijl ze keken hoe de bijen zich te goed deden aan het lijk van de horzelverkenner.

Nee, zei Astrid. Ouwe rukker is het ergste dat ik ken.

(Astrid mag niets te weten komen over de school en zo. Niemand trouwens. Magnus heeft als onderdeel van de overeenkomst dat hij niet van school zal worden gestuurd moeten beloven dat hij de naam niet in het openbaar zal noemen en heeft het verzoek gekregen er ook privé niets over te zeggen. Omzichtigheid en vertrouwelijkheid geboden in deze kwestie.)

Je bent een helse moordlustige horzel, zei Astrid.

Dat is een goede, zei Magnus bij zichzelf knikkend omdat dit opluchting veronderstelde. Het betekende dat hij om wat hij verkeerd had gedaan door verhitting ter dood kon worden gebracht dankzij de gerechtvaardigde wiskundige berekeningen van onschuldige bijen.

Je bent een moordlustige morzel uit de hel, zei Astrid.

Magnus lacht hardop in de bioscoop. De twee meisjes naast hem draaien hun hoofd in zijn richting en kijken in het donker naar hem omdat het het verkeerde moment is om te lachen, er gebeurt niets grappigs op het scherm, niemand anders in de bioscoop lacht. De acteur die doet alsof hij de premier is doet alsof hij een toespraak houdt waarin hij zegt dat hij het oneens is met de Amerikaanse politiek. Hij doet dit omdat hij even eerder in de film de acteur die doet alsof hij de Amerikaanse president is erop heeft betrapt dat hij het oor kuste van de actrice die doet alsof ze de theedame is.

Hij kijkt hoe de mensen op het scherm grappen maken over de zogenaamde dikte van de actrice die de theedame speelt, hoewel Magnus zelf haar niet bijzonder volumineus vindt, niet echt, niet in die mate dat het opvalt.

Pascal wedde met zichzelf dat er waarschijnlijk een God

bestond en daarom een hemel en een hel. Hij rekende erop dat als hij zijn leven eronder verwedde, als hij zijn leven leidde alsof dat het geval was, hij naar de hemel zou gaan. Maar als hij doodging en er was niets, dan zou het er niet echt toe doen dat er niets was. Het had volgens Pascal geen zin om je bestaan te grondvesten op het niets in plaats van op het iets. Dat was echt een onzinnige weddenschap.

Ik wed dat er met mij iets is wat jij in nog geen miljoen jaar zou kunnen raden, zei Magnus tegen Astrid.

Je denkt dat je homo bent, zei Astrid.

Nee, ik meen het, zei hij. Het is iets waardoor jij, als je het van me wist, nooit meer met me zou willen spreken of me nog als broer zou willen hebben. Je zou niet in staat zijn me er niet om te haten.

Hij zei het alsof hij een grapje maakte, alsof het een grap was.

Je denkt dat ik lesbisch ben, zei Astrid.

Aan het programma over de bijen kwam een einde.

Ik haat je toch al, zei Astrid. Je zou niets kunnen zeggen waardoor ik je meer zou gaan haten dan ik al doe.

Ze glimlachte lief naar hem. Hij glimlachte terug. Hij was bijna in tranen. Er was een programma begonnen over wat er in 2003 was gebeurd, nu 2003 bijna voorbij was. Het Engelse rugbyteam stond met opgeheven vuisten voor een schreeuwend publiek. Toen zaten er Amerikaanse soldaten op koninklijk uitziende stoelen in de stoffige resten van een open gebombardeerde paleissuite. Toen was er een luchtopname van een politiekordon aan de rand van een groen bosje. Het was zomer. Toen een korrelige, uitvergrote tekst over het hele scherm, het woord sexy.

Heeft het iets te maken met je schorsing en dat dat nu allemaal voorbij is? vroeg Astrid.

Voorbij. Een abc'tje.

a). Magnus, drukt op de knop van het antwoordapparaat, zit erbij alsof hij er als een trouwe hond op zit te wachten, een hond die na ongelooflijke reizen ten langen leste zijn weg naar huis heeft gevonden, midden op de vloer van de verder lege eetkamer.

Drie berichten. Een voor Michael (van de universiteit, over het meisje dat met aangifte had gedreigd). Een voor Eve (van de juridisch adviseur van haar uitgever, over de families). De derde weerkaatste om Magnus heen in de lege kamer. Milfield die Eve en Michael dringend verzocht contact op te nemen met de school.

Magnus, die onrustig lag te woelen in zijn bed.

Hij moet door de beveiligingscamera's van de school geregistreerd zijn bij het verlaten van het computerlokaal, precies op die datum. Ze moeten hem hebben opgespoord aan de hand van iets wat sporen heeft achtergelaten op de harddisk. De schoonmakers die in de gang boven aan het schoonmaken waren, moeten gezegd hebben dat hij die avond na schooltijd nog in het gebouw was.

Achter de ramen van Milfields kamer het speelveld, verlaten nu het zomer is. Michael die afstandelijk kijkt – het was dezelfde week als waarin Michael bericht kreeg van zijn baan – en Eve duidelijk bezorgd om de manier waarop Milfield bleef kijken, op zijn hoede, alsof hij niet anders kon, naar wat er nog te zien was van het blauwe oog dat ze door Ambers toedoen had gekregen toen ze tegen haar zei dat ze weg moest en Amber haar arm naar achteren had gekromd, haar vuist net zo ver naar achteren als haar eigen hoofd, en vervolgens Eve een harde slag op haar oog had gegeven. Milfield die het tegen Eve en Michael had gezegd: een onderzoek door de school, recente tragische zelfmoord, plaatselijke pers, hun zoon Magnus, erbij betrokken, noodzakelijke schorsing ten tijde van alle benodigde onderzoeken.

Eve en Michael knikken, ontsteld. Eves arm om Magnus' schouders. Milfield praat tegen hen. Jake Strothers, die op het trottoir voor haar huis zit te huilen. Haar moeder die de voordeur opendoet, hem naar binnen haalt en dan Milfield opbelt.

(Het kwam dus helemaal niet door de beveiligingscamera of de harddisk of de schoonmakers. Jake Strothers had het gedaan. Het was liefde.)

Milfield die de nadruk legt op de opluchting. Dat het geval relatief zo weinig ophef had veroorzaakt in de media. (Anton werd helemaal niet genoemd. Anton leek ermee weg te komen.) Milfield die dacht dat de familie in elk geval geen aangifte zou doen. Het geval in elk geval het geval in elk geval.

Dat iedereen ineens stil was, naar Magnus keek.

Maar het is waar, zei Magnus.

Ik heb het gedaan.

b). Magnus op weg naar huis op de achterbank van de auto, zijn armen om zichzelf heen geslagen, binnen in zich zijn botten, daarin niets, holheid, een kind uit niets gemaakt. Eve en Michael voorin, vaak knikkend. De woorden publiciteit, vermijding, noodzaak. Eve en Michael die hun armen om hem heen slaan als ze allemaal uit de auto stappen. Magnus om zes uur 's middags in bed, slapend. Een reusachtige hand die de stenen plaat van zijn rug tilt. Een reusachtige hand die ten slotte uit de lucht naar beneden komt en hem uit de mensenmassa oppakt, hem midden in de lucht weegt, hem in zijn handpalm omkeert, op het punt staat om hem – het kan nu elk moment – op te heffen naar een reusachtig oog in de hemel om hem eens goed te bekijken.

c). Magnus die zich eind november voor verhoor en onderzoek meldt. De secretaresse die hem op Milfields kamer een stoel geeft, en Milfield die hem toespreekt. Dat Milfield zo verbaasd was om van alle namen juist die van Magnus te horen te krijgen. Dat Milfield het letterlijk niet kon geloven. Dat in dit geval 'waar' maar 'relatief' was. Dat Milfield had begrepen dat Magnus het duidelijk niet zo bedoeld had. Dat de school zo veel moeite had gedaan om Magnus van blaam te zuiveren. Dat het zo belangrijk was om juist dit belangrijke examenjaar hard te werken. Slechte invloeden en hoe je daarvoor af te sluiten. Contact met Jake Strothers, voor straf van school verwijderen. Gelukkig voor Magnus, de politie wil niet betrokken worden in een evident geval van zelfmoord. Gelukkig voor Magnus, de verstandige terughoudendheid van de familie van het meisje om de zaak verder aanhangig te maken. Noodzakelijk voor Magnus, een temperament gebaseerd op de juistheid en het fatsoen te weten wanneer je de zaak moet laten rusten, zodat 1. de aandacht voor het vreselijke verlies dat de school had geleden door dit tragische ongeval op natuurlijke wijze zou wegebben. En 2. de getroffen familie het dagelijks leven zou kunnen voortzetten zonder nog meer verdriet te lijden door verontrustende speculaties en andere onrust. Of Magnus het begreep? wat de enige vraag was die tijdens het gesprek aan Magnus gesteld werd.

Magnus die het begreep, die knikte en zich voegde. 1. 2.

$$\frac{(a+b)}{+c}$$

= het eindresultaat
= de kwestie is officieel voor afgehandeld verklaard

Simpel, een abc'tje. Wiskunde. Het simpele in het complexe zien te vinden, het eindige in het oneindige.

Ja, zei Magnus, het gaat over mijn schorsing en dat dat allemaal voorbij is.

En wat is daarmee? vroeg Astrid. Wat is er gebeurd?

Op het scherm was Bob Hope bezig een grap te vertellen aan een aantal soldaten uit de Tweede Wereldoorlog. Ze lieten het op tv zien omdat Bob Hope dood was. Hij was in 2003 doodgegaan.

Doet er niet toe, zei Magnus hoofdschuddend.

Astrid haalde haar schouders op.

Toch wil ik het weten, zei ze.

De soldaten uit de Tweede Wereldoorlog bulderden van het lachen.

Er is trouwens iets wat nog erger is dan ouwe rukker, zei
Astrid.

Wat dan? vroeg Magnus.

Jij, zei Astrid.

Je wordt bedankt, zei Magnus.

Graag gedaan, zei Astrid, verder zappend. 2003 verdween
met de druk op een knop. Hij voelde zich er een heel klein
beetje beter door. Hij zakte verder onderuit op de bank.

Nu stelt Magnus, in de bioscoop, zich voor hoe Jake daar
op het trottoir zat, hoe de deur achter hem openging en de
aardige vrouw naar buiten kwam en hem overeind hielp. Ze
zou met hem naar de voorkamer gaan, hem op de bank laten
plaatsnemen, ze zou een kop warme chocola voor hem maken,
of thee, iets warms en troostends in elk geval, dat naar binnen
brengen en aan hem aanreiken, en hij zou zo hard huilen dat
zijn tranen erin vielen, en dan zou zij het kopje pakken en op
de tafel zetten en zijn handen vastpakken en zeggen van nou,
nou, er is toch niets aan te doen, het geeft niet, het is voorbij.
En dan zou ze opstaan, door de kamer lopen en Milfield
bellen en zeggen, meneer Milfield, er is hier een van die
jongens die.

Of misschien was ze helemaal niet aardig. Misschien was ze
gek van pijn en woede, was haar gezicht nog doorgroefd van
het huilen en het niet kunnen slapen, misschien had ze Jake
bij zijn handen gepakt, naar binnen gesleurd en hem in haar
voorkamer op de grond gesmeten en tegen hem geschreeuwd
en gescholden, het kopje dat ze in haar hand had naar hem
toe gegooid, hem bekogeld met alles wat binnen handbereik
was, borden, schilderijtjes, een vaas, een tafel, alles – totdat ze
allebei uitgeput waren van het schreeuwen en het verdriet en
alles wat er kapot om hen heen lag en ze allebei alleen maar
uitgeput tegenover elkaar hadden gezeten en voor zich uit
gekeken, totdat zij opstond, door de kamer liep en Milfield
opbelde. En zei – ja, wat? Hallo meneer Milfield, u spreekt
met mevrouw ******, de moeder van ********* ******, wier naam

niet genoemd mag worden, het meisje dat doodgegaan is, weet u nog, er is hier een van die jongens die.

Het was haar moeder of haar broer geweest die haar had gevonden in de badkamer. Magnus weet hoe haar broertje eruitziet. Hij zit op Deans. Iedereen op Deans weet hoe hij eruitziet, en hij zal nu wel weten wie Magnus is; iedereen weet welke jongens er geschorst waren.

Ze zullen elkaar op school in de gang passeren.

Het geluid dat Magnus tussen de filmmuziek en de acteurs door hoort kan niet van de roltrappen zijn. Dat is een onmogelijkheid. Hij kan ze onmogelijk horen in deze gehoorzaal, waar het bioscoopgeluid zo hard is dat andere geluiden er niet in doordringen. Het moet het geluid van de projector zijn dat hij hoort. De film is bijna afgelopen, want alles convergeert nu. De acteurs van alle verschillende verhaallijnen hebben elkaar allemaal ontmoet bij het kerstspel op school of op de luchthaven, en ze hebben naar elkaar geglimlacht en gezwaaid alsof ze allemaal hetzelfde meemaken en elkaar al heel lang kenden. De actrice die doet alsof ze de Portugese werkster is heeft ja gezegd op het voorstel om te trouwen van de acteur die vooral bekend is vanwege zijn rol in een bewerking van Jane Austen. Iedereen heeft gelachen om de dikke actrice die doet alsof ze de zus is van de Portugese werkster. De film gaat zogenaamd over liefde. Maar de enige boodschap, voorzover Magnus kan onderscheiden, is dat je niet te dik moet zijn als je een meisje bent, omdat anders iedereen je belachelijk zal vinden en niemand met je zal willen trouwen.

Verderop in de rij zit een van de twee meisjes te huilen. Hij vraagt zich af of ze huilt omdat ze ontroerd is door de film of omdat ze zichzelf te dik vindt. Het meisje huilt maar en huilt maar. Ze is helemaal niet dik. Haar vriendin legt haar arm om haar heen. Magnus bedenkt dat hij hoopt dat Astrid zo'n vriendin heeft, iemand die haar arm om haar heen zal slaan als ze een keer in de bioscoop zit te huilen. Maar bij de gedachte dat Astrid in een bioscoop zou zitten huilen, en dan vooral om een film als deze, steekt de Astrid van zijn verbeelding haar middelvinger naar hem op, en naar de film.

Maar stel dat Astrid naar een film als deze ging en er kapot van zou zijn, zoals dit meisje voor hem. Stel dat Astrid helemaal niet lijkt op de Astrid in zijn hoofd als ze zich in het echte leven beweegt. Misschien moet ze dan anders zijn. Meisjes moeten zich onder elkaar op een bepaalde manier gedragen, net als jongens.

Zo meteen zal Magnus de bioscoop moeten verlaten. De aftiteling is bijna afgelopen. Hij zal weg moeten van deze plek, alsof deze plek een veilig hol is met flakkerende schaduwen op de muur, waar je makkelijk kunt doen alsof er niets anders bestaat dan deze schaduwen. Daar buiten zijn roltrappen die almaar rondgaan in hun vaste richting. De dingen die je almaar wordt geacht te kopen. Het einde van het jaar. De mensen die naar mensen kijken en niet naar mensen kijken. Wat zal hij doen als hij in het nieuwe semester in het nieuwe jaar haar broertje in de gang ziet? Zal hij doen alsof hij hem niet ziet? Zal hij recht door hem heen kijken? Zal het broertje doen alsof hij Magnus niet ziet? Of erger, zal hij hem recht in zijn gezicht kijken?

Een stel mannen zat aan elkaar geketend in een grot, en het enige wat ze konden zien, het enige wat ze allemaal konden zien en alles wat ze ooit van de wereld hadden gezien, waren de schaduwen die door hun eigen vuren op de muren werden geworpen. Ze keken voortdurend naar die schaduwen. De hele dag zaten ze ernaar te kijken. Ze geloofden dat dat het leven was. Maar toen werd een van hen gedwongen de grot te verlaten en de echte wereld in te gaan. Toen hij terugkwam in de grot en de anderen vertelde van het zonlicht, geloofden ze hem niet. Ze dachten dat hij gek was. Magnus kan zich niet herinneren hoe dat verhaal afliep. Wordt de man die de buitenwereld heeft gezien gek? Verlaat hij de grot, de enige plek die hij kent, en gaat hij ergens anders heen, ver weg van zijn oude vrienden en het enige leven dat hij daarvoor heeft gekend, daar in die grot? Doden de mannen die in de grot aan de vloer vastgeketend zitten hem omdat ze zo in de war zijn door wat hij steeds vertelt?

Het huilende meisje en haar vriendin wachten om langs hem heen te kunnen. Hij staat op om ze te laten passeren en loopt dan achter hen aan de bioscoop uit en het verblindende licht van het winkelcentrum in. Hij voelt zich een beschermer, hij loopt achter hen aan en beschermt hen zonder dat ze het weten, helemaal tot aan de roltrappen en dan naar beneden, en hij concentreert zich op degene die zat te huilen en die nu stil is blijven staan en met rode ogen om zich heen kijkt. Haar vriendin zegt iets. Zij antwoordt. Ze lachen allebei. Dat is beter. Bovendien is hij daardoor onder aan de roltrap aangekomen zonder dat hij over de roltrap heeft hoeven nadenken.

Hij volgt hen nog een stukje.

Bij de ingang van Accessorize, waar ze op het punt staan te gaan sluiten, blijft hij stilstaan en wacht op hen. Als ze weer naar buiten komen, arm in arm, geeft hij ze een voorsprong en loopt dan achter hen aan langs de andere sluitende winkels. Ze verlaten het winkelcentrum, steken met de mensenmassa de straat over en verdwijnen tussen de mensen die de hoek omslaan op weg naar de ondergrondse, zodat Magnus alleen blijft staan in een winterse straat met gebouwen die net zo tweedimensionaal van de grond omhoog lijken te rijzen als de gebouwen aan een namaakstraat op een filmset. Een windvlaag met genoeg kracht zou ze wegblazen.

Ze had een broer, zoals Magnus Astrids broer is.

Ze heeft haar middelvinger naar haar broer opgestoken, heeft hem uitgekafferd, heeft hem honds behandeld en ze heeft onderuitgezakt op de bank naar de televisie zitten kijken, en hij heeft hetzelfde tegenover haar gedaan, precies hetzelfde als hij en Astrid.

Ze heeft de badkamerdeur dichtgedaan, ze is op de rand

van het bad gaan staan, misschien. Ze had er genoeg van. Ze is op de rand van het bad gaan staan en heeft naar beneden gekeken, en in plaats van daar iemand te zien, zag ze niemand.

Het eindresultaat.

=.

Het gelijkteken is, zoals Magnus zich herinnert dat hij Amber vertelde op een middag dat het zo ongelooflijk warm was dat het zelfs in die oude stenen kerk warm was, door Leibnitz uitgevonden.

O ja? zei Amber. Weet je het zeker?

Ze had haar hand, haar heel tedere hand, om zijn lul, die uit zijn shorts hing, ze deden niets, zij hield hem alleen vast. Hij had zijn hand half in haar, in haar shorts, net zo. Het was net na het vrijen, en het was net voor het vrijen.

Hoe bedoel je, zeker? vroeg Magnus.

Ik bedoel, hoe weet je het? zei Amber.

Ik weet het gewoon, zei Magnus. Het is gewoon iets wat ik weet.

Hij had een halve erectie. Ze was vaak een beetje vervelend tussen het vrijen door, om hem te pesten. Op den duur, andere keren in de kerk, wist hij dat hij gewoon niet dit soort gesprekken moest aangaan. Maar op dat moment liet hij zich nog makkelijk opjuinen.

Maar hoe weet je dat het waar is? vroeg Amber.

Nou, zei Magnus. Ik neem aan dat ik het in een boek gelezen heb, want ik kan me niet precies herinneren wanneer of hoe ik ervan op de hoogte raakte, maar ik neem aan dat ik het in een boek gelezen heb, nou ja, en dan staat het dus in een boek, waardoor je mag aannemen dat het waar is.

Waarom zou het waar zijn als het in een boek staat? vroeg Amber.

Omdat als het in een boek stond, dat waarschijnlijk een schoolboek zal zijn geweest, een leerboek, zei Magnus, en leerboeken zijn meestal geschreven door mensen die een onderwerp zo lang en zo goed hebben bestudeerd dat ze in staat zijn het mensen bij te brengen die er veel minder van weten. En daarbij, boeken worden geredigeerd door redacteuren die de feiten controleren voordat ze ze uitgeven. En zelfs ervan uitgaande dat ik het niet uit een leerboek weet maar van een leraar, dan geldt toch hetzelfde.

Welke leraren worden geredigeerd door redacteuren voordat ze je iets leren? zei Amber.

Magnus klemde zijn tanden op elkaar.

Je weet wat ik bedoel, zei hij. Kom op, zeg. Dimmen alsjeblieft. Even.

Ik zeg alleen maar, stel dat het Leibnitz niet was, zei Amber. Ik zeg alleen maar, stel dat het iemand anders was.

Het was Leibnitz, zei Magnus.

Maar als hij het niet was? zei Amber.

Maar hij was het wel, zei Magnus.

Hij had nu een hele erectie.

Stel dat je het mis hebt, zei Amber terwijl ze haar gekromde hand naar het topje liet gaan, dan naar beneden tot aan de ballen en dan weer naar het topje.

Ik, eh… het is gewoon niet zo, zei Magnus.

Wat niet? zei Amber.

Dat ik het mis heb, in dit geval, zei Magnus.

Ah, zei Amber.

Ze bewoog, waardoor zijn hand uit haar glipte. Ze schudde haar broek los, stapte eruit, liet hem op de oude houten vloer liggen.

Zeker weten? zei ze terwijl ze op hem klom.

Honderd procent, zei Magnus, diep in de zoete warmte van het moment. Honderd procent zeker in de zomerse hitte, onvoorstelbaar nu het nu is en het winter is, honderd procent zeker in het zoete neuken in de eindeloze beëindigde tijd in dat huis, in die kerk, in Amber. Ik ben niet verliefd, had Amber tegen hem gezegd. Dus niet vergeten. Het is alleen dat mannen van jouw leeftijd van nature heel goed passen bij vrouwen van mijn leeftijd, aangezien ik nu pas op mijn tophit kom, terwijl jij daar al in zit.

Had ze echt tophit gezegd, bij wijze van een soort Amber-grapje, of had ze top gezegd en had hij het hit er later aangeplakt? Terwijl hij op een van de vele dagen dat zijn schorsing duurde op een van de nieuwe computers thuis wat aan het klooien was op het internet en aan Google vroeg wat er in hem opkwam, bijvoorbeeld wie vermoordde Kennedy, waar is Bin Laden, hoe stierf Plato, heeft Shakespeare werkelijk bestaan, wie was Zeno van Elea en wanneer vond Leibnitz het gelijkteken uit, ontdekte Magnus dat het toch niet Leibnitz was geweest, maar dat iemand uit Wales die Robert Recorde heette het mogelijk in de jaren 1550 had uitgevonden. Het enige andere feit uit het leven van Robert Recorde op de site was dat hij was overleden in de gevangenis voor schuldenaren.

Toen typte Magnus in Waar is Amber heen gegaan? en klikte op zoeken.

Bedoelde u waar is amber heengegaan?

WereldWijzer – Wie gaat er ook werken op Kos?

Ik ben er samen met een vriend heen gegaan en we dachten we zien wel... leuke mensen waar je mee komt te werken ik ben er vandaag geweest was erg leuk ik...

Heengegaan Amber

SneakPoint.

Gister heen gegaan met het idee dat het echt een super slappe, flauwe komedie was... een vermakelijke film die ook waar je zeker heen moet gaan voor een...

Lynn Faust September 23, 2003. Alles is weg, niemand om op te steunen. Alleen gelaten, keihard.

Coole naam / msn, messenger, MSN... GOD BLESS THEM (hopefully) En waar ze hun zielige lef vandaan halen met respect...

Deze prachtige Amber staande lamp van 65 cm hoogte werd

voor het eerst in productie genomen in 1971. De bolvormige lamp kan afzonderlijk worden aangestoken of...

Amber Antiquiteiten...

Amber... Mijn hond heette Amber, het was een rode chow-chow teef. Ze overleed aan maagkanker toen ze acht jaar was.

Security at Sellafield goes on amber alert

Sellafield has gone on amber alert as a precautionary measure in line with a government order for extra vigilance and protection at sensitive...

Amber Review and Walkthrough

Resultaatpagina Vorige 1 2 3 4 5 6 7 8 9 10 11 12 13 14 Volgende

Zoek binnen resultaten Taalhulpmiddelen Zoektips

Google   Zoeken

Magnus toetste ******** ***** in.

Uw zoekbewerking ******** ***** heeft geen standaard-webpagina's opgeleverd. Suggesties: – zorg dat alle woorden goed gespeld zijn – probeer andere zoektermen – maak de zoektermen algemener.

Magnus toetste C******* M***** in. Hij telde de sterretjes om er zeker van te zijn dat hij het juiste aantal had ingetoetst. Toen klikte hij de zoektoets aan. Google vond een inventarislijst van jazzakkoorden voor de gitaar, een link naar een museum voor beeldende kunst in Los Angeles en een link voor stripfonts en belettering.

Hierna bekeek Magnus de gratis toegankelijke webpagina's voor het eerst sinds de vorige keer. Zijn hart bonsde hoorbaar merkte hij toen hij de eerste aanklikte en de pagina voor hem verscheen.

Niks bijzonders. Gewoon een pornosite. Nogal sloom. Dat was niet erg.

Kontlikken in de jacuzzi. Petra laat haar lekkere poesje zien. Kwaliteits hardcore seks. Geile grootmoeder wil klaarkomen.

Roodharige geile tiener met ongloflijke tieten. Bitch slikt alles
door. Tiener met speelgoedbeer in de tuin. Meid neemt
pisbad. Mokkel toont haar roze liefdesgleuf. Rode Rose heeft
een geschoren kutje. Bitch met grote tieten speelt met de
camera. Sletje krijgt brandblaren op tong van geile lul. Latina
met kleine tietjes geneukt.

Kwalieteits. Ongloflijk.

Hij had de geschiedenis uitgewist en de computer uitgezet.
Niet dat het allemaal zo slecht was of dat hij een slecht mens
was door naar de lichamen te kijken. Het waren maar
lichamen. Het was niet als in een thriller waarin alle lichamen
ineens haar gezicht kregen of iets dergelijks. Ze hadden
allemaal hun eigen gezicht. Geen van hen had haar gezicht.
Het was dat hij aan haar gezicht had gedacht en zich toen had
geschaamd, en waar hij zich nog het meest voor schaamde,
was de erbarmelijke taal, de domheid.

Magnus, die op de laatste donkere dag van het jaar tegen de
pui van de Superdrug geleund staat, denkt na over de paradox
van het gierstzaadje van Zeno van Elea. Als één gierstzaadje
geen geluid maakt als het valt, betekent dan het feit dat
duizend gierstzaadjes wel degelijk geluid maken als ze vallen
dat duizend maal niets iets is? De meisjes op de pornosites
zijn met duizenden en duizenden, en duizenden verdere links
leveren nog weer duizenden andere links op. Wie zelfs maar
een fractie daarvan wil bekijken, moet blijven kijken. Gleuven,
gleuven, niets ander dan gleuven, tot aan de dag des oordeels.
Shakespeare.

Heeft Shakespeare echt bestaan?

Wat is liefde eigenlijk?

Waar was Amber heen gegaan?

Goed dat Amber opgedonderd was, want ze deugde niet,
volgens Eve. Ze hadden zich een beetje in Amber vergist,
volgens Michael. Ze had hen belazerd (Eve). Ze had hun
knollen voor citroenen verkocht (Michael). Ze had haar ware
aard getoond (Eve). Ze had op geniepige wijze misbruik

gemaakt van hun gastvrijheid (Michael). Magnus bedenkt hoe Amber voortdurend misbruik van hem had gemaakt op zolder, in de tuin, in de kerk. Sint-Magnus. Hij herinnert zich hoe ze zijn kleren had gepakt die eerste avond, nadat ze hem in het bad had gestopt. Hij herinnert zich hoe verloren hij zich had gevoeld toen Amber was weggegaan, hoe hij door het dorp had gedwaald, hoe de man van het restaurant naar buiten was gekomen, hem wat te eten had aangeboden en hem had verteld over de geschiedenis van het pand. Hij bedenkt hoe hij voor datzelfde restaurant heeft staan overgeven, vlak voor de komst van Amber, en dat diezelfde man toen naar buiten kwam en kwaad op hem was. Voordat het een restaurant werd, was daar een bioscoop, maar toen het uit de mode raakte om naar de bioscoop te gaan, was het een snookerhal geworden en toen een bouwval, en nu zit er een Indiër in, en de man zei dat als het zo doorging er gauw weer wat anders in zou zitten, al wist hij niet wat. Amber was duidelijk goede maatjes met de man, zoals ze dat was met de meeste mensen uit het dorp.

Ga hier maar zitten, had de man gezegd, met een klopje op de muur voor de deur van zijn restaurant waar niemand zat. Heb je honger? Nee? Hè? Jammer. Er is veel eten. Veel goed eten. Niemand om het op te eten. Weet je wat iemand op de heren-wc op de muur heeft geschreven? Moslim jood klootzak. Ik ben geen moslim. Ik ben geen jood. Ik ben geen klootzak. Nou ja, zo is het leven. Zo gaat het. Die vriendin van jou. Die dame. Waar is ze gebleven? Hè? Je weet het niet? Hè? Nee, weet je het niet? Jammer. Jammer.

De man schudde zijn hoofd.

Dat was een goede, zei hij. Een echte dame. Wat een vrouw.

31 december 2003, aan het eind van de middag. Hij zou eigenlijk naar huis moeten. Hij kijkt op zijn horloge. Zijn horloge is stil blijven staan. Het staat op tien voor twaalf, middag of middernacht. Dat is het niet. Het is pas een uur of

vier. Alle winkels zijn aan het sluiten. Alle roltrappen in alle winkelcentra over de hele wereld komen nu vast tot stilstand. De roltrappen hebben vrijaf. Alle mensen om hem heen zijn ofwel al dronken ofwel ze zijn dronken aan het worden, op weg naar de binnenstad van Londen, onweerstaanbaar als door een magneet aangetrokken. Hij zou eigenlijk naar huis moeten.

Dat betekent tegen de menigte in lopen.

In het al verdwenen zomerlicht wenkte de man Magnus voor zijn restaurant waar niemand zat.

Weet je zeker dat je geen honger hebt?

Magnus schudde zijn hoofd. De man glimlachte naar hem.

Wat een vrouw, hè?

Magnus loopt trede voor trede de trap op, eerst de ene voet, dan de andere, dan de ene weer. Hij blijft op de overloop voor Astrids kamer staan. Hij ademt diep in. Hij klopt.

Ga weg, roept Astrid van binnen.

Ik ben het, zegt Magnus.

Tja, wie anders? zegt Astrid.

Ze opent de deur net zo ver dat ze naar buiten kan kijken. Magnus ziet maar een van haar ogen.

En? zegt ze.

Hij gaat vlak voor de deur op de vaste vloerbedekking op de overloop zitten. De vloerbedekking is zo nieuw dat er in de hoeken nog losse reepjes liggen.

Ik heb vandaag een echte rotfilm gezien, zegt hij.

Nou, en? zegt Astrid.

Ze maakt aanstalten om de deur weer dicht te doen.

Niet doen, zegt Magnus.

Ze doet het niet. Achterdochtig blijft ze door de kier van een paar centimeter staan kijken. Zo meteen – het kan elk ogenblik gebeuren – zal ze de deur dichtslaan.

Het was goed, hè? zegt hij.

Er was niks aan, zei je net, zegt ze.

Nee, ik bedoel toen we op vakantie waren dit jaar, zegt hij.

Astrid staart hem aan. Ze doet de deur helemaal open.

En dat was ook echt goed, hè, zegt hij, toen we hier terugkwamen en er niks meer was.

Astrid gaat in de deuropening zitten. Ook zij frunnikt aan de nieuwe vloerbedekking.

Het was gaaf, zegt ze. Het was hartstikke gaaf.

Ik geloof dat ik het het fijnste vond toen er niks meer was, zegt Magnus. Dat je gewoon door een kamer kon lopen en dat er helemaal niks meer in stond.

En dat we onszelf helemaal anders hoorden als we rondliepen of wat zeiden, zelfs alleen maar ademhalen klonk al anders, zegt Astrid.

Ja, zegt Magnus.

En als we wat zeiden, klonk het als een echo om ons heen, alsof we in een statig oud huis woonden, zegt Astrid, of alsof we op een toneel stonden of zo, omdat de vloerbedekking weg was, omdat er geen vloerbedekking lag waar je wel vloerbedekking verwachtte. Daarom was het net alsof we, iedere keer dat we door een kamer liepen, een toneel op liepen.

Mm-hmm, zegt Magnus.

Alleen was het niet zo, zegt ze, dat deden we niet, we waren gewoon thuis, in ons eigen huis.

Magnus knikt.

Catherine Masson, zegt hij.

Wat? zegt Astrid.

Zo heet ze, zegt Magnus.

Wie heet zo? zegt Astrid.

Magnus zegt het nog eens.

Catherine Masson.

Dan vertelt hij het allemaal aan Astrid, door de openstaande deur, of althans zoveel als hij weet en zoveel als hij kan, beginnend bij het begin

platte grappen werden er over hem
gemaakt, en als hij zelf niet kon ophouden ze te bedenken,
zou dat met iedereen wel zo zijn, mondeling werd oraal,
seminar kwam van semen, en studentes waren onveranderlijk
geil, hij zou dé figuur zijn over wie alle standaardgrappen
gemaakt werden, en niet alleen bij de hitsige, zich in zijn val
verlustigende collega's, daarvan was Michael overtuigd, als het
niet te egoïstisch van hem was om zich voor te stellen hoe dit
soort woordspelingen, woordspelingen waarvan hij het
onderwerp was en die op de faculteit de ronde deden, voor de
goed afgesloten deur van zijn kamer (als het nog zijn kamer
was en niet al die van iemand anders, met al zijn boeken en
papieren in dozen in de kelder opgeslagen zonder dat iemand
het hem had verteld), en net zo goed daar als in de enigszins
ouderwetse instellingengeur die in de gang hing, de geur die je
niet meer bewust opmerkte maar die er evengoed nog wel
hing, en waardoor je onbewust precies wist in welke faculteit
je was. Toen het verhaal nog maar net bekend was geworden,
had een grappenmaker een op briefpapier van de faculteit
getypte aankondiging op zijn deur geprikt, naast het vel
waarop men zich kon inschrijven voor zijn seminar en een
fotokopie van het gedicht van Blake, 'the lineaments of
gratified desire', godbetert. Hij was teruggegaan naar zijn
kamer om zijn jas te halen, dat was de laatste keer dat hij op
de faculteit was geweest, toen in oktober, en daar hing het,
naast het officiële memo van de faculteit waarop stond dat

men zich moest melden bij professor Dint om een nieuwe mentor toegewezen te krijgen, wegens tijdelijke afwezigheid. Waarschuwing. Meisjes, een beetje neerslachtig? Wil je graag 'met genoegen' afstuderen? Teken dan hier in voor injecties van dr. Love (Jongens: bespreekbaar).

Faculteit. Facultatief. Men had tenminste gevonden dat hij met zijn tijd meeging; jongens bespreekbaar. Dint zou het briefje inmiddels wel hebben laten verwijderen (zoals ze haar gevoel voor humor jaren geleden al had laten verwijderen). Of misschien hing het nog aan de deur, Michael wist het niet, was er niet meer geweest. Wonderbaarlijk wat een bezoek aan een boekwinkel kon oproepen: de faculteit, met geuren en al. Misschien was het briefje van dr. Love het enige wat nog op zijn deur hing, samen met zijn naambordje, als zijn naambordje er tenminste nog hing. Dr. Michael Smart, officieel cliché van de universiteit. Ongelooflijk eigenlijk dat hij in dat andere leven, nog maar een half jaar geleden, een hele nieuwe serie colleges had willen geven over het onderwerp. Hij had zich voorgesteld ze dit semester te geven, het semester dat nu aan de gang was. De mensen schuifelden de hele dag heen en weer tussen hun werkgroepen en seminars alsof niets ter wereld er verder nog toe deed. Cliché betekende niet alleen een vaststaande uitdrukking of een stereotiepe reactie, maar was ook een plaat van zacht metaal waarop het negatief beeld van iets is aangebracht, zodat daarvan afdrukken kunnen worden gemaakt. Michael Smart afgedrukt. Negatief beeld. Zacht metaal. Bestempeld.

Nee, het was goed. Nee, het was. Het was bevrijdend. Het betekende bijvoorbeeld dat hij zoals nu vroeg in de avond een boekwinkel binnen kon slenteren en kon doen wat hij zojuist had gedaan, zonder op of om te kijken de afdelingen literatuur fictie kritiek kritische theorie passeren en recht op de simpele, eenlettergrepige afdeling sport af kon lopen. Michael Smart, eindelijk een echte man. Nooit in zijn leven – zijn oude, onrealistische leven – was hij niet stil blijven staan bij de afdelingen literatuur en fictie om te kijken wat er te koop was, wat er in voorraad was, wat er op de tafels lag, welke delen van zijn eigen canon er op de planken stonden en waaraan je kon zien of de boekwinkel al of niet een fatsoenlijke boekwinkel was.

Maandenlang was hij niet in staat geweest zonder misselijk te worden zelfs maar bij een boekwinkel in de buurt te komen. Hij had zelfs geen boek kunnen oppakken zonder misselijk te worden. Dus het was goed, dit. Hier was hij. Hij was er weer. In een boekwinkel had je meer dan één soort boeken.

Michael had eerder die dag besloten dat hij aan bergbeklimmen zou gaan doen. Dat had hij die ochtend besloten toen hij rondreed op de M25 met zicht op het drukke verkeer en de sombere maar onmiskenbaar voorjaarsachtige hemel, luisterend naar Radio 4, waar een man wiens naam hij niet had verstaan een beschrijving gaf van het wonder op het onbewoonde hoogste punt ter wereld te staan, iets onoverkomelijks te hebben beklommen, alle rotzooi van anderen achter je te hebben gelaten. De man had op de hellingen die hij had beklommen lijken zien liggen. Onbegraven lichamen van mensen die onderweg waren gevallen, ziek waren geworden van de te ijle lucht, bewusteloos waren geraakt of er om wat voor reden dan ook niet in waren geslaagd te overleven trof men kennelijk vaak aan op de bergen die ertoe deden, de bergen die werkelijk uitdagingen boden. De man op de radio had bergopwaarts langs een lijk lopen beschreven als een soort wedergeboorte.

Het was februari. Februari kon niet anders dan veelbelovend zijn. Februari was voorjaar! In het voorjaar was van alles mogelijk. De koffiegeur in de boekwinkel was weldadig. Hij zou op zoek gaan naar het boek dat hij wilde hebben en dan onder het genot van koffie eens kijken of hij het zou kopen. Uit gewoonte wist hij dat hij zo laat geen koffie meer moest drinken. Maar de gewoonte kon wat hem betrof opsodemieteren. De gewoonte was oud en versleten en behoorde tot het verleden. Michael vond het prettig om 's avonds laat nog wakker te zijn. Moest hij op een bepaalde tijd naar bed? Nee. Hij was vrij om te doen en te laten wat hij wilde. Sport. Voetbal hockey paardenrennen motorracen bergbeklimmen. Hij pakte een boek van een plank met glimmende boeken. Op de omslag was een kompas te zien. Hij sloeg het open. Navigeren is leuk! Het is een vaardigheid die u van pas zal komen. De hoofdstuktitels in de inhoudsopgave klonken goed. Het weer in de bergen. Techniek op sneeuw en ijs. Veiligheid op steile hellingen. Omgaan met hoogte. Laat niets achter behalve uw voetstappen. De inhoud van uw rugzak.

Ja. Hier ging Michael Smart zich van nu af mee bezighouden, met niets anders dan het concrete, het vastomlijnde, de puinhellingen en terreinen vol rotsblokken die hier beschreven werden, de verschillende soorten rotsen, losse rotsblokken en natte rotsblokken.

Los.

Nat.

Waarom waren alle woorden zo beladen? Waarom vergiftigden ze zichzelf meteen, werden het woorden die tegen hem gebruikt konden worden, zelfs door hemzelf? Was alles dan een grap? Tegen hem gericht? Met genoegen afstuderen. Dat was wel goed. Dat was heel goed gezegd. Daar sta je dan. Daar heb je het. Het probleem was zijn openheid, zijn gulheid, zijn bereidheid iedere kleine onderkruiper die hem in de maling nam nog geluk te wensen ook. Langs een andere besneeuwde route lagen weer andere lijken, een verzameling schalkse studenten en bevredigde ondankbare meisjes, en Marjory, Tom en die uitgedroogde lesbienne met dat heksengezicht van personeelszaken wier naam hij zich niet kon herinneren, afkomstig uit een vrouwengevangenis leek het wel, nee, erger, uit een televisieserie over een vrouwengevangenis, die daar met een zuur gezicht achter hem zat, achter de lange tafel in het faculteitsbureau.

Fuckulteitsbureau? Hij was best in staat grappen te maken over zijn eigen afgang, zijn eigen onder-de-gordel-activiteiten. Het einde van alles was het niet. Verderop, boven dit alles uit, was er de adembenemende schoonheid van de natuur op haar hoogtepunt. Dood langs de weg over een bergpas. Emma-Louise Sackville, niet in eigen persoon natuurlijk, maar alleen als dossier. Dossier van brieven en e-mailcorrespondentie. Ze was trouwens niet veel zaaks geweest, ze had erbij gelegen alsof ze toen al dood op een berg lag.

Michael nam drie boeken mee naar de koffiebar op de eerste etage. *Bergbeklimmerstechnieken, Bergbeklimmen en leidinggeven* en *Het bergbeklimmershandboek.* Hij bestelde een dubbele espresso bij het meisje. Hij keek haar niet eens aan. Was ze mooi? Hij vond haar niet aantrekkelijk. Dit was wel ironisch. Hij had al maanden geen meisje aantrekkelijk gevonden. Hij hield zijn boeken onder zijn arm, met de voorkant naar buiten, zodat iemand die naar hem keek de foto op de voorkant van een ervan zou zien, van een man halverwege een rotsspleet, ver boven de toppen van een stel bomen. Zo'n soort man was hij. Zo'n soort man zou hij binnenkort zijn. Hij pakte zijn koffie en ging in een van de leunstoelen zitten. Maar zodra hij ging zitten voelde hij zich opgelicht. In Amerika bijvoorbeeld, tijdens de reizen die hij naar Amerika had gemaakt, was zitten in een leunstoel bij een vestiging van een van de grote boekwinkelketens iets aangenaam spannends, iets triomfantelijks zelfs, dan kreeg je het gevoel dat je erbij hoorde omdat je er eerder dan iemand uit de buurt in was geslaagd een van de stoelen te bemachtigen. Maar hier, nu, zaten in de drie overige leunstoelen mannen die er eenzaam uitzagen, ongeschikt voor elk soort werk, ofwel verslaafd aan drugs, en de stoel waar Michael in zat had de misselijkmakende geur van bedorven melk.

Hij sloeg het eerste boek open. Het stond vol prachtige nieuwe woorden. Transpaseaal bijvoorbeeld. Eindelijk een woord dat paste bij de tekst op de verpakking. Maar er was meer. Er stonden woorden in voor bepaalde variaties van sneeuw en sneeuwvlokken, plaatvormig of stervormig, zuilvormig of naaldvormig, ruimtelijke dendrieten, afgeknotte zuilen en graupels. Graupels! Fantastisch. Dit was waar Michael naar op zoek was, een geheel nieuwe taal. Een taal van tenten – koepeltent, iglotent, piramidetent. Je had een anorak nodig, stond er in het boek. Een balaclava of bivakmuts. Het lichaam raakt een derde van zijn warmte kwijt via het hoofd. Verbluffend! Michael wist het eigenlijk wel, maar had er nooit over nagedacht, dat het hoofd energie afgeeft alsof het een brandend peertje is. Je moest een overbroek kopen met ritssluitingen zodat je je schoenen niet uit hoefde te doen om hem aan te trekken. Zo simpel dat het geniaal was, werkelijk waar. Blaren waren een probleem. Een touw kon dood of levend zijn. Dit was een taal die leefde, alleen al doordat hij zo op de praktijk was gericht – levendiger, vervuld van echte, tastbare hoop. Er zijn maar weinig bergen op de Britse eilanden die je niet al lopend kunt beklimmen. Het was veelbelovend. Het was praktisch. Er stond in hoe je onzichtbare kliffen kunt vermijden. Michael nipte van zijn koffie. De koffie smaakte smerig. Het kopje rammelde op het schoteltje toen hij het terugzette op het te lage tafeltje. Hij zou eerst naar het Peak District gaan, of naar Snowdonia, of misschien naar de Brecon Beacons of de Yorkshire Dales. Hij zou erheen rijden. Hij zou zijn auto laten staan op de parkeerplaats aan de voet van de berg of bij een prettig pension waar ze een stevig ontbijt serveerden. Hij bladerde verder in het boek. De bliksem was elk jaar verantwoordelijk voor de dood van een klein aantal klimmers, zo bleek. In het boek stond dat bergbeklimmers dit beschouwden als force majeure en men adviseerde de lezer om zich niet te ontdoen van de pikhouweel als die door de bliksem was getroffen, ook al sprongen de vonken eraf, aangezien de klimmer die later waarschijnlijk nog nodig zou hebben. Michael vroeg zich af of de kenschets force majeur in menselijke termen moest worden opgevat of dat je het moest zien als een verzekeringsterm. Hij sloeg de bladzijde om. Er stond een lijst met de namen van knopen. De paalsteek, de schootsteek, de dubbele zoetelief. Hij dacht aan Philippa Knott. Hij vroeg zich af van wie Philippa Knott nu les kreeg over Roth. Wie haar de paalsteek leerde. De schootsteek. De dubbele zoetelief.

Hij deed het boek dicht.

Alleen God wist het.

Het was godsonmogelijk dat hij, Michael Smart, op zijn leeftijd nog een berg zou beklimmen.

Je neemt wel erg veel risico's, Mike, had Marjory Dint informeel tegen hem gezegd (Mike betekende informeel). Je wilt van alles, maar je weigert de consequenties te dragen. (Cliché!) Eén meisje hadden we nog kunnen afschepen. Aan één zouden we nog wat hebben kunnen doen. En denk nou niet dat we het niet geprobeerd hebben. En zeg niet dat we je niet gewaarschuwd hebben, ik heb het je vijf jaar geleden al gezegd, en vier jaar geleden, drie jaar geleden en vorig jaar. Sackville is niet meer dan de sneeuwbal die aan de lawine voorafgaat. (Verschrikkelijk, Marjory.) Zij wil maar al te graag de kat de bel aanbinden. (Verschrikkelijk.) Alles bij elkaar hebben we nu zeven klachten te onderzoeken, die geen van alle, moet ik je nageven, zo goed onderbouwd zijn als die van Sackville, maar let op mijn woorden, Michael (kennelijk helemaal niet informeel, dus, Marjory), dit loopt niet met een sisser af.

Marjory Dint, die zinnen uitspreekt alsof ze die uit het hoofd heeft geleerd voor een banale detectiveserie van de BBC.

Michael ging dus graag met meisjes naar bed. Was dat een misdaad? Zij vonden hém ook leuk. Was dat een misdaad? Ze waren allemaal volwassen en het gebeurde niet tegen hun wil. Hij zag er goed uit. Zij zagen er goed uit, de meesten althans. Was dat een misdaad? Marjory Dint had hem in aanwezigheid van Tom en die lesbienne van personeelszaken gewaarschuwd. En dat betekende formeel gezien schorsing en halvering van het salaris, neerkomend op een geloof-mij-maar-we-hebben-er-alles-aan-gedaan-om-te-zorgen-dat-je-überhaupt-nog-geld-kreeg periode van buitengewoon verlof.

De binnenkant van het lichaam. De buitenkant van het lichaam. Het boek was opengevallen bij de symptomen van onderkoeling. Niet te geloven dat hij zo veel van die symptomen had. Hij had het zeker koud en voelde zich vermoeid, dat was voortdurend het geval. Hij had deze winter beslist nu eens wel dan weer niet last gehad van verkleumde handen en voeten. Ja, hij had beslist wel eens gerild. Ja, hij had zich lichamelijk en psychisch doodmoe gevoeld en was niet in staat geweest om te reageren op vragen of aanwijzingen. Dat was waar. Zo voelde hij zich inwendig de hele tijd. Ja, hij had woedeuitbarstingen gehad en momenten waarop hij onverwacht veel energie had. Ja, hij was trillerig, op dit ogenblik zelfs. Kijk maar eens naar dat kopje, kijk maar eens hoe hij daarnet dat koffiekopje neerzette, en thuis stootte hij altijd koffiekopjes en zo om, in de keuken liet hij dingen vallen en zo. Er overkwam hem voortdurend van alles. Was dat een symptoom? Ja. Ja, hij kon zich moeilijk op dingen concentreren. Hij vond het vooral lastig om televisie te kijken met het licht uit, wat Astrid altijd graag wilde. Ja, hij voelde zich vaak licht in het hoofd. Ja, spierkrampen. En zeker, hij zag bleek. Niet te geloven hoe bleek hij was als hij 's morgens opstond. Hij had een extreem asgrauwe gelaatskleur. En niet alleen hij, het was alsof alles om hem heen ook een extreem asgrauwe kleur had. Leed zijn hele wereld aan onderkoeling? De oorzaken waren: *uitputting, afkoeling door de wind, uitdroging, geen mentale veerkracht, ongerustheid, angst, een gevoel van hopeloosheid, vaak de laatste episode in een hoofdstuk vol vergissingen zo erg dat het niet meer te verdragen was, gemeen weer aan het einde van een dag ploeteren om een doel te bereiken waarvan men toch al betwijfelde of men het zou halen.* Hij ging ze allemaal na, een voor een. Bijna alle oorzaken waren bij hem aanwezig.

Michael stond op. Hij rilde. Hij was te lang aan de kou blootgesteld geweest. Hij legde de boeken neer. Hij liep de boekwinkel door, verwijderde zich van de andere niet-overlevers. Hij ging achter een van de new-agekasten staan en haalde zijn mobiele telefoon tevoorschijn. Hij toetste door naar Eve en drukte op bellen.

Ze zou waarschijnlijk niet opnemen.

Hij kreeg haar antwoordapparaat.

Hij verbrak de verbinding en toetste door naar Charis Brownlee. Hij kreeg haar antwoordapparaat op haar werk, hoorde haar stem, haar Welshe accent. Michael verbrak de verbinding en belde naar haar huis. Hij kreeg haar antwoordapparaat, Welshig.

Met Michael, zei Michael. Michael Smart. Tijd geleden. Hoop dat het goed met je is. Ik sta in een boekwinkel en ik bedenk net dat ik graag je advies zou willen over een beladen onderwerp. Ik bel mobiel. Als je dit bericht in het eerstkomende uur of zo hoort, wil je me dan terugbellen?

Ze zou wel weg zijn. Ze was altijd de stad uit, naar Rome of naar New York. Haar man was ook psychotherapeut. Ze deden het samen. Met z'n tweeën verdienden ze veel geld, wat betekende dat ze altijd de stad uit waren, waardoor ze exclusief en duur waren. Michael was vorig voorjaar opgehouden haar te bezoeken, omdat ze een keer het hele, zeer kostbare uur hadden besteed aan het beluisteren van hun tien favoriete popsongs. Hij was ermee opgehouden kort nadat hij het aan Eve had verteld, die niet meer bijkwam van het lachen.

Michael, die in de boekwinkel stond te rillen, kon niet bedenken wie hij anders kon bellen.

Hij belde naar huis. Astrid nam op.

Met mij, zei Michael.

Ja, zei Astrid.

Ik ben over een uur thuis, zei hij. Ik moet alleen een paar dingen afleveren bij, eh... een paar studenten.

Ja, zei Astrid.

Heb je gegeten, vroeg Michael, of wil je dat ik iets meebreng?

Heb jij gegeten? vroeg Astrid. Jij bent degene die zo mager is geworden.

Is Magnus thuis? vroeg Michael.

Ja, zei Astrid.

Oké, zei Michael. Ik ben zo thuis. Heeft je moeder gebeld?

Nee, zei Astrid.

Ze had de verbinding al verbroken voordat hij het deed.

Hij voelde zich ellendig.

Hij ging naar beneden om Eves boeken te zoeken. Ze stonden niet bij biografieën. Ze stonden bij fictie, belachelijk gewoon, en ze hadden alleen het laatstverschenen boek, maar dan wel een stuk of tien exemplaren ervan. *Authentieke Tekst, Ilse Silber.* Hij pakte er een van de plank, draaide het om en keek naar de achterkant van de omslag waar een foto van Eve op stond. Een jongere Eve, met een glimlach. Hij ademde diep in en uit. Hij ademde in door zijn mond en uit door zijn neus.

Wat had jij op je lijstje tophits staan, en wat had zij, en hoe therapeutisch was dat? had Eve gevraagd toen ze erin slaagde op te houden met lachen. Ze zat op het bed. Michael voelde zich een dwaas. Het was ook dwaas, maar best leuk dwaas. Hij ging ook op de rand van het bed zitten, een beetje beschaamd en ook een beetje lacherig. Ray Stevens. 'Misty'. Four Seasons, december 1963 ('Oh What a Night!'). Chris Montez, 'The More I See You'. Elvis Costello, 'Oliver's Army'. Dire Straits, 'Romeo and Juliet'. Charis Brownlees nummer één was Starland Vocal Band, 'Afternoon Delight'. Hierom moest Eve weer lachen.

Thinking of you's working up my appetite, zong Eve. *Rubbing sticks and stones together makes the sparks ignite. Sky rockets in flight.*

Michael lachte, voelde zich schaapachtig.

Had ze misschien toevallig Bohemian Rhapsody in haar toptien staan? vroeg Eve.

Michael trok een grimas en knikte.

Eve barstte opnieuw uit in lachen.

En Imagine? vroeg ze.

Hij trok zijn wenkbrauwen op en haalde zijn schouders op. Eve lachte zo hard dat ze bijna moest huilen. Hij had haar nog nooit zo hard zien lachen of iets zo grappig zien vinden. Hij zat meesmuilend naast haar op het bed. Ze was heel mooi als ze lachte, en ook een beetje onsympathiek.

(Jouw keuze van tophits versterkt mijn idee dat jij om geloof in jezelf te hebben een bijna psychotische behoefte hebt om alle schuld af te wijzen, zoiets had Charis Brownlee gezegd. Je weet wat Oscar Wilde zei, hè, Michael, had ze gezegd. We zijn allemaal onschuldig totdat we tegen de lamp lopen.)

Michael en Eve, terug van vakantie, staan in hun leeggehaalde huis en kijken elkaar niet aan. Op de vloer tussen hen in staat het antwoordapparaat, het enige voorwerp in een voor de rest lege kamer. De stemmen hadden gesproken. Het antwoordapparaat spoelde het bandje terug en schakelde zichzelf uit. Er was een bericht dat te maken had met Magnus, een bericht voor Eve, en ten slotte een bericht voor Michael.

Marjory Dint. *Het spel is uit, Michael. Met Marjory. Bel me. Pas op met wie je praat. De juridische dienst is erbij betrokken.*

Wat dit ook mag betekenen, ik zweer je dat ik van niks weet, zei Michael.

Geeft niet, had Eve gezegd. Ik weet het.

Ze had geknikt. Ze had zijn hand gepakt.

Terwijl Michael in de boekwinkel naar de foto van Eve keek, begreep hij het weer, zoals hij het sindsdien elke dag had begrepen, en elke dag was dat begrijpen voor hem weer even onbegrijpelijk en nieuw geweest, alsof hij aan een hersenziekte leed die tot gevolg had dat hij niets langer dan vierentwintig uur kon onthouden.

Verbluffend.

Hij realiseerde zich dat Eve het wist. Hij realiseerde zich dat ze het al die tijd had geweten, en dat het voor haar geen verschil maakte. Hij realiseerde zich ook dat ze allebei hadden gewacht op juist dit bericht.

Hij ging op de vloer zitten in de hoek gevormd door de planken met fictie met de letters S en T, en Eves goedheid opende zich boven zijn hoofd als een weidse hemel.

De hemel betrok, werd wit. Hij veranderde in het wit betegelde plafond van een boekwinkel. Hij zat op de vloer. Het was in wezen beschamend. Hij deed alsof hij zocht, en dr. Michael Smart, officieel vrijgesteld, pakte een boek van de dichtstbijzijnde plank alsof hij juist naar dit boek op zoek was geweest. *Journey by Moonlight*. Antal Szerb. Nooit van gehoord. Vertaald uit het Hongaars. Jaren dertig. Michael hield van boeken in vertaling. Het leek hem een boek dat hij zou kunnen lezen. Hij sloeg het open. *Nooit heb ik sindsdien een vreugde ervaren die zo diep door mijn ziel sneed als de pijn, de jubelende vernedering te weten dat mijn liefde voor haar tevergeefs was en dat zij niet om mij gaf.*

Hij sloot het boek en zette het weer op de plank. Alles deed hem pijn. Hij was ziek en zou sterven. Hij moest naar huis.

Je moet het zo zien. Een knappe jonge vrouw klopt aan bij een huis. Ze ziet er haveloos uit, heeft honger en leidt een zwervend bestaan. Ze klopt aan bij alle huizen om te zien of er mensen wonen die edelmoedig zijn; het is een test. Uit goedheid neemt het argeloze gezin haar op, geeft haar te eten en biedt haar gastvrijheid. Als het gezin de volgende ochtend wakker wordt, liggen ze op de kale vloer omdat ze alles wat los en vast zat van hen heeft gestolen. Bedden, kommen, ontbijten. Alles.

De vader komt overeind. Hij kijkt in de spiegel. Hij ziet er hetzelfde uit als anders. Maar hij heeft pijn in zijn borst. Hij

heeft pijn in zijn rug. Hij legt zijn hand op een punt
halverwege zijn ruggengraat en merkt dat daar een gat zit, in
zijn rug. Het gat heeft de afmetingen van een kleine vuist. En
ja hoor, zijn borst voelt vreemd leeg aan. Dan begrijpt hij het.
De mooie jonge vrouw heeft hem in zijn slaap opengebroken,
ze heeft haar hand in hem gestoken en zijn hart uit hem
gestolen.

Hij kijkt naar zijn vrouw. Ze ziet er hetzelfde uit als anders.
Hij kijkt naar het meisje, naar de jongen. Ze zien er hetzelfde
uit als anders. Hij heeft geen idee of hun harten ook zijn
gestolen, zoals het zijne, en hij heeft geen idee hoe hij
daarachter kan komen. Elk woord dat hij erover zou zeggen,
zou de betovering kunnen verbreken en ervoor zorgen dat ze
allemaal aan zijn voeten neerstorten, uitgehold, nog slechts de
schil van een gezin. En dan zou ook hij neerstorten, nog
slechts de schil van een man.

Hij weet dat hij zijn hart terug moet zien te krijgen van de
plek waar het naartoe is gebracht, van degene die het hem
heeft ontstolen, omdat hij anders zal sterven. Hij denkt aan de
mooie jonge vrouw, aan de manier waarop ze met hem fleerde
en flirtte, en hoe moeilijk het voor hem was om haar af te
wijzen toen ze hem tegen de muur van het huis aan duwde en
het waagde hem te kussen, en hoe trots hij was toen hij nee
zei, niet doen, ik kan het niet, ik mag het niet. Clichés. Was
fleerde wel een echt woord? Het klonk als een woord uit een
sprookje, maar het kon zijn dat Michael het erbij had gehaald
omdat het allitereerde met flirtte.

Hij stond op, trok zijn broekspijpen recht bij zijn voeten.
Hij zou naar de voorkant van de winkel gaan om te zien op
welke verdieping de naslagwerken stonden. Hij zou het woord
opzoeken. Dan zou hij naar de kassa lopen en Eves boek
kopen. Het was goedkoper dan de bergsportboeken en het
deed hem genoegen om te bedenken dat het het eerste van
haar eigen boeken in huis zou zijn sinds die Amber hen van
alles had beroofd.

Maar er was geen afdeling naslagwerken in deze boekwinkel.

Geen afdeling naslagwerken? zei Michael.

We verkopen geen woordenboeken, zei de jongen achter de balie. Vroeger wel, maar daar zijn we mee opgehouden. We hebben de afdeling naslagwerken vervangen door de afdeling buitenlandse taalgidsen. De afdeling buitenlandse taalgidsen is op de tweede verdieping, bij de reisgidsen.

Oké, zei Michael. Bedankt.

Wat is dat voor een boekwinkel, die geen woordenboeken verkoopt? De oude Michael zou een kleine scène hebben gemaakt, er in elk geval iets over hebben gezegd. De nieuwe Michael haalde zijn portefeuille tevoorschijn en meldde schuchter dat hij een paar bergsportboeken die hij had bekeken niet weer terug in de kast had gezet, maar boven in de koffieruimte op een van de tafels had achtergelaten.

Geeft niet, zei de jongen. Iemand zal ze wel vinden en terugzetten. Dat is ons werk, dat soort dingen. Acht negenennegentig, alstublieft.

Wat is dat voor een boekwinkel, die geen afdeling naslagwerken heeft? Dat was toch een blamage? Een cliché. Wat was dat nou eigenlijk precies, vroeg hij zich af toen hij Eves boek had afgerekend en naar de uitgang liep, een blamage? Nou. Zie je nou wel. Aan de woorden herken je de man, maar omgekeerd geldt het niet. Hij bleef staan en hoestte. Het was vochtig op straat. Het was februari. Een verraderlijke maand. Hij hoestte nog eens. Hij hoestte zoals een oude man hoest. Dit was nieuw voor hem, zo'n diep soort hoest, een hoest die wees op het bestaan van een vochtige oude doorgang die hij niet kende, linea recta zijn longen in. Het voelde tuberculeus aan. Misschien was het tuberculeus. Tuberculose was terug, las je in alle serieuze kranten; er had zich een variant ontwikkeld die niet door antibiotica werd gedood. Denk aan Keats, op zijn zesentwintigste gestorven, een oude man die op zijn zesentwintigste aan hoest doodgaat.

Keats lustte er ook wel pap van. Au. Die was onder de gordel. Het deed echt pijn, alsof iemand hem had gestompt. Hij moest echt eens naar de dokter. Hij moest eens goed nagekeken worden. Hij zou naar de universiteit gaan en een afspraak maken met dr. Love. *Wat is het probleem?* Nou dokter, toen ik vorige week wakker werd, zat ik onder de blauwe plekken, overal, op mijn armen en benen en op mijn borst, en dat allemaal zonder één enkele reden, want ik heb geen veldloop gedaan en ik ben niet in elkaar geslagen of zo. En daarbij komt nog dat ik steeds dingen begrijp. *U begrijpt dingen?* Ja, alsof ik ze voor het eerst bedenk. Ik maak dwangmatig allerlei stomme woordspelingen en die beginnen me lichamelijk pijn te doen. *Een gesplitste infinitief. Zuster, maakt u daar even een notitie van.* Bovendien heb ik geen motivatie. Ik voel me praktisch de hele tijd beroerd. *Beroerd?* Ja, beroerd. Hmm. En hoe is uw slaappatroon? Ik kan niet slapen. Het enige wat ik wil is rondrijden, dag en nacht, op elk uur van de dag en de nacht, nergens stoppen, hoewel ik natuurlijk wel probeer om buiten de city te blijven. Ik ben niet helemaal gek. En daarbij, ik was vanavond in een boekwinkel en nu merk ik dat ik de klassieke symptomen heb van iemand die te lang aan de kou blootgesteld is geweest. Nu moet ik steeds hoesten. *Hoe is uw eetlust?* Nou, ik heb gewoon niet zo'n honger. Geen idee waarom niet. *Oké. Laten we maar eens even naar u luisteren.*

Maar stel dat de dokter de stethoscoop op zijn borst zet en dan verwonderd opkijkt omdat er helemaal geen hartslag te horen is.

In het trottoir waarop hij liep was een glazen bedekking van een kelder, en daaronder was een wildgroei van planten, onkruid of zo, die tegen het glas drukten. Hij raakte er geïrriteerd van, dat het maar gewoon groeide. Hij kreeg er zelfs een gevoel van dat hij afgetuigd was, van het zien van onkruid achter glazen tegels van vijftien centimeter dik. Dit soort dingen wekte bij hem een gevoel van machteloze woede.

Het gezicht van een vrouw op een foto, drie meter hoog op een reclamebord, leek een beetje op het hare. Een meisje in een televisiereclame voor Imodium, samen met haar vader lachend dat ze het probleem van de diarree hadden opgelost, leek tergend veel op haar, hoewel ze het niet was; een glimlachende vrouw in de daaropvolgende reclame, die in een bed in een vlekkeloos privé-ziekenhuis televisie lag te kijken, leek even op haar, en toen in geen enkel opzicht nog. Door de aanblik van het achterhoofd van een langharige jongen die de ondergrondse in ging moest Michael op een avond stilhouden en moeite doen om door te gaan met ademhalen. Een vrouw die hem in tegengestelde richting snel voorbijreed op weg naar het Isle of Dogs leek op haar, en was toen weer verdwenen. Maar het was niet haar auto. Dat kon zij niet geweest zijn. De planten onder het glas leken op haar. En ze leken niet alleen op haar. Op de een of andere manier wáren ze haar, in een stad overwoekerd door het tijdelijke, voor altijd bezoedeld door een vakantie van een halfjaar daarvoor in de rimboe. Om maar wat te noemen, Michael liep nu, hij liep langs de winkels aan Tottenham Court Road, maar Tottenham Court Road was maar een luchtspiegeling, en de zijstraten waren het product van een zieke fantasie. Goodge Street was een hersenschim. De plattegrond van de ondergrondse was een illusie van verbindingen en richtingen. De m25 was een belachelijke vicieuze cirkel. De echte wereld was elders, net als zij.

Stel je haar voor terwijl ze systematisch kamer na kamer leeghaalde, midden in de nacht alles via de voordeur en over het trottoir in een bestelauto laadde. Ze werkte met iemand samen, een man ongetwijfeld. Dat moest wel. Ze moest er iemand bij hebben gehad om de zwaardere dingen te verplaatsen, en je moest iemand hebben om je na afloop te helpen met schoonmaken. Misschien was het geen man geweest. Misschien was het die slome werkster van het vakantiehuis in Norfolk; misschien werkten die twee met elkaar samen; de een zocht de vakantiehuizen uit, de ander trok dan in bij de gezinnen. Misschien deden ze meer dan alleen samenwerken. Hij had ze in het dorp een keer op straat met elkaar zien praten toen hij op weg was naar het station.

Mogelijk? Het was mogelijk. Nee, dat was het niet, ze was een solist, ze opereerde alleen; ze trok het land door in die oude witte auto als een geperverteerde versie van een naoorlogse wijkverpleegster in overheidsdienst die bij wildvreemden in de meest afgelegen plaatsen aanklopte om het inwendige van hun lichamen, de schil van hun lichamen aan een gezondheidsonderzoek te onderwerpen. Door hoesten en niezen verspreidt men ziektekiemen. Gebruik altijd uw zakdoek.

Kan ik een van beide jongedames misschien een lift geven? had hij door het open raampje geroepen. Ik ga naar het station. Ik kan jullie overal in het dorp afzetten.

De werkster had het achterportier van de auto geopend en haar stofzuiger op de achterbank gezet. Dat had hij weer. Amber zwaaide gedag en draaide zich om om naar het huis te gaan. In de achteruitkijkspiegel keek hij naar haar prachtige schouders terwijl ze op het pad naar het huis de hoek omsloeg en uit het zicht verdween. Weg. De werkster zat op de achterbank alsof de auto een taxi was; ze zat naast de stofzuiger, met de plastic slang daarvan om haar hals. De stofzuiger was van het type met een gezicht erop geverfd, met ogen en een lachende mond.

Wat leven we toch in een rare wereld, hè, dat ze zelfs de spullen waar we het huis mee schoonmaken antropomorf maken, zei hij.

Het is een Henry, zei de vrouw. Een topmerk in huishoudelijke artikelen.

Weet je, ik bedoel eigenlijk dat ze stofzuigers en zo menselijker maken zodat wij die kopen en niet een ander merk als we een stofzuiger gaan kopen, zei hij.

Ik weet wel wat antropomorf betekent, zei de vrouw.

Ik, eh... ik heb geen moment gedacht dat je het niet wist, zei hij, maar de vrouw zat al uit het raampje te kijken en toonde geen belangstelling.

Ze was lelijk, rossig. De meeste mensen uit het dorp zagen er zo uit, alsof ze hun hele leven lang niets anders hadden gegeten dan rauwe bieten die ze uit hun akkers hadden opgegraven.

Hij haalde diep adem.

Waar kan ik je afzetten, Katrina? vroeg hij. Heb je vandaag geen auto?

Bij de rotonde is goed. Ik heb geen auto, zei de vrouw.

Ik dacht dat je een Cortina had, zei Michael, en pas toen herinnerde hij zich dat dat van die Cortina een stom grapje was tussen hem en Eve. Maar de vrouw had niets in de gaten gehad. Misschien was ze een beetje achterlijk. (Maar ze kende wel het woord antropomorf.)

Vind je dat niet een beetje lastig hier, zonder auto? vroeg hij.

Hoezo, hier? vroeg ze.

Nou, hier op het platteland, bedoel ik. Je weet wel, ik bedoel, met het vervoer van die zware schoonmaakapparaten, alle spullen die je bij het schoonmaken gebruikt, van hier naar daar, van huis naar huis, zei hij. Een zwaar leven.

Hij is niet zwaar, zei ze. En er zitten wieltjes onder.

Ik, eh... zei hij. Eh...

Hier is goed, dank u, meneer Smart, zei ze. Dank u wel.

Ze stapte uit de auto, sleepte de stofzuiger achter zich aan en deed het portier zachtjes dicht.

Hier, zei Michael.

Hij haalde zijn portefeuille uit de binnenzak van zijn colbertje, opende die en haalde er drie briefjes van twintig uit. Hij stak ze door het geopende autoraampje naar buiten.

Ik weet niet of mijn vrouw je voor deze week al betaald had, zei hij.

U hoeft mij niet te betalen. Het is bij de huur van het huis inbegrepen, zei ze.

Alle beetjes helpen, zei hij.

De werkster glimlachte niet. Ze nam het geld aan.

Metrostation Goodge Street. Michael stak zijn hand naar voren en hield hem op. Hij trilde, maar slechts een beetje. Voordat hij het hek passeerde en met de rumoerige lift in de ondergrondse naar beneden ging haalde hij zijn mobiele telefoon weer uit zijn zak. Hij toetste door tot hij Eves nummer had.

Het antwoordapparaat.

Hallo, zei hij. Ik ben het. Hoe is het met je? Goed, hoop ik. Even een paar dingen. Drie eigenlijk. Eén, ik voel me niet goed. Ik ben er vrij zeker van dat ik door de kou bevangen ben geweest. Klinkt raar, ik weet het. Het is geen grapje. Twee, de juridische dienst van Jupiter belt steeds op. Het gaat over die families. Wil je ze bellen? Drie, er staat nog maar tweeduizend pond op de betaalrekening en Astrid wil geld hebben voor een schoolreisje en Magnus wil naar Lourdes. Haha. Ik weet het. Het is geen grapje. En trouwens, ik heb de verzekering gebeld over de inboedel. Drie maanden, schatten ze. Hetzelfde als wat ze drie maanden geleden zeiden. Wat vind jij dat ik eraan moet doen? Bel je me even terug? En wacht niet te lang.

Toen klapte hij zijn mobiele telefoon dicht, kocht een kaartje, liep de lift in en ging naar beneden, het donker in, als een man die precies wist waar hij heen ging.

Magnus en Astrid zaten in de zitkamer tv te kijken. De lichten waren uit. Michael knipte het grote licht aan.

Hallo allemaal, zei Michael.

Magnus' zwijgzame vriend Jake was er weer.

Hallo Jake, zei Michael. Hoe is het nu met je?

Jake mompelde iets dat klonk als goed dank u.

Michael knipte het grote licht weer uit.

Bedankt, zei Astrid.

Hij liet zich onderuitzakken in de enige nog vrije stoel.

Jake was er tegenwoordig vaak; hij bleef vaak slapen.

Michael was zich al gaan afvragen of Magnus Jake niet vaker zag dan wel normaal was en of hij het er niet eens met Eve over moest hebben, of dat ze misschien aan de drugs waren, maar toen hij op een avond een halfuur aan de deur van Magnus' kamer had geluisterd en ze tegen elkaar had horen oreren over Pascal en Teilhard de Chardin en wat je moest doen als je ouders op het punt stonden te gaan scheiden, was hij ermee opgehouden om twaalf uur 's avonds tegen Jake te zeggen, zeg Jake, zal je moeder zich niet afvragen waar jij op dit tijdstip uithangt?

Het programma waar ze allemaal naar keken ging over Goebbels.

Waar kijken we naar, Astrid? vroeg hij.

Geschiedenis van Groot-Brittannië, zei ze.

De gids zat naast het kussen gepropt van de stoel waarin hij zat. Michael bladerde hem door en zocht de betreffende dag en het betreffende kanaal op. Hij vouwde de pagina naar achteren om hem in het licht van de tv te kunnen lezen.

GESCHIEDENIS VAN GROOT-BRITTANNIË
07.00 De nazi's: een les van het verleden 08.00 De nazi's: een les van het verleden 09.00 De nazi's: een les van het verleden 10.00 De nazi's: een les van het verleden 11.00 De nazi's: een les van het verleden 12.00 De nazi's: een les van het verleden 13.00 De oorlog van de eeuw 14.00 De oorlog van de eeuw 15.00 De oorlog van de eeuw 16.00 De oorlog van de eeuw 17.00 Verschrikking in het Oosten 18.00 Verschrikking in het Oosten 19.00 De nazi's: een les van het verleden 20.00 De nazi's: Een les van het verleden 21.00 De nazi's: een les van het verleden 22.00 De nazi's: een les van het verleden 23.00 De nazi's: een les van het verleden 24.00 De nazi's: een les van het verleden 01.00 Sluiting

Volgens mij kijken we naar *De nazi's: Een les van het verleden*, zei Michael.

Je hoeft niet te kijken als je geen zin hebt. We hebben nog een heleboel andere kamers hier in huis, zei Astrid.

Je begint met de dag meer op je moeder te lijken, weet je dat, zei Michael.

Geen sprake van, zei Astrid.

Meteen zapte ze door.

Ik bedoelde het aardig, hoor, zei Michael. Toevallig mag ik je moeder graag.

Op tv waren mensen bezig een leeg huis aan een metamorfose te onderwerpen. Op het scherm verschenen cijfers die toonden hoeveel meer het huis waard zou zijn als ze daarmee klaar waren.

Michael kreunde.

Het is maar totdat de film begint, verdomme, zei Astrid.

Nee, die zender kan me niet schelen, zei Michael. Ik voel me alleen een beetje akelig. En Astrid, wil je niet vloeken.

Akelig, hoezo? vroeg Magnus.

Onderkoeling, zei Michael. Een klassiek geval.

Dan moet u naar een schuilplaats gebracht worden, zei Jake.

O ja? zei Michael. Dat is goed. Goed om te weten.

Schuilplaats. Een mooi woord.

U moet warm gehouden worden en zo mogelijk helemaal los van de grond, zeg maar, zei Jake. U moet iets warms te drinken krijgen en iets te eten, en de mensen in uw omgeving moeten u moreel steunen.

Zo veel had Jake nog nooit in het openbaar gezegd. Was Eve er maar, dacht Michael, dan kon hij dat straks, vanavond, in bed tegen haar zeggen.

Iemand zou bij u in de slaapzak moeten kruipen om u warm te houden, zei Jake.

Laten we dat op dit moment maar even niet doen, Jake, zei Michael.

En we moeten erop letten dat u geen hartverlamming krijgt, zei Jake.

Je weet niet hoe waar dat is, zei Michael.

En misschien helpt het als u de foetushouding aanneemt, maar dan met uw hoofd zo'n beetje in de richting van de vloer, zei Jake.

Magnus was weggelopen en had de waterkoker aangezet. Hij kwam terug met thee voor Michael. Michael was ontroerd.

Wil je wat eten? vroeg Magnus.

Nee, dank je wel, zei Michael. Maar evengoed bedankt, Magnus.

Neem een ei, zei Astrid. Er liggen eieren in de koelkast die op moeten.

Nee, dank je, zei Michael.

Beter van wel, zei Astrid.

Vind je? zei Michael.

Eieren zijn mooi, zei Astrid. Als je een ei eet, eet je schoonheid.

O ja? zei Michael. Wat een mooie gedachte.

Gekookte eieren of roereieren? vroeg Magnus.

Of rauw? zei Astrid.

Gebakken, zei Michael.

Voor u het slechtste, zei Jake.

Dank je, Jake, zei Michael.

Magnus liep weer naar achteren. Michael rolde zich op in de foetushouding. Hij liet zijn hoofd van de leunstoel naar beneden hangen. Hij bekeek de televisiereclames ondersteboven. Het was best goed om dat met de reclames te doen. Ze kregen er hun surrealiteit door terug. Magnus bracht Michael een boterham met gebakken ei. De film begon. Zwart-wit, oud, jaren dertig. Margaret Lockwood. *The Lady Vanishes*.

Het is een Hitchcock, zei Michael.

En jij zei tegen mij dat ik niet mocht vloeken, zei Astrid.

Haha, zei Michael.

De film zat eigenlijk heel knap in elkaar. Gedurende de helft van de verwikkelingen was het een warboel, alsof het een inhoudsloze komedie was, en toen kwamen alle verhaallijnen op een briljante manier samen. Een stel Engelsen zat met slecht weer opgesloten in een hotel in de bergen in Oost-Europa, en daarna reisden ze allemaal met dezelfde trein naar huis. Er was alleen een lieve oude dame die vermist raakte tijdens de treinreis. Een jonge schoonheid die samen met haar had gereisd beweerde bij hoog en bij laag dat ze bestaan had, maar alle mensen van Duitse afkomst in de trein, onder wie een enge hersenchirurg, spanden met elkaar samen om het meisje als een gestoorde af te schilderen. Alleen de jonge Engelsman geloofde haar, en zelfs hij was er niet helemaal van overtuigd. Er werden veel grappen gemaakt over onderdrukte seksualiteit en Freud, en uiteindelijk bleek het allemaal een kwestie van nationale veiligheid.

The End.

Michael strekte zijn armen boven zijn hoofd en geeuwde luidruchtig.

Fantastisch, zei Magnus.

Heel goed, zei Michael.

Jake mompelde iets wat positief klonk.

Michael rekte zich nog eens uit. Hij voelde zich eigenlijk heel goed. Misschien had de boterham met ei hem goedgedaan. Of misschien was het de vanzelfsprekende vriendelijkheid die de jongens hem hadden betoond. Misschien lag het aan het feit dat het zo'n uitstekende film was, een film waarvan hij, als iemand het hem gevraagd zou hebben, gezworen zou hebben dat hij hem eerder had gezien, een film die hij beslist eerder moest hebben gezien, maar die hij in werkelijkheid nooit had gezien omdat hij dan zou hebben moeten weten dat hij zo slim in elkaar zat of hoe het verhaal liep, hoewel het een klassieke film was die in de loop van alle jaren dat hij televisie keek toch steeds wel ergens te zien moest zijn geweest.

Of misschien was het gewoon het feit dat hij samen met anderen, net als hij, in een donkere kamer naar iets goeds had gekeken. Wat het ook was, hij voelde zich er uitgestrekt door, hij voelde zich groter dan hij eigenlijk was. En hij had niet gedacht dat hij zich naar voelde, geen moment had hij daaraan gedacht, de hele film niet.

Er stond dat hij opgenomen was in Islington, zei Astrid. Heb je dat gezien? Het stond aan het einde, toen er The End stond, dat hij hier is opgenomen.

Bij het kanaal, zei Michael. Daar heeft een filmstudio gestaan.

Geen sprake van, zei Astrid.

Nee, echt waar, zei Michael. Echt. Ze hebben er kostuumstukken opgenomen, dat soort dingen. Dat is beslist de plek waar ze die film hebben opgenomen.

Geen sprake van, zei Astrid weer.

Ze knipte het grote licht aan. Michael knipperde met zijn ogen in de te hel verlichte kamer. De jongens zagen er bleek, onhandig en jong uit; de meubels waar ze op zaten zagen eruit als een bij elkaar geraapt zooitje. Ze leken te jong om zo vriendelijk te moeten zijn. Astrid maakte een rondedans. Ze leek een en al armen en benen. Ze droeg het T-shirt waarop stond dat zij het meisje was voor wie je ouders je hadden gewaarschuwd.

Astrid, zei Michael. Heb je het niet te koud met alleen dat T-shirt aan?

Dat ze die film hier in de studio gemaakt hebben, zei ze. Te gek. Gewoon hier, waar we wonen, in Islington!

Met een zwaai landde ze op de armleuning van Michaels stoel, als het kind dat ze al bijna niet meer was. De woorden op haar T-shirt waren maar een paar centimeter verwijderd van Michaels ogen en mond. Ik ben meisje gewaarschuwd. Toen Astrids open mond, haar tong en haar tandjes twee centimeter van zijn gezicht, zijn eigen mond, terwijl ze zich over hem heen zwaaide en op hem neerkwam.

Michael sloot zijn ogen. Een cliché.

Echt echt echt echt heus heus heus heus? zei ze.

Michael deed alsof hij in zijn ogen moest wrijven. Hij leunde achterover in zijn stoel en kneep zijn ogen stijf dicht. Hij schudde zijn hoofd, beslist.

Ik lieg toch niet tegen je, zei hij

het einde van de weg, bij een
kruispunt waar de brievenbussen uit de grond omhoogsteken,
het soort brievenbussen waarvan ze er inmiddels zo veel had
gezien dat ze ze niet meer schilderachtig vond, was een
andere, smallere weg, en die weg had, een paar kilometer
verderop, een verborgen liggende smalle afrit, waar ze de
eerste paar keren voorbij was gereden. Van hieraf reed ze via
een volgende bocht in de weg langs een bos dat in het blad
aan het raken was met daartussen steeds weer open terreinen
met onmogelijk mooie paarden. De paarden waren zacht en
glanzend en goed verzorgd. De weiden waren weelderig en
zacht glooiend en groen en lagen achter schrikdraad met
daaraan opschriften over het verbod van toegang. Daar
waar geen bos was en tussen de stoeterijen stonden huizen.
Om de huizen stonden geen hekken. Sommige waren
sierlijk en nieuw en duur van ontwerp, de huizen van rijke
stoeterijeigenaren. Andere waren meer van het type met
verweerde planken, soms met afbladderende verf, gebarsten
hout en kromgetrokken daken door de winters of de wind.
Merendeels waarschijnlijk vakantiehuizen of weekendhuizen.
Je had maar twee uur nodig om er vanuit de stad te
komen. Allemaal, ook de meer bouwvallige, zagen ze
eruit als huizen uit een kinderdroom van huizen. Allemaal
waren ze groot. Allemaal hadden ze een veranda en
hordeuren. Allemaal, zelfs die eruitzagen alsof er al heel
lang niemand woonde, hadden ze een Amerikaans vlaggetje

dat onbeweeglijk aan een vlaggenstokje bij de voordeur
hing.

Eve had de auto neergezet op de grassige berm aan de
andere kant van de weg. Het huis stond, als al deze huizen, op
een eigen open, grassig stuk land. Het gras om dit huis heen
was niet gemaaid. Ongeveer driehonderd meter achter de
bomen stond nog een huis, en dáárachter stond een nog groter
huis, en achter al deze huizen, nog net zichtbaar onder de
maanverlichte nachthemel, was in de verte de donkere
bergketen te onderscheiden waarvan ze zich de naam uit haar
atlas op de middelbare school herinnerde. De Catskills. Cats
kill. Eve (15) had deze woorden aan de binnenkant van haar
kladschrift opgeschreven tijdens een aardrijkskundeles over
rotslagen en funderingen. Eve (43) was dus op de goede weg.
Het adres van het huis aan deze weg kende ze al meer dan
dertig jaar uit haar hoofd.

Maar geen van de huizen had een zichtbaar huisnummer.
Twee leken er leeg te staan. Het huis waar ze recht voor stond
zag eruit alsof het al geruime tijd leegstond. Van de andere
twee was dat wat het meest dichtbij stond donker, maar bij
het verder weg staande stonden buiten auto's geparkeerd. Kort
tevoren waren er ramen verlicht geweest. Eve had mensen
naar elkaar horen roepen en een hond horen blaffen, of
honden.

Volgens haar was dit het huis dat van haar vader was
geweest toen hij nog leefde. Het huis waar het andere gezin in
had gewoond. Maar het zag er verlaten uit. Misschien was het
zijn huis niet. Het huis waar het om ging kon eigenlijk elk van
deze huizen zijn. Die mensen van de auto's, de verlichte
ramen en de honden konden zelfs wel familie van haar zijn, ze
wist het niet, al zou dit heel onwaarschijnlijk zijn: hun huis
lag aan een andere weg. Maar ze zouden het wel geweten
hebben als zij zo verstandig was geweest om aan te kloppen,
niet al te laat 's avonds, zodat er nog iemand wakker zou zijn,
en had gevraagd welk van deze huizen van hem was geweest.

Dit was een land waar het maanlicht zo helder scheen dat je er zelfs een krant bij kon lezen, als je een krant wilde lezen. Zo meteen zou Eve haar krant pakken en op de veranda van het lege huis gaan zitten.

Ze stapte uit de auto. Ze ging op de motorkap zitten.

Overal om haar heen lag de staat New York. Daar lagen de Catskills. Het was mei. In haar handen had ze de krant die ze eerder die dag in New York had gekocht. Voorop stond een foto van een man in een lijkenzak. De man was duidelijk dood. Hij had het lege, kleiachtige uiterlijk van de nog-niet-lang-doden. De lijkenzak was tot heel ver dichtgeritst, maar je kon zijn blauwe plekken, zijn neus, zijn gebroken tanden en zijn omhooggedraaide dode oog zien. Boven de lijkenzak was een meisje in militair uniform te zien. Ze was mooi, ze glimlachte en ze stak boven het gezicht van de dode man haar duim op naar de fotograaf. Er was een artikel over een vrouw van in de zeventig. Op een dag hadden ze haar uit haar cel gehaald. Ze hadden een hond naar haar laten grommen en haar gedwongen op handen en knieën te staan, als een hond. Een soldaat was op haar rug gaan zitten en had over de binnenplaats van de gevangenis een rondje gereden als op een paard. Er stonden foto's van een aantal krijgsgevangenen die onder bedreiging met honden en pistolen gedwongen waren zich uit te kleden. Daarna hadden de soldaten zakken over hun hoofd gedaan. Toen waren ze naakt op elkaar gestapeld, een hoop levende lichamen op elkaar gepakt, en de soldaten hadden zich erbij laten fotograferen met een glimlach op hun gezicht, boven de stapel mensen uit, alsof het een feestje was.

Eve wist dat er, naarmate ze langer naar de foto's keek, iets geheimzinnigs zou gebeuren. Ze wist dat het ook de bedoeling was dat het zo zou gebeuren, dat hoewel deze foto's voor het oog een teken waren dat iets werkelijk was gebeurd, ze steeds minder zou voelen of denken naarmate ze er langer naar keek. Hoe meer foto's ze zag, des te minder betekenden ze dat echte mensen iets was overkomen, en des te meer leek het mogelijk dat op een willekeurige plek op aarde mensen op elkaar werden gestapeld en andere mensen zich met een glimlach daarachter lieten fotograferen.

Ze kon hem nog goed zien, de foto van de dode man in de lijkenzak en de grijnzende soldaat, ook al was het midden in de nacht. Ze wist niet wat ze moest doen wat het kijken betreft, of ze door moest gaan met kijken of ermee ophouden. Er was geen antwoord. Het was het antwoord zelf. Ze leefde in een historische periode waarin het blijkbaar toelaatbaar was zo te glimlachen boven het gezicht van iemand die een gewelddadige dood was gestorven.

Eve had haar persoonlijke geschiedenis onderbroken om er een jaar tussenuit te gaan. Toen ze in Londen over straat liep, had ze in de etalage van een studentenreisbureau een reclame op posterformaat zien hangen. Vraag: Bestaat er een leven na de dood? Ze was op weg geweest naar een persconferentie over de Authenticiteitsgroep Gezinnen Tegen Ontvreemding van Familieleden. Ze zag de krantenkoppen al voor zich: AGTOF Veel Goeds. Als AGTOF zijn zin krijgt. De gezinnen hadden zich verenigd met het doel geld los te krijgen van Jupiter Press en Eve. Eve had allerlei zinnen in haar hoofd die ze de afgelopen nacht had ingestudeerd. Wie zal zeggen wat authenticiteit is? Wie zal zeggen wie er fantasie bezit? Wie zal zeggen dat mijn versies, mijn verhalen over hoe het deze mensen verder verging, minder waar zijn dan die van een willekeurige ander? Ze was van plan iedere vraag met een vraag te beantwoorden. Hierdoor zouden haar antwoorden open lijken, zou ze de indruk wekken tot discussie bereid te zijn, terwijl ze uit retorisch oogpunt tegelijkertijd sluw gesloten bleef. Ze was al voorbij het reisbureau toen ze stilhield, terugliep naar de etalage en de woorden op de poster nog eens las. Antwoord: Waarom zou u wachten om dat te weten te komen? Ga er een jaar tussenuit. Leef nu. Dit had haar gestimuleerd naar binnen te gaan en op de knop te drukken van het apparaat dat nummertjes verstrekte aan mensen die op hun beurt wachtten om te woord gestaan te worden. Op het kaartje stond nummer 6. Het was twaalf uur 's middags. Vanwege de toestand in de wereld reisden er op het moment zo weinig mensen dat ze erover dachten het apparaat af te danken, vertelde de vrouw achter de balie haar. Is het erg dat ik geen student ben? had Eve gevraagd. Het kost alleen meer, had de vrouw achter de balie gezegd, maar wie u ook bent, dat maakt natuurlijk niet uit. Iedereen kan er een jaar tussenuit gaan. Waar zou u naartoe willen?

In plaats van naar de persconferentie was Eve naar haar huisarts gegaan en had ze afspraken gemaakt voor injecties. Inmiddels had Eve in vele grote steden overal ter wereld geld opgenomen bij HSBC-vestigingen. Bijna net zoveel keren als ze geld had opgenomen en in bijna net zoveel steden als waar ze dat had gedaan, was ze uitgenodigd om het bed met iemand te delen, meestal door een man, maar niet altijd. Ze had Coke gedronken in een hotelkamer in Rome. Ze had Coke gedronken in een bar met uitzicht op een paleis in Granada. Ze had Coke gedronken in een chaletbar op een berg in Zwitserland. Ze had Coke gedronken in verscheidene vliegtuigen. Ze had Coke gedronken in een bar aan de Promenade des Anglais in Nice, met aan de andere kant van de weg op een stenenstrand een stel junks. Ze had Coke gedronken in de gekoelde lucht van een restaurant in een rijke voorstad van Colombo, vanwaar ze door het raam aan de voorkant zag dat in een bouwval met oude lappen op de plaatsen waar ramen hoorden te zitten kinderen woonden. Ze had Coke gedronken in een smerig dure bar in Kaapstad. Ze had in Ethiopië een onverharde weg gevolgd in een totale verlatenheid met alleen maar verzengende hitte, alleen maar vliegen, niets te eten, niets te oogsten, met alleen een oude, bandenloze vrachtauto, een paar hutten en de magere en altijd glimlachende mensen die daar woonden en die haar binnen hadden gevraagd, haar alles hadden gegeven wat ze hadden, wat bijna niets was, waarna ze haar, alsof haar komst een feest was, hadden meegetroond naar hun bouwvallige bar en haar naar de Coke-automaat hadden gebracht, waar enkelen van hen met elkaar hadden geredetwist, op een kluitje waren gaan staan en hadden geroepen dat er meer mensen moesten komen, totdat ze na verloop van tijd genoeg geld bij elkaar hadden, dat ze muntje voor muntje in de gleuf lieten vallen totdat het blikje in de met stof overdekte mond van het apparaat neerplofte. Ik doe deze kaart op het vliegveld op de bus, had ze op de ansichtkaart naar huis geschreven. Ik wilde jullie even laten weten dat ik van mijn leven geen Coke meer zal drinken.

Zijzelf had twee weken geleden in Las Vegas ook muntjes in gleuven laten vallen. Twee weken geleden had ze het geld dat ze gewonnen had in de Grand Canyon gegooid: kleingeld zonder betekenis in de grootste gleuf ter wereld. Wat zou je hier kunnen winnen? wat zou er uit de grootste gokkast ter wereld komen kletteren? Op de goede afloop had ze haar telefoon over de rand gegooid, achter de munten aan. Die was wel iets waard. Je kon er ook hier mee telefoneren. Op het schermpje had al dagenlang een agressief icoontje in de vorm van een telefoonhoorn naar haar geknipperd. Er zijn nieuwe berichten voor u. Voordat ze hem weggooide, sprak Eve een bericht in op het antwoordapparaat thuis.

Hallo Astrid, hallo Magnus, hallo Michael, met mij. Ik wilde jullie even laten weten dat ik bij de Grand Canyon ben. Ik probeer te bedenken hoe ik die moet beschrijven. Eigenlijk krijg ik er het idee bij dat elk vlak trottoir of elke weg waar ik ooit op heb gestaan onzinnig was. Ik denk dat ik me misschien wel de rest van mijn leven duizelig zal voelen. Ik zit helemaal aan de rand ervan. Aan de zuidrand. De noordrand is blijkbaar nog afgesloten. Die schijnt hier tien mijl vandaan te zijn. Een man bij het uitkijkpunt vertelde me dat ze hiervandaan de kromming van de aarde konden zien, je weet wel, met speciale telescopen, maar dat die nu niet meer zichtbaar is. Waar ik ben, staat een hekje, maar je kunt er zo overheen klimmen en naar beneden kijken. Ik heb het net gedaan, en van hieraf zie ik een klein strookje groen op de bodem. Dat schijnt de Coloradorivier te zijn. Nu staat er een Japanner voor me. Hij laat zich fotograferen. Hij staat op een vooruitspringende rots. Het ziet er een beetje gevaarlijk uit. Hij staat zo dicht bij de rand dat ik de neiging heb naar hem toe te rennen en hem ervanaf te duwen. Een heleboel vogels, een heleboel… raven zijn het, geloof ik. En geiten zie ik ook, Astrid, beneden op de rotsen. Het is net alsof ik naar een andere planeet sta te kijken, afgezien van de toeristen dan. Het is net de aarde voordat er iemand was, afgezien van de toeristen dan. Maar ik ben natuurlijk ook een toerist. Eerlijk gezegd is het een beetje verwarrend. Het is nogal overdonderend. Het is heel mooi. De kleuren veranderen steeds met de verandering van het licht. Het is gigantisch. Maar goed, in elk geval sta ik op het punt mijn telefoon erin te gooien. Ik moet er iets in gooien, en bij voorkeur niet mijzelf of die aardige Japanse toerist. Nou ja. En ik wilde even een bericht achterlaten voordat ik het doe. Veel liefs.

Niet alles wat ze had gezegd was opgenomen op het antwoordapparaat thuis, dat een bliep had laten horen ten teken dat de toegemeten spreektijd ten einde was, ongeveer op het moment dat Eve zei *van hieraf zie ik.*

Aan de andere kant van de Canyon, met het blote oog niet te zien, lag haar dode moeder op een vooruitstekende rotsrand, high van de morfine, in een ziekenhuisbed gezangen en liedjes door elkaar te zingen. *Then sings my soul my saviour God to Thee.* Er was een verpleegster aan komen lopen die de deur had dichtgedaan. *Oh isle of my childhood I'm longing to see.* Haar moeder was vierenveertig, meer niet. Ze kon haar hoofd niet meer overeind houden; haar hoofd rustte op haar borst alsof ze haar nek had gebroken. Haar nek deed het niet meer. Ze pakte Eves hand en hield die zo stevig vast dat het pijn deed, en toen ze losliet had Eve moeten in haar hand van haar moeders ringen. Ze sprak tegen Eve, ze zei iets wat op woorden leek maar wat geen woorden waren. Eve had geen idee wat haar moeders laatste bericht aan haar was.

Ik geloof dat je wel oud genoeg was om het aan te kunnen, had Michael tegen haar gezegd toen ze elkaar pas kenden. Je was niet echt een kind meer. Je had de fase achter je gelaten waarin kinderen volgens de psychologen nog zo jong zijn dat ze ieder verlies voor altijd als een verlies voelen.

Het had geen betekenis wat ze op het laatst tegen me zei, had ze tegen Michael gezegd.

Je kunt niet zeggen dat het geen betekenis had, had hij gezegd. Het had betekenis omdát ze het zei. Al weet je niet wat ze zei, het had betekenis omdat het zich tussen jullie afspeelde, van haar naar jou.

Ja, had Eve gezegd.

Het was alleen zo dat de letterlijke betekenis niet onmiddellijk te begrijpen was, had Michael gezegd. Maar dat betekent niet dat het niets betekent.

Dit gesprek was een van de redenen dat Eve met Michael getrouwd was. Hij leek haar een man met wie een goede dialoog mogelijk zou zijn.

Arme Michael. Een meisje dat Emma Sackville heette had hem uiteindelijk de das omgedaan. De waarheid wachtte hen op in het antwoordapparaat toen ze terugkwamen uit Norfolk. Maar een van de laatste keren dat ze met Michael had gepraat, ging het zo te horen al beter. Een reeks gedichten van hem was geaccepteerd door een kleine uitgever. De *Times Literary Supplement* of zo wilde er twee van afdrukken. Hij had er belachelijk blij om geklonken. Maar Astrid weigerde nog steeds aan de telefoon te komen, en Magnus was met een vriend naar de bibliotheek om te leren voor zijn examen.

Eve: Priesterschap? Hoezo, priesterschap?

Michael: Ik weet het. Ik heb tegen hem gezegd dat hij zich dan eerst zou moeten bekeren, dat je niet gewoon zomaar priester kunt worden, en toen keek hij me aan alsof ik een soort gek was. Maar ja, hij kijkt me altijd aan alsof ik een soort gek ben. Nee, maar het gaat prima met hem, hij zal het vervelend vinden dat hij er niet was toen je belde.

Eve: En hoe is het met Astrid?

Michael: Prima, met ons allemaal trouwens.

Eve: Draagt ze nog steeds alleen maar rood?

Michael: Ach, je weet hoe dat gaat. Het gaat prima met haar. Maak je geen zorgen. Ze is bezig met een of ander alternatief werkstuk voor school. Daar schrijft ze een manifest voor, boven op haar kamer. Zo moeder, zo dochter.

Eve: Een manifest? Dat doe ik niet. Ik heb nog nooit een manifest geschreven. Wat voor een manifest is het?

Michael: Hoe moet ik dat weten? Ze laat het me heus niet zien. Wat ik wel mocht, was een speldje uitkiezen. Ze heeft speldjes gemaakt voor zichzelf en haar vriendinnen. Heel grootmoedig zei ze dat ik er een mocht hebben.

Eve: O ja? Goh, wat een bofkont ben jij. Eindelijk doe je eens iets goed.

Michael: Ik mocht zelfs kiezen. Een speldje met Bang? Of een met Denkt u het?

Eve: Bang of denkt u het?

Michael: Bang of denkt u het?

Eve: Welke heb je gekozen?

Michael: Aha. Dan zou ik het verklappen.

Eve: Je hebt al genoeg gezegd.

Michael: Haha.

Eve: Geef Astrid een kus, geef hun allebei een kus van me. Zeg maar tegen ze dat ik elke ochtend bij het wakker worden en elke avond voor het slapengaan aan ze denk. Dan zie ik ze voor me alsof ze hier bij me zijn.

Michael. Nou, maar dat zijn ze niet. Ze zijn toch echt wel hier bij mij.

Eve: Dat weet ik.

Michael: Ik weet het door de kassabonnen van de supermarkt.

En aan mij? Je denkt toch ook wel aan mij, hè?

Eve: O, jawel, hoor. Ik denk echt wel eens aan je. Hoe ga je hem noemen?

Michael: Hoe ga ik wie noemen?

Eve: Je gedichtenreeks. Hoe heet die?

Michael: Ah. Haha. Daar had ik even niet aan gedacht. Ik moet je wat vaker spreken. Hij heet *The Lady Vanishes*.

Eve: *The Lady Vanishes*. Dat is een goede titel.

Michael: Ja, goed, hè?

Eve: Krijg je er veel geld voor?

Michael: Haha. Grapje.

Eve: Nee, serieus, hoe zit je financieel?

Michael: Nou, we redden het nog net, maar de Apachen zijn duidelijk al in de aanval, en ik geloof niet dat ze zich lang zullen laten weerhouden door een sonnettencyclus.

Eve: Dus…?

Michael: Dus, nee, ik weet niet hoe het zal gaan. Ik probeer er niet aan te denken.

Eve: Want ik ben er zelf ook bijna doorheen.

Michael: Ah. Betekent dit dat je naar huis komt?

Eves moeder was aan de andere kant van de Grand Canyon. Ze lag helemaal niet in een ziekenhuisbed. Ze was jong en nonchalant, alsof ze in de keuken tegen het dressoir geleund even rustig stond na te denken. Ze zwaaide naar Eve, en Eve zag dat haar moeder op een dun laagje met formica bedekt hout leunde met daaronder helemaal niets, en dat net onder haar in de lucht zwevende voeten raven rondcirkelden en krasten. Aan de andere kant van de Grand Canyon was de man die haar vader was geweest. Hij stond als in een opera midden in de lucht boven een open graf met een lengte van tweehonderdvijftig mijl, tien mijl breed en een mijl diep. Hij was ouder, groter, kaler; hij droeg een mooi pak, hij spreidde zijn armen voor haar. Hij zwaaide ook. Hij zwaaide naar haar moeder. En zij zwaaide terug naar hem. Toen glimlachten Eves ouders, eindelijk samen, en zwaaiden haar gedag alsof ze ergens op vakantie waren waar het leuk was, waar ze het heel erg naar hun zin hadden, alsof de speciaal voor haar uitgezonden televisieboodschap ten einde liep.

Nee. Aan de andere kant van de Grand Canyon bevond zich de noordrand. Deze was afgesloten vanwege het weer. Het was buiten het seizoen, al was het begin mei. Als je wilde, kon je hem wel per helikopter bezichtigen. Het enige wat je hoefde te doen, was nota bene een kaartje kopen.

Toen had ze gedacht, ik moet naar het noorden en in elk geval gaan kijken waar ik heb gewoond. Ik moet in elk geval gaan kijken waar ik had kunnen opgroeien.

Haar wegenkaart betaalde ze contant. Haar auto betaalde ze in Las Vegas met haar creditcard. Ik weet niet of de creditcard geaccepteerd wordt, zei ze tegen de man in de showroom van de tweedehandsautohandel. De man, in hemdsmouwen, had sympathie voor haar opgevat. Hij knipoogde naar haar en haalde het apparaat waarmee hij off-line creditcards kon verwerken tevoorschijn. Ik vertrouw u niet, mevrouw, had hij gezegd. Maar dat doet er niet toe. Ik ben verzekerd.

Nu zat Eve met de krant onder haar arm op de veranda van het donkere huis. De veranda kraakte onder haar gewicht. Misschien was hij verrot. Was dit zijn huis? Ze had geen idee. Deed het ertoe? Ze keek naar de bergen. Daar in het donker, op de kam, afgetekend in het maanlicht, waren alle ikken die zij had kunnen zijn. Ze hadden ingehaakt en dansten een Schotse dans met veel schopbewegingen. Een van hen was een Amerikaanse Eve. Ze had een mooie huid en had een goed huwelijk gesloten. Zij woonde in dit huis waar Eve nu op de veranda zat, ze had een paar kinderen, allemaal jongens, en een man die paardenfokker was; die prachtige paarden waren van hen, en ook die prachtige weiden. De Eve daarnaast was een rauwere Amerikaanse Eve, die volwassen was geworden zonder ooit met iemand te trouwen en die altijd voor zichzelf had gezorgd; ze was gebronsd en gezond, had goudkleurig haar, had een eigen fokkerij en bezat zelf een aantal prachtige volbloeden. Ze had sterke, doorgroefde handen. Ze wist hoe ze paarden moest fokken en trainen. Naast haar de Eve zoals ze nu was, maar dan zoals ze geweest zou zijn als haar moeder niet was overleden. Ze was gelukkig. Ze straalde licht uit. Naast haar de Eve die bij Adam Berenski was gebleven. Haar gezicht was uitdrukkingsloos. Naast haar de Eve die Adam Berenski nooit had ontmoet. Zij was onvoorstelbaar. Eve had geen idee hoe ze was. Die naast haar was makkelijker, dat was de stewardess die Eve toen ze acht was later had willen worden. Ze was charmant en efficiënt. Haar jas in de stijl van de jaren zestig was tot bovenaan dichtgeknoopt. Naast haar een Eve precies zoals de werkelijke Eve van nu, maar dan een die bij haar dochter Astrid het bovenste knoopje dichtdeed van haar jas, vlak voordat ze buiten kou en regen zou gaan trotseren en die daarbij oprechte, goede liefde voelde, niet het soort liefde waarvan je in paniek raakte, maar van het soort waar je gelukkig van werd.

De Eves strekten zich langs de hele bergkam uit. Ze zwaaiden naar de echte Eve zoals haar dode ouders hadden gedaan en ze klakten met hun hakken en dansten alsof je op elk willekeurig moment in je leven van gedachten kon veranderen en een ander ik kiezen.

Eve schudde haar hoofd. Ze dacht aan de man in de lijkenzak wiens dode gezicht, in het drukwerk opgebouwd uit minuscule puntjes, nu al achterhaald was, miljoenen keren gereproduceerd en over de hele wereld verspreid, en die nu opgevouwen onder haar arm zat, nu al oud nieuws. Ze dacht aan de glimlachende vrouwelijke soldaat. Ze dacht aan de ogen van de soldate, aan haar obsceen omhooggestoken duim. Ze waren in dezelfde soort inkt gereproduceerd, in dezelfde kleine puntjes als het dode oog van de man. De doden waren niet het probleem. De doden konden het zelf wel af. Eve rouwde om de levenden.

Had het enige zin om hier op de veranda te zitten van dit donkere huis waar niemand was, met een gerafelde vlag naast de voordeur? Was het eigenlijk wel zijn huis? Stel dat het dat was, zou er dan, als ze zou inbreken, hierbinnen iets te vinden zijn waar ze werkelijk wat aan had, of waar wie dan ook werkelijk wat aan had? afgezien dan van – bijvoorbeeld – een oude, beschimmelde koffiepot die niet goed was afgewassen, een oud kopje met een vieze kring erin in de gootsteen waar iemand die er nu misschien niet meer was uit gedronken zou kunnen hebben?

Wat had ze dan toch verwacht dat er zou gebeuren? Had ze gedacht dat, net als in een verhaal bedacht om mensen een goed gevoel te geven, op het moment dat ze dichter bij het huis van haar vader kwam, dit ineens zou oplichten als een reusachtige tafellamp, dat het plotseling vanuit zijn donkerte zou opvlammen en het hele omringende landschap met licht zou overstromen, dat de deur als bij toverslag zou openvliegen, dat alle rozenstruiken zich voor haar zouden neerbuigen en haar hun bloemen zouden aanbieden terwijl ze het pad op liep? Wat was een happy end? Jarenlang had ze zich afgekeerd van alles wat echt 'happy' was, en van echte 'ends' al net zo lang, tot aan het moment dat ze de voordeur van haar leeggehaalde huis had opengedaan, het huis waar de kasten van hun deuren ontdaan waren, met ontschilderijde muren en onvolle kamers, zonder een spoor van wat dan ook, met niets om nog te kunnen bewijzen dat Eve Smart, wie dat ook mocht zijn, daar überhaupt ooit eerder was geweest.

Ze kon haar kinderen duidelijk onderscheiden, alsof ze zich ver boven hen bevond, alsof zij een van die zwarte raven uit de Grand Canyon was die over hen heen vlogen. Vanhier af kon ze zien dat ze zich allemaal op een afzonderlijke weg bevonden, op afzonderlijke landkaarten, en dat die landkaarten slechts diagrammen waren, zoals die in de wegenverkeerswet, waarop verklaard wordt wat je bij wegkruisingen moet doen. Honderden van deze kruisingen en alle mogelijke verbindingen daartussen strekten zich uit beide als een web van verlichte synapsen. Maar daar waar ze bij de volgende vrije kruising aankwamen en de beslissing viel welke kant ze opgingen, losten grote delen van de kaarten zich op in duisternis. Erger nog, de kaarten bleken uitsluitend uit papier te bestaan. Ze waren flinterdun als krantenpapier, als primitieve vallen boven op een gat met een diepte van een mijl. Elk moment, als een van haar kinderen er te zwaar op leunde of een voet verkeerd neerzette, konden de kaarten scheuren of dubbel klappen of gewoon weggeblazen worden.

Maar net op dat moment stak voor Eves ogen een enorme katachtige, een soort lynx, de weg over, het gras voor het lege huis op. Een konijn of een ander klein dier hing levenloos uit zijn bek. Hij zag Eve op de veranda van het huis zitten. Een paar meter van haar af bleef hij staan en keek naar haar.

Toen draaide hij zijn kop om en liep met hetzelfde ongeïnteresseerde gangetje over het gras naar de achterliggende weg en verdween tussen de bomen.

Shit, zei Eve binnensmonds.

Ze verliet de veranda en keek waar hij gebleven kon zijn. Er was geen spoor van hem te bekennen. Uit niets bleek dat wat zich had afgespeeld echt was gebeurd. Dat dit wel het geval was, wist ze door het bonzen van haar hart tegen haar borstkas. Behalve in een dierentuin of op foto's of in films had ze nooit een katachtige gezien die groter was dan een huiskat. Het was een lynx of een poema geweest of een dier waarvan ze de naam niet kende, zo groot als een forse hond, met duidelijk zichtbare haarpluimen op de punten van zijn oren. Hij had een kalme, zelfverzekerde indruk gemaakt. Het had vijf hele seconden geduurd.

Over het gras liep ze terug naar haar auto. Ze stapte in. Ze legde de krant op de passagiersstoel en stak haar hand uit om de motor te starten en via de snelweg die naar stinkdieren en verbrande rubber rook terug te rijden naar New York.

In plaats daarvan leunde ze met haar hoofd op het stuur. Ze dacht aan Astrid, haar meisje, en aan Magnus, haar jongen. Ze stelde zich voor dat ze in de auto zaten, Astrid mopperig en irriterend achterin, Magnus voorin, morrelend aan de radio of door de voorruit turend naar de nachthemel. Ze stelde zich voor dat ze heel langzaam over een van deze weggetjes reed en dat voor hen uit die wilde kat met zijn grote poten de weg overstak.

Astrid zou het geweldig vinden.

Magnus zou precies weten wat voor katachtige het was.

Ze viel achter het stuur in slaap, en toen ze wakker werd was het licht.

Hallo, zei Eve.

De vrouw was beheerst maar zenuwachtig. Ze hield een oude hond bij zijn halsband vast. Ze was blond, mager, zeer goed gekleed en zo buitengewoon vijandig dat Eve zichzelf erop betrapte dat ze een stap achteruit deed voor de geopende deur.

Je bent te laat, zei de vrouw.

O ja? zei Eve.

Ik verwachtte je om acht uur precies, zei de vrouw. Neem volgende keer de achterdeur. Dit is de voordeur. Rebecca, riep ze. Kom naar beneden en neem die hond mee.

Een klein blond meisje in een T-shirt en spijkerbroek kwam achter de vrouw de trap af en glipte zonder haar aan te raken langs haar heen.

Hallo, zei Eve tegen het meisje.

Het meisje trok de oude hond langs Eve naar buiten en verdween opzij van het enorme huis. De vrouw had zich omgedraaid, liep door de gang en bleef staan. Ze maakte een geluid van geïrriteerdheid. Eve liep achter haar aan het huis in.

Ik wil even duidelijk stellen dat ik een uur te laat komen op geen enkele wijze acceptabel vind, zei de vrouw met haar rug nog naar Eve terwijl ze de gang doorliep en de trap passeerde, die naar boven wervelde als in een film. Ik ben geen ontoegeeflijk mens, zei ze, maar ik heb normen waaraan ik wil dat je voldoet.

Verschillende zinnen begonnen in Eves hoofd vorm aan te nemen. *Wie is die je eigenlijk,* en *ik ben niet de,* was de strekking van allemaal. Maar plompverloren, in plaats van dit alles, zei ze:

Stel dat ik zou zeggen dat ik autopech had.

Het kan mij helemaal niks schelen wat er met jouw auto is, zei de vrouw.

De keuken waar ze inmiddels in stonden was gigantisch. Een paar fornuizen besloegen een hele muur. Er was een ontbijtbar vol met serviesgoed, en ook de gootsteen lag er vol mee. De vrouw sprak zonder Eve direct aan te kijken. Ze sprak tegen een punt ongeveer vijftien centimeter rechts van Eve, boven haar hoofd.

Afwasmachines. Hier, zei de vrouw. Afwasmiddel. Hier. Dweilen en bezems. Schoonmaakmiddelen en allesreinigers. Hier. De spullen waar het uitzendbureau om heeft gevraagd liggen in de waskelder, en alles wat je verder nodig hebt, zul je wel bij je hebben. De werkomschrijving zul je wel met Bob van het uitzendbureau hebben besproken. Als je mij jouw exemplaar geeft, kunnen we hem even doornemen.

Ik moet helaas zeggen dat ik niets weet van een werkomschrijving, zei Eve.

Je weet er niets van?

De vrouw keek verbijsterd, toen woedend en toen zo teleurgesteld dat Eve zelfs medelijden met haar kreeg.

Nou, verzuchtte ze, dan moet ik maar eens met Bob van het uitzendbureau gaan praten. Je naam is?

Ik heet Eve, zei Eve.

De huishoudelijke hulp is er, riep een kinderstem ergens verder naar achteren in het huis.

Dat kan ik zelf wel zien, dank je, Rebecca, riep de vrouw terug. En hoe drink je je koffie, Steve? vroeg ze.

O, zei Eve. Wat aardig. Geweldig. Zwart, alsjeblieft. Geen suiker. Bedankt.

De vrouw schonk uit een klaarstaande kan koffie in een

schoon kopje. Ze schonk de koffie uit dit kopje over in een ander kopje. Het eerste kopje, waar de damp nog van afsloeg, zette ze voor Eve neer en ze wees naar de afwasmachine.

Het antwoord op die vraag is dat je helemaal geen koffie drinkt. Niet in mijn tijd, zei de vrouw.

Toen ging ze de keuken uit, met het tweede kopje voor zich uit als een ereprijs.

Eve begon te lachen. Ze zette de borden uit de gootsteen in de eerste openstaande afwasmachine totdat de vrouw weer de keuken in kwam. Ze had een jonge Latijns-Amerikaanse vrouw bij zich met twee blonde kinderen aan haar zijde, het meisje dat de hond bij zijn halsband had gepakt en een jongen van een paar jaar jonger die eruitzag als de achterlijke dwerg uit Disneys *Sneeuwwitje*.

De vrouw kwam op haar af en nam Eves beide handen in de hare.

Steve, zei de vrouw. Het spijt me echt heel erg. Je moet het me echt vergeven. Ik schaam me vreselijk. Het is niet te geloven.

Ik heb deze afwasmachine gevuld, zei Eve tegen de Latijns-Amerikaanse vrouw. Ik hoop dat ik het goed gedaan heb, maar ze lijken overal ter wereld wel op elkaar, hè, afwasmachines bedoel ik.

De Latijns-Amerikaanse vrouw zei niets. Ze keek met een neutrale blik naar de vloer. Ze had al moeilijkheden genoeg.

Breng onze gast naar de grote zitkamer, alsjeblieft, Rebecca, zei de vrouw.

Waarom heet ze Steve? vroeg de jongen. Waarom heeft ze een jongensnaam?

Nathan, lieve schat, zei de vrouw. Ga jij eens televisie kijken in de huiskamer.

Eve liep achter het meisje aan de gang weer in.

Dit is de hal, zei het meisje. Dit is het trappenhuis. Dit is de grote zitkamer. We hebben nog drie zitkamers op de begane grond. Als je ze wilt zien, kan dat.

De grote zitkamer is goed genoeg, dank je, zei Eve.

Je mag daar gaan zitten, zei het meisje, en ze gebaarde naar een bank die groot genoeg was voor vijf of zes mensen.

Bedankt, zei Eve. Ze schopte haar schoenen uit. Je moet mij eens wat vertellen, Rebecca, zei ze.

Het meisje zat naar Eve te kijken vanaf eenzelfde bank als die waarop Eve zat, aan de andere kant van de kamer. Ze keek naar Eves schoenen. Ze keek naar Eves voeten. Ze bekeek Eve alsof Eve een vreemd, mismaakt wezen was dat op een kermis thuishoorde.

Ik heb gereisd, zei Eve. Ik kom van ver. Je moet me helpen een vraag te beantwoorden. Wie woont er in dat kleine huis, het huis dat er een beetje vervallen uitziet, daar langs de weg?

Het meisje deed alsof ze niets gehoord had. Toen sloeg ze een boek open en deed alsof ze las.

Little Women, zei Eve. Welke ben jij? De getrouwde, de jongensachtige, de ijdele of de dode?

Het meisje barstte even uit in een lach en viel toen weer stil.

Heb je enig idee wie er in dat huis hebben gewoond? Of wie er nu wonen?

Het meisje keek haar aan met een koele blik. Ze haalde haar schouders op.

Bedankt, zei Eve. Je bent een grote steun.

De bank waarop ze zat stond tegenover een glazen wand die uitkeek op een terras met smaakvolle houten banken en daarachter een weids gazon ter grootte van een klein Londens stadspark, en met ten slotte daarachter zo'n weiland met onberispelijk uitziende paarden.

Zorgt je moeder voor die paarden? vroeg Eve.

We hebben mensen die voor de paarden zorgen, zei het meisje zonder van haar boek op te kijken. Mijn moeder is architect. Zij heeft dit huis ontworpen.

Je moeder is een verschrikkelijk duivels rotwijf, zei Eve.

Het meisje liet het boek zakken en keek Eve met open mond aan.

Haha, zei Eve. Ik had je tuk. Maar het is waar. Je weet dat het waar is.

Wat is waar, en wie weet dat het waar is? zei de vrouw.

Ze was de kamer in gekomen met een dienblaadje met kopjes, borden met knapperige broodjes, crackers met kaas en plakjes vlees. In haar andere hand had ze de koffiekan uit de keuken.

Niks, zei het meisje. Niemand.

Ze keek doodsbang.

Koffie? zei de vrouw.

Ik weet niet of ik wel koffie mag drinken in jouw tijd, zei Eve.

De vrouw keek Eve aan met een warme, vertrouwelijke glimlach.

Moeder, mag ik met Sonny naar het bos? vroeg het meisje.

Hou hem uit de buurt van de ganzen van de Dunlops, Rebecca. En als je terugkomt, moet je jezelf even goed opknappen, zei de vrouw.

Het meisje ging de kamer uit.

Jij drinkt het net als ik, zei de vrouw. Zwart zonder suiker.

Je wist het nog, zei Eve.

Jerry komt jammer genoeg pas aan het einde van de middag, zei de vrouw. Hij moest zijn oudste ophalen bij de universiteit. We hebben trouwens vorige herfst hier Richards achttiende verjaardag gevierd, maar ik geloof niet dat ik me herinner dat jij daarvoor hiernaartoe bent gekomen.

Nee, zei Eve. Ik was op dat moment waarschijnlijk in Europa.

Uit haar ooghoek zag ze het meisje om de hoek van de muur door het raam naar hen kijken. Toen het meisje zag dat ze gezien was, deed ze een stap achteruit en verdween uit het zicht.

Eigenlijk ben je juist heel, heel erg vroeg, zei de vrouw. Eerlijk gezegd hadden we op zijn vroegst vanavond pas iemand verwacht, en de meesten komen morgen later op de dag.

Zo gaat het nou altijd met mij. Eerst ben ik te laat, dan te vroeg, zei Eve.

En dat verklaart mijn vergissing, zei de vrouw. Nogmaals, ik hoop dat je het me vergeeft.

Nee, zei Eve. Zoals jij je gedroeg is onvergeeflijk. En je doet het niet alleen bij mij.

De vrouw wachtte totdat Eve zou gaan lachen. Toen Eve niet lachte, begon zij zelf toch te lachen.

Nou, Steve, zei ze, ik vind het fantastisch dat je er bent. Ik heb helaas vreselijk veel te doen, maar je mag met alle plezier op je kamer gaan uitrusten of doen wat je wilt, de omgeving gaan verkennen... O! Hoorde ik je zeggen dat je pech had met je auto?

Hij staat hier even verderop. Ik heb hem in de berm gezet bij het eerste huis, het huis bij het moeras, zei Eve.

Je hebt zo'n heerlijk accent, zei de vrouw.

Bedankt, zei Eve.

Zo klassiek, zei de vrouw. Het klinkt net als... het klinkt net als... ik weet niet precies hoe ik het moet zeggen, als...

Als bij de bbc? vroeg Eve.

Ja. De bbc, zei de vrouw.

Toen de vrouw de kamer uit was, pakte Eve zo veel etenswaren van het dienblad als ze in de zakken van haar spijkerbroek en haar jasje kon proppen, totdat een andere oudere Latijns-Amerikaanse vrouw met een dikke stapel zo te zien nieuwe witte handdoeken haar kwam ophalen, haar via de hoofdtrap naar boven bracht en daar met haar door een modernistische gang met glazen wanden en vervolgens door een traditionelere gang liep. Ze liet Eve door een deur gaan en liet de handdoeken achter in de schitterende suite.

Bedankt, zei Eve.

Graag gedaan, mevrouw, zei de Latijns-Amerikaanse.

Ze deed de deur achter zich dicht. Het geluid van de dichtgaande deur klonk beschaafd.

Eve ging midden in de kamer staan, belegde een broodje

met de etenswaren die ze in haar zakken had gepropt. Ze at het op. Toen maakte ze er nog een. De rest van de etenswaren legde ze op het nachtkastje.

De kamer was modieus spaarzaam gemeubileerd. Aan het plafond hing een grote ventilator. De muren waren met hout bekleed; het rook hier net als in de rest van het huis naar dit zoete hout. In een van de muren zaten twee ramen die uitkeken op een zwembad, een paar stallen en een weiland zo groen dat het op de een of andere manier shockeerde. De andere muren waren behangen met foto's van mensen met paarden of mensen op paarden. Op een ervan herkende Eve de blonde vrouw. Ze was in het gezelschap van een man, een knappe man, die niet glimlachte.

Jerry.

Het meisje stond maar op een van de foto's. Daarop was ze veel jonger en zo blij dat ze bijna niet te herkennen was.

De andere foto's waren allemaal kiekjes van de slome jongen gekleed als cowboy, met pistolen, een vest en een stetson op de rug van een pony met witte manen die te groot voor hem was.

Er was geen foto van iemand die Richard (18) zou kunnen zijn, die vanmiddag van de universiteit zou worden opgehaald. Een zoon uit een eerder huwelijk, dacht Eve.

Ze belegde nog een broodje en at dat op. Ze ging op de rand van het perfect opgemaakte bed zitten.

Ze besloot om in de auto te gaan slapen.

Ik ben geboren. En zo. Mijn moeder en vader. Enzovoort.

Doet er niet toe. Stel je het mooiste paleis voor. Het is het mooiste paleis ter wereld. Stel je nu een veelvoud ervan voor. Het is een paleis opgebouwd uit paleizen. De paleizen zijn honingraten van lagen steen en licht. Er zijn binnenhoven, bogen, galerijen, hele zalen vol gesternte omdat ambachtslieden honderden jaren geleden sterren door de rotsen heen hebben gehouwen en de zon nog steeds sterren verspreidt op de muren en de vloeren van de paleizen. Er is een prachtige fontein. Stenen leeuwen dragen hem op hun rug. Het plafond is als een hemel van gebroken lichtkrommen. Van een afstand zien de muren eruit alsof ze van fijne kant zijn gemaakt. Van dichtbij zie je dat die fijne kant van steen is. Uitgehouwen in de bogen van een hek een hand en een sleutel. Uitgehouwen in de paleismuren de woorden: geen andere veroveraar dan God.

Het bestaat echt! Het staat in Spanje. Zorg dat je er vroeg bij bent, de bezichtiging gaat per tijdseenheid. Per uur mogen driehonderdvijftig mensen het bekijken. Er zijn gedeelten die meer dan duizend jaar oud zijn. Regisseur Ray Harryhausen heeft er veel gefilmd voor *De zevende reis van Sindbad*, omdat het eruitziet als het oude Bagdad. Het was Moors. Het was Arabisch. Het was Berbers. Het was van de moslims. Het raakte in verval. Ze hebben het gerestaureerd. Voor korte tijd was het joods. Voor korte tijd was het van de zigeuners. De christenen hebben de moslims eruit gegooid. De katholieken hebben het paleis gehouden maar een kerk boven op de moskee gezet. Dichters hielden ervan. Schrijvers hielden ervan. Schilders hielden ervan. Negentiende-eeuwse toeristen hielden ervan. Ze hebben er stukjes uit de muren gekerfd en die mee naar huis genomen. De schrijver John Ruskin heeft gezegd dat het te onchristelijk was om het kunst te kunnen noemen. De ontwerper en architect Owen Jones heeft het bestudeerd voordat hij het Crystal Palace bouwde. De grote promotor van het circus P.T. Barnum heeft op basis hiervan een herenhuis voor zichzelf laten bouwen. Dat huis heeft de tijd niet getrotseerd. Het is uiteindelijk afgebrand. De mensen die bioscopen bouwden hebben sommige bioscopen ernaar vernoemd. Zoals de bioscoop waarin ik verwekt ben. Nu zijn we terug bij het begin.

De hemel op aarde. Alhambra.

Het is het toch nog betaalbare vijfdeurs topmodel voor personenvervoer, zeven mensen kunnen erin, met een 2,8 liter motor, van nul tot honderd in 9,9 seconden.

Het is een paleis in de zon.

Het is een bouwvallige oude bioscoop met een verzameling zeer brandbare films. Heb je een vuurtje? Zie je? Voorzichtig. Ik ben alles wat je ooit gedroomd hebt.

Met dank aan Carla Wakefield voor de oorspronkelijke toevallige.

Bedankt Charlie, Bridget, Kate, Woodrow, Xandra, Becky, Donald, Daphne en Stephen.

Bedankt Andrew en Michal, en Simon en Juliette.

Bedankt Kasia.

Bedankt Sarah.